INTRODUCCIÓN
A LA
CRISTOLOGÍA

Jacques Dupuis

INTRODUCCIÓN A LA CRISTOLOGÍA

TERCERA EDICIÓN

EDITORIAL VERBO DIVINO
Avda. de Pamplona, 41
31200 ESTELLA (Navarra)
2000

3ª edición

Título original: *Introduction to Christology.* Traducción: *Pedro Rodríguez Santidrián.*

Cubiertas: *Horixe Diseño,* Pamplona.

© Edizioni Piemme S.p.A., 1993 © Editorial Verbo Divino, 1994. Es propiedad. Printed in Spain. Fotocomposición: Fonasa, 31010 Barañain. Impresión Gráficas Lizarra, 31200 Estella (Navarra).

Depósito Legal: NA. 3.067 - 2000
ISBN: 84-7151-968-2

Introducción

«¿Quién decís que soy yo?»

Característica común a la narración de Marcos y a la de Mateo (Mc 8,29; Mt 16,15) es que Jesús, antes de anunciar por primera vez a sus discípulos su pasión inminente, les hace la decisiva pregunta: «¿Quién decís que soy yo?». Los dos evangelistas recogen en primer lugar la opinión de la gente sobre Jesús: Juan el Bautista... o uno de los profetas. Pedro, sin embargo, tomó la palabra y le dijo: «Tú eres el Cristo» (Mc 8,29); o: «Tú eres el Cristo, el Hijo de Dios vivo» (Mt 16,16). Cualquiera que sea la formulación —la diferencia entre las dos es probablemente menor de lo que parece a primera vista—, la respuesta de Pedro podría considerarse, simbólicamente, como la primera afirmación cristológica. No obstante, tal respuesta no era más que una anticipación, una preparación de la fe cristológica que nacería con la Pascua.

En efecto, la respuesta de Pedro en Cesarea de Filipo coincide con el contenido de la primera predicación kerigmática de la Iglesia apostólica. Cuando el día de Pentecostés, según el relato de Hechos, se levantó Pedro con los once para dirigirse a los judíos en la que se conoce como la primera predicación cristiana, el punto de inflexión de su mensaje decía: «Así pues, que todos los israelitas tengan la certeza de que Dios ha constituido Señor y Mesías a este Jesús, a quien vosotros crucificasteis» (Hch 2,36). *El Cristo, el Señor, el Hijo de Dios:* estos tres títulos constituyen el núcleo de la primitiva fe cristológica y evidencian de una manera inequívoca el puesto central que, desde el comienzo, ha ocupado esta confesión en la fe de la Iglesia cristiana.

Todo consistía en atribuir al hombre Jesús, cuyo nombre propio era Yeshua (Yesua), un título particular (Masiah, el Ungido, el Cristo), tomado de la terminología teológica del Antiguo Testamento. Así nace la confesión de fe «Jesús es el Cristo», que más tarde evolucionaría semánticamente en la aposición «Jesús-el-Cristo» y posteriormente en el nombre compuesto «Jesucristo». Casos semejantes no faltan en la historia de las religiones; el de Gautama el Buda es particularmente sorprendente. Así como la fe cristiana dio a Jesús el título de «el Ungido», de la misma manera la tradición budista honró a Gautama con el de «el Buda» («el iluminado»). Una tradición, por tanto, ha evolucionado desde el Yeshua de la historia al Cristo de la fe, y la otra desde el Gautama de la historia (Shakyamuni) al Buda de la fe (Amida Buda). En ambos casos las tradiciones religiosas que se han derivado han tomado su nombre de los títulos dados a sus fundadores: cristianismo y budismo [1].

Pero hay una diferencia. Aunque en la tradición budista se ha exaltado al rango de Gautama-el-Buda, no es equivalente al que la tradición cristiana atribuye a Jesús-el-Cristo. Cierto que Gautama predicó un mensaje de liberación *(dharma),* como Jesús predicó la Buena Nueva del Reino de Dios. Gautama, además, actuó con la autoridad que le confería una eminente experiencia religiosa *(nirvana),* mientras

---

[1] Cf. L. Swidler, *«Jesus' Unsurpassable Uniqueness»: Two Responses,* «Horizons» 16 (1989) 119.

que Jesús lo hizo desde la propia autoridad nacida de su experiencia de Dios como *Abba*. Sin embargo, si Gautama es salvador, lo es en cuanto que es «el iluminado», cuyo ejemplo muestra a los demás el camino a la liberación; Jesús, por otra parte, *es* el camino. Desde la era apostólica en adelante, la fe cristiana ha profesado que él es el Salvador universal. Y, al hacerlo, la Iglesia apostólica no pretendió introducir una innovación, sino tan sólo reconocer su significado y anunciar lo que Dios mismo había hecho por la humanidad en la persona y en el acontecimiento de Jesucristo.

Jesucristo, el centro

Si desde el punto de vista de la religión comparada el lugar y el significado que la fe cristiana atribuye a Jesucristo aparece distinto y original, desde la perspectiva de la fe cristiana su peculiaridad emerge todavía más claramente. La persona, la vida, la muerte y la resurrección de Jesucristo son tan centrales al misterio cristiano que a veces se ha dicho —entiéndase bien— que el «cristianismo es Cristo». Tal afirmación no pretende identificar simplemente la religión con el fundador y la Iglesia cristiana con aquel que la ha fundado, sino que, desde el momento en que ésta encuentra su razón de ser y su significado en Jesucristo, al que ella está íntimamente ligada y subordinada, pretende confirmar que la persona y la obra de Jesucristo son la fuente, el centro y el fin, el alfa y la omega de lo que el cristianismo significa y anuncia al mundo.

La teología cristiana, en consecuencia, será esencialmente cristocéntrica. Esto no significa que la cristología agote toda la teología, sino que la dota de una clave necesaria de interpretación, constituyéndose así en principio hermenéutico de todo el edificio. La protología y la escatología, la antropología y la teología, la eclesiología y la sacramentología son todas ellas partes distintas de un edificio teológico que busca su propia unidad y coherencia, su propio significado y clave hermenéutica en la persona y acontecimiento de Jesucristo, en el que está centrado. En él los cristianos aprenden a descubrir quién es Dios realmente, quiénes son los seres humanos, cuál es su verdadero origen y destino, el significado y el valor de su mundo y su historia, así como el papel de la Iglesia como acompañante de la humanidad en su peregrinar a través de los siglos.

El concilio Vaticano II ha puesto un acento especial en la relación de la Iglesia con el misterio de Jesucristo al definir la Iglesia como «sacramento», esto es, como «signo e instrumento de la íntima comunión con Dios y de la unidad de todo el género humano» (LG 1), añadiendo que la Iglesia es «el sacramento universal de salvación» (LG 48). El concilio ha adoptado aquí de forma consciente la intuición teológica según la cual Jesucristo —que en su persona es el misterio de salvación— es el «sacramento primordial» *(Ursakrament)* del encuentro del hombre con Dios, mientras que la Iglesia es, de manera derivada, el sacramento del encuentro con el Señor resucitado. Siguiendo en la misma línea, un documento reciente de la Comisión Teológica Internacional, titulado «Temas selectos de eclesiología con ocasión del XX Aniversario de la clausura del concilio Vaticano II» (1984), ha declarado:

> «Si el mismo Cristo puede llamarse 'el sacramento de Dios', la Iglesia, de forma análoga, puede llamarse 'el sacramento de Cristo'... Y, sin embargo, es más que evidente que la Iglesia sólo puede ser sacramento por vía de total dependencia de Cristo, que es intrínsecamente el 'sacramento primordial'» (8.3) [2].

---

[2] Texto en COMISIÓN TEOLÓGICA INTERNACIONAL, *Documenta-Documenti (1969-1985)*, Libreria Editrice Vaticana, Ciudad del Vaticano 1988, 539.

Esto vale tanto como decir que el misterio cristiano —y la teología, cuya función es articularlo— es por definición cristocéntrico y no eclesiocéntrico. Jesucristo es el misterio primordial del que la Iglesia deriva y al que está vinculada.

Cristo-el-sacramento, sin embargo, no agota el misterio de Dios, sino que, más bien, apunta hacia él. El cristocentrismo no se opone al teocentrismo: el primero implica y busca al segundo. Una de las razones ya ha sido formulada: el hombre Jesús es «el sacramento del encuentro con Dios». Esto significa que en su naturaleza y en su rostro humano nosotros entramos en contacto con Dios mismo, desde el momento en que la divinidad y la humanidad se han unido indisolublemente en su persona, en calidad de Hijo de Dios hecho hombre. Quiere decirse que Jesús no ocupa un lugar intermedio entre Dios y los hombres. No es un «intermediario» que intenta —en vano— unir el abismo que separa lo infinito de lo finito, ni un intermediario que en sí mismo no es ninguno de los dos extremos o polos que han de unirse, sino que es el «mediador» en el que ambos extremos están irrevocablemente unidos porque él es personalmente el uno y el otro.

Cristología y teología

Con todo, como Dios-hombre, Jesucristo, el Hijo encarnado, es el «camino» al Padre que está más allá del mediador. El evangelio de Juan lo expresa claramente cuando hace decir a Jesús: «Yo soy el camino, la verdad y la vida; nadie viene al Padre sino por mí» (Jn 14,6). La cristología entraña una paradoja, ya que, mientras por un lado encontramos a Dios en el hombre Jesús, por otro el Padre permanece más allá de Jesús. Los evangelios, y el de Juan en particular, son testigos de esta paradoja. A Felipe, que pedía le fuera mostrado el Padre, Jesús le dijo: «Quien me ha visto a mí ha visto al Padre» (Jn 14,9). No obstante, reflexionando sobre el misterio de la manifestación de Dios en Jesucristo, Juan mismo observa: «A Dios nadie lo vio jamás; el Hijo único, que es Dios y que está en el seno del Padre, nos lo ha dado a conocer *(exègèsato)*» (Jn 1,18). El Hijo encarnado es el «exegeta», el intérprete del Padre. En él Dios se revela y se manifiesta, aunque permanezca invisible y no perceptible. El Padre está más allá: es «más grande» (Jn 14,28), el único que es «bueno» (Mc 10,18).

El misterio de Dios, por tanto, se mantiene secreto y oculto, aun cuando en Jesucristo se nos manifieste de una manera única, o sea, cualitativamente insuperable. Jesús reveló el misterio de Dios como algo experimentado personalmente por él en su conciencia humana. Una vez colocado en la conciencia humana del hombre Jesús, el inefable misterio de la vida íntima de Dios podía ser anunciado en términos humanos, haciéndose así el objeto de la revelación divina. No obstante, a pesar de su carácter único, la revelación de Dios en el hombre Jesús no agotó ni pudo agotar el misterio divino, de la misma manera que no lo hizo o no lo podía hacer el conocimiento humano que Jesús tenía del misterio. El Dios revelado en Jesucristo sigue siendo un Dios escondido.

Tampoco Jesús, el mediador que es el camino al Padre, toma el lugar de éste o le sustituye. Por el contrario, remite todo, y él en primer lugar, al Dios a quien llama Padre. Nunca, en efecto, Jesús se llamó a sí mismo «Dios». «Dios», en su lenguaje, se refiere exclusivamente al Padre. Más exactamente todavía, su Dios es Yahveh, que en el Antiguo Testamento se reveló a Israel y al que Jesús se refiere como a su Padre con la singular e íntima familiaridad que implica el término «*Abba*»[3]. La conciencia humana de Jesús es esencialmente filial.

---

[3] Cf. K. Rahner, «Theos en el Nuevo Testamento», en *Escritos de Teología*, I, Taurus, Madrid 1963.

Por eso, a través del Hijo somos dirigidos al Dios que es Padre. El cristocentrismo reclama el teocentrismo. Cristo, al revelarse como Hijo, reveló a Dios; es decir, viviendo su filiación del Padre bajo la mirada maravillada de los discípulos. En él y a través de él el misterio del Padre incognoscible les fue desvelado. La misma ley se aplica a los discípulos de hoy: la cristología lleva a la teología, es decir, a Dios, como queda revelado de la manera más decisiva en Jesucristo, al mismo tiempo que permanece envuelto en el misterio. El desarrollo de los estudios cristológicos y teológicos de los últimos años es testigo de este proceso: la reflexión teológica asciende del Cristo de Dios al Dios de Jesús, de la cristo-logía a la teo-logía.

Cristocentrismo y antropocentrismo

Colocar a Jesucristo en el centro del misterio cristiano no significa hacerle usurpar el lugar de Dios: Dios sigue siendo el fin de todas las cosas así como su origen. Si Jesucristo, como mediador, está en el centro del plan de Dios para la humanidad, la razón es que Dios mismo le ha colocado allí en su eterno designio. Él es el canal por el que Dios baja al hombre y el hombre sube hasta Dios; el medio por el que Dios se revela personalmente al hombre y por el que éste llega a conocer quién es Dios para él. Resulta, por tanto, que también en Cristo llega el hombre a conocerse a sí mismo en toda su verdad. El cristocentrismo y el teocentrismo, más que oponerse, se buscan mutuamente, como ocurre con el cristocentrismo y el antropocentrismo. Lo expresa bien la constitución pastoral *Gaudium et Spes* del concilio Vaticano II. Ésta dice:

«En realidad, el misterio del hombre sólo se esclarece en el misterio del Verbo Encarnado. Porque Adán, el primer hombre,

era figura del que había de venir, es decir, Cristo nuestro Señor.
Cristo, el nuevo Adán, en la misma revelación del misterio del
Padre y de su amor, manifiesta plenamente el hombre al propio
hombre y le descubre la sublimidad de su vocación» (GS 22).

«El hombre es más que el hombre». Está llamado a
trascenderse, si bien no puede alcanzar esta autotrascenden-
cia por su propio esfuerzo, sino que ha de recibirla como
un don de Dios. En Jesucristo el hombre se trasciende a sí
mismo en Dios por medio del autovaciamiento de Dios en
la condición humana. La encarnación del Hijo de Dios
establece entre Dios y el hombre un «maravilloso intercam-
bio» por el que el hombre se convierte en consorte para
Dios. De esta manera descubre el alto valor que Dios le ha
confiado y el alto precio que tiene a los ojos de Dios. «El
Hijo de Dios —dice el Vaticano II— con su encarnación se
ha unido, en cierto modo, con todo hombre» (GS 22).
Hecho partícipe de la filiación de Dios en Jesucristo, el
hombre encuentra en él el complemento de su propia apertura hacia Dios. La divinización del hombre en el Dios-hombre lleva la humanización a su clímax. Ninguna antropología, por tanto, puede decirse cristiana si no busca el último
significado del hombre en Jesucristo. No hay antropología
cristiana sin cristología.

Una cuestión de método

La cristología, como todo discurso teológico, puede
adoptar diferentes métodos. El que ha predominado hasta
tiempos recientes puede llamarse «dogmático». Este método tomó como punto de partida las enunciaciones dogmáticas del Magisterio central de la Iglesia —en particular la
definición de Calcedonia— y, mediante un movimiento de
retrospección, trató de comprobar los elementos esenciales
del misterio con referencias bíblicas elegidas e interpretadas

adecuadamente. Hecha esta verificación, el método investigó ulteriormente el significado de las definiciones dogmáticas relativas al misterio de Jesucristo para sacar de ellas unas conclusiones todavía más precisas.

Tal método adolecía de serias limitaciones y peligros. El Nuevo Testamento no figuraba aquí como el alma del proyecto cristológico, sino que se hacía uso de él a modo de «método de textos probatorios» para justificar las formulaciones dogmáticas. La Palabra de Dios no constituía la última norma (*norma normans*) en base a la cual interpretar estas formulaciones; el dogma se convirtió en norma final. En este proceso, la Sagrada Escritura se usaba de forma no crítica, a menudo sin tener en cuenta el método exegético; en particular, los dichos atribuidos a Jesús en los evangelios —incluido el de Juan— se tomaban indiscriminadamente por auténticos (*ipsissima verba*). Tomando como norma absoluta el modelo calcedonense, se prestaba poca atención a la pluralidad de cristologías ya presentes en el Nuevo Testamento; mucho menos se dejaba espacio para un modelo calcedonense de cristología una vez que el concilio hubo determinado el dogma cristológico. En breve, la conexión entre Sagrada Escritura, Tradición y Magisterio, tan acertadamente expresada por el Vaticano II (DV 10), se había desviado a favor del dogma. Surgió así un peligro de dogmatismo, una manera de absolutización de un determinado modelo cristológico que, como muestra la historia, a menudo no hacía plena justicia a la verdadera humanidad de Jesús y en gran medida olvidaba su «historia» humana. El método dogmático condujo a una cristología abstracta que, al perder el contacto con la vida concreta de Jesús, corría el peligro de ser irrelevante incluso para nuestra vida concreta.

Las últimas décadas han sido testigo del desarrollo —en teología en general, y en cristología en particular— de otro método más adecuado que puede llamarse «genético»

o «histórico-evolutivo». Éste parte de la Sagrada Escritura,
y particularmente de la esperanza mesiánica del Antiguo
Testamento y su cumplimiento, según el Nuevo Testamento, en la persona de Jesús. Este método continúa estudian-
do la cristología del Nuevo Testamento, esto es, la reflexión
de fe hecha por la Iglesia apostólica sobre el acontecimiento de Cristo a la luz de la experiencia pascual, sin atender
siempre de forma adecuada a la pluralidad de las cristologías del Nuevo Testamento, en un intento expreso a veces
de reducir a una síntesis artificial esas cristologías diversificadas. El método sigue posteriormente el desarrollo de la
reflexión cristológica a través de la tradición posbíblica en
la Iglesia de los Padres. Así llega a los concilios cristológicos, cuyo objetivo inmediato era refutar y condenar las
herejías cristológicas que surgieron desde dos direcciones
opuestas: el nestorianismo por una parte (Éfeso) y el moni-
fisismo por otra (Calcedonia). El método examina, además,
los desarrollos cristológicos posconciliares a través de la
historia más reciente hasta nuestros días, para terminar con
las cuestiones cristológicas que requieren mayor atención
en el estado actual de la reflexión.

El Decreto sobre la Formación Sacerdotal del Vaticano
II (OT 16) recomendó el uso en los estudios teológicos del
método genético, que se había aplicado en los años precon-
ciliares, caracterizados por una vuelta definitiva a las fuentes, tanto bíblicas como patrísticas. El mérito principal de
este método, si se compara con el dogmático, consiste en el
puesto destacado que asigna a la teología «positiva» —es
decir, al estudio de las fuentes— como distinta de la teología «especulativa». El desarrollo dogmático se ve así de
forma lineal, como movimiento progresivo que conduce a
una comprensión cada vez más profunda del misterio cristológico. Habrá que preguntarse, sin embargo, si el concepto lineal del desarrollo cristológico no simplifica demasiado
los datos históricos: en el curso de la tradición, ¿toda nueva

tendencia en cristología ha representado un progreso y un auténtico perfeccionamiento en la percepción que la Iglesia tiene del misterio de Cristo? ¿No nos hallamos quizá ante un modelo cristológico —que de por sí no debía ser considerado como único y absoluto— que ha adquirido *de facto* el monopolio de la reflexión teológica, desplazando otros modelos en su proceso, no sin pérdida real para la percepción del misterio por parte de la Iglesia? Sobre tales cuestiones volveremos más adelante.

De momento, se puede señalar ya que el método genético corre también el riesgo de dejar poco espacio para el pluralismo cristológico. Por lo que se refiere al Nuevo Testamento, el prólogo del evangelio de Juan se considera, con justicia, como el ápice y la cumbre de la teología bíblica: pero, ¿se deja bastante espacio a la cristología del primer kerigma? De modo semejante, en la Tradición el modelo calcedonense —con sus determinaciones ulteriores en el concilio III de Constantinopla— tiende a ser absolutizado como el único posible y, en consecuencia, como el modelo universal. Además, lo mismo que en el caso de su respectivo modelo dogmático, también una teología desarrollada según el método genético puede ser abrumadoramente especulativa en detrimento de la vida concreta y del contexto en que se hace la cristología. Cuantas más deducciones especulativas se sacan de los datos cristológicos fundamentales, mayor resulta el peligro de abstracción y de alejamiento del Jesús real de la historia y del contenido concreto de su Evangelio. Hablando en general, el método genético muestra poco interés por contextualizar la comprensión del misterio de Cristo.

Tanto el método dogmático como el genético son deductivos. Los dos buscan sacar conclusiones todavía más precisas de los datos cristológicos previos, yendo de lo mejor conocido a lo menos conocido. Ambos también son fundamentalmente especulativos, procediendo de la doctrina a su aplicación a la realidad, a menudo, sin embargo, sin lograr tomar contacto con la realidad de la vida concreta. Esta falta de contacto con la realidad, característica de buena parte de la especulación teológica tradicional, está sugiriendo que se ha de arbitrar un nuevo método que podríamos llamar «inductivo».

El método teológico inductivo no pone su punto de partida ni en las definiciones dogmáticas ni siquiera en los datos bíblicos, sino en la realidad vivida de una situación concreta y en los problemas que suscita para la reflexión de fe: en suma, el método inductivo parte del contexto. Partir del contexto —ser «contextual»— representa para la teología en general, y para la cristología en particular, un cambio radical. Para la cristología significará principalmente buscar en la historia de Jesús y en el mensaje evangélico una dirección en la que encontrar una respuesta a los problemas vitales que el mundo presente plantea a los hombres y a la sociedad. La definición anselmiana de la teología como «fe en busca de comprensión» *(fides quaerens intellectum)* sigue siendo válida para una teología inductiva, pero su significado se ha renovado. Ya no se trata de deducir *teolegúmenos* de los datos de la fe, sino más bien de vivir la fe dentro del contexto y confrontar la realidad contextual con Jesús y su Evangelio. Allí donde el método deductivo buscaba —en vano— aplicar la doctrina a la realidad, el inductivo procede en orden inverso, desde la fe vivida en el contexto a la reflexión sobre el contexto a la luz de la fe.

El mismo concilio Vaticano II, a través de sus varias sesiones, conoció este cambio de perspectiva. Mientras la constitución dogmática *Lumen Gentium,* siguiendo el método deductivo, asumía como punto de partida los datos de la revelación para después deducir de ellos las conclusiones teológicas, la constitución pastoral *Gaudium et Spes,* invirtiendo el proceso, adoptaba un método inductivo. En efecto, su primera mirada se dirigió al mundo presente, escuchó sus problemas con atención y simpatía, descubrió en los deseos y aspiraciones de la gente de nuestro tiempo la acción del Espíritu Santo, encontró en esas aspiraciones «signos de los tiempos» y respondió a los problemas y expectativas del mundo de hoy a la luz del mensaje evangélico. En el proceso —y no simplemente por casualidad— la *Gaudium et Spes* contribuyó a los dos grandes desarrollos cristológicos producidos por el Vaticano II, en los cuales el misterio de Cristo se contempla como manifestación del misterio del hombre y de su destino (GS 22) y el mismo Señor es visto como «la meta de la historia humana, el punto focal de los deseos de la historia y de la civilización, el centro de la humanidad, la alegría de todos los corazones y el cumplimiento de todas las aspiraciones» (GS 45).

El problema hermenéutico

El paso del método deductivo al inductivo plantea, sin embargo, el problema hermenéutico. ¿Se precisa hacer teología o cristología partiendo de los «datos» de la fe con la esperanza de alcanzar la realidad del contexto? O, por el contrario, ¿hay que partir de la realidad vivida para encontrar en los datos revelados una dirección hacia la praxis cristiana? Más sucintamente: ¿es correcto el procedimiento que va de los datos al contexto o viceversa?

La respuesta a esta cuestión está en lo que se ha dado en llamar «círculo hermenéutico». Consiste en un movimiento circular continuo, primero desde el contexto a los datos revelados y después a la inversa, de los datos al contexto, y así sucesivamente. En cristología esto significa: desde las cuestiones que el contexto plantea a la vida de fe, a la persona y obra de Jesucristo, y viceversa.

Surge, sin embargo, una cuestión ulterior. ¿Nos es accesible el dato de la fe en su forma desnuda, como simple verdad objetiva, totalmente pura y sin adulterar? ¿Existe un evangelio que no sea a su vez una interpretación? ¿O debemos admitir que los datos revelados nos llegan, siempre y necesariamente, como ya interpretados? Toda la cristología del Nuevo Testamento, incluida la del kerigma apostólico, es una hermenéutica de la historia de Jesús nacida de la experiencia pascual de los discípulos. Tampoco ofrece el testimonio de una sola hermenéutica apostólica de la historia de Jesús sino de varias: las diferentes cristologías del Nuevo Testamento representan distintas interpretaciones del acontecimiento a la luz de la Pascua, cada una de ellas condicionada por el contexto particular de una Iglesia a la que se dirigía o por la singular personalidad del autor o del editor del material.

Si, pues, como parece el caso, el dato revelado es siempre una interpretación de fe del acontecimiento, «hacer teología» en contexto significará perseguir el proceso de interpretación del acontecimiento Cristo en la situación de hoy, y que fue iniciado ya en la Iglesia apostólica: la teología en contexto es una «teología hermenéutica» [4]. Cada generación cristiana, lo mismo que cada Iglesia local, está obligada, en el espacio y en el tiempo, a entrar en el proceso hermenéutico.

El «círculo hermenéutico», como ya hemos señalado, indica el proceso dialéctico que se obtiene en la teología hermenéutica entre un contexto concreto y el dato revelado; en otras palabras, entre el «texto» y el «contexto». Por razones de claridad, sin embargo, parece preferible sustituir la dialéctica de los dos elementos por la mutua acción y reacción de los tres componentes, que son, en concreto, el «texto», el «contexto» y el «intérprete».

---

[4] Cf. CL. GEFFRÉ, *El cristianismo ante el riesgo de la interpretación*, Cristiandad, Madrid 1984.

La representación gráfica del triángulo sustituirá, pues, a la imagen circular. Pero cada uno de los tres polos en mutua interacción, cada uno de los elementos constitutivos del triángulo, ha de ser considerado en la integridad de su compleja realidad.

Aquí por «texto» no se entiende sólo el dato revelado contenido en la Biblia y, especialmente, en el Nuevo Testamento, sino que abarca también todo lo que se halla bajo el nombre de «memoria cristiana», es decir, la Tradición objetiva. Por tanto, llega hasta las diferentes lecturas e interpretaciones del dato revelado hechas por la tradición eclesial, incluidas las formulaciones conciliares oficiales. Por consiguiente, en el «texto» están comprendidas: la Escritura, la Tradición y el Magisterio de la Iglesia (en su aspecto objetivo), cuya unión íntima ha explicitado el concilio Vaticano II (cf. DV 10).

Respecto al «contexto», los elementos que lo constituyen serán diferentes según los lugares y los distintos períodos de la historia. Por otra parte, el contexto necesita también que se le considere, en todo caso, en su compleja realidad, incluidas las condiciones sociopolíticas, culturales y religiosas. En resumen, el contexto comprende toda la realidad cultural circundante.

Por lo que respecta al «intérprete», no es él, propiamente hablando, el teólogo individual, sino la comunidad eclesial a la que pertenece el teólogo y a cuyo servicio está; es decir, la Iglesia local, como pueblo creyente que vive su experiencia de fe en comunión diacrónica con la Iglesia apostólica y en comunión sincrónica con todas las Iglesias locales, comunión que preside el obispo de Roma en caridad.

El triángulo hermenéutico consiste en la mutua interacción entre texto, contexto e intérprete, tal como acabamos de describirlos; esto es, entre la «memoria cristiana», la «realidad cultural» del entorno y la «Iglesia local». El contexto actúa sobre el intérprete suscitando cuestiones específicas; condiciona la «pre-comprensión» de la fe con que el intérprete lee el texto. El texto, a su vez, actúa sobre el intérprete, cuya lectura le proporcionará una dirección para la praxis cristiana, y así sucesivamente. Como se puede ver, la interacción entre el texto y el contexto, o entre la memoria y la cultura, tiene lugar precisamente en el intérprete, esto es, en la Iglesia local.

Las diversas cristologías

A propósito de la complejidad del contexto, hemos observado los varios componentes que ha de tener en cuenta una teología que quiera definirse como contextual. Hay que añadir algo con respecto a la diversidad de los contextos. A esta diversidad contextual, más que a ningún otro factor, se ha de añadir una teología plural. La teología entendida como interpretación contextual no puede ser más que local y diversificada. La razón es que la experiencia cristiana está en todas partes condicionada por el contexto en que se vive, con sus dimensiones sociopolíticas, culturales y religiosas. Ninguna teología contextual, por tanto, puede reivindicar una relevancia universal, pero, a la inversa tampoco, ninguna teología que pretenda ser universal es verdaderamente contextual. Significa que ninguna teología particular puede reivindicar su validez para todos los tiempos y lugares. La teología universal consiste en la comunión de varias teologías locales de la misma manera que la Iglesia universal es la comunión de todas las Iglesias locales.

No es necesario discutir largamente la diversidad de contexto en que se han de hacer la teología y la cristología. Limitándonos a las vastas áreas geográficas, es de conocimiento común que el contexto actual del llamado «Primer Mundo» es un proceso tecnológico muy difundido junto con el proceso de secularización de él derivado. En este contexto el destinatario de la teología es con mucha frecuencia el no creyente. Por contraste, el «Tercer Mundo» está caracterizado por la pobreza deshumanizante y el subdesarrollo de grandes masas de gente y la consiguiente necesidad de una liberación integral. En este contexto, el destinatario de la teología no es el no creyente, sino —en la terminología de la teología de la liberación— la «no persona». Más exactamente, la «no persona» no es simplemente el destinatario, sino el agente mismo de la teología junto con la comunidad creyente en la que se encuentra y con la que se compromete en nombre de una praxis liberadora.

A pesar del subdesarrollo común, el contexto para hacer teología presenta también una amplia diferencia entre los diversos continentes del Tercer Mundo, con el consiguiente resultado de acentos también distintos. Mientras el continente latinoamericano, constituido por amplias zonas cristianas, tiene que enfrentarse sobre todo con la liberación integral del hombre, el continente africano, por el contrario, pone la fuerza de su acento en la dimensión cultural y va, fundamentalmente, en busca de la inculturación o de la «autenticidad africana», como se la ha dado en llamar. El contexto del continente asiático, a su vez, está fuertemente marcado por la coexistencia de minúsculas minorías cristianas con inmensas mayorías de personas pertenecientes a otras tradiciones religiosas y por la creciente interacción entre las diversas tradiciones. En semejante contexto, una valoración teológica de las demás tradiciones religiosas y de la praxis del diálogo interreligioso se convierten en prioridades tanto teológicas como pastorales.

Estas amplias divergencias contextuales —descritas aquí a grandes rasgos— están pidiendo teologías y cristologías diversificadas. El rico Occidente necesita una cristología para el «hombre maduro» en un mundo secularizado. Esta cristología tendrá que ser básicamente «fundamental», en el sentido de que pone las bases para la fe en Jesucristo en la «ciudad secular». Pero es igualmente necesaria una cristología de la liberación en los continentes del Tercer Mundo, una teología de la inculturación y del pluralismo religioso.

Esbozo de un proyecto cristológico concreto

La presente *Introducción a la cristología,* sin embargo, aspira a ser, en lo posible, aplicable a las distintas situaciones, y, por tanto, no será posible detenerse directa y específicamente en ningún contexto particular. Esto, que puede ser una pérdida irreparable de cara a la relevancia inmediata de una situación concreta, esperamos que pueda compensar tal pérdida si tenemos en cuenta las principales referencias de los diferentes contextos antes descritos. Así, haremos un esfuerzo para encontrar en la praxis liberadora del Jesús histórico el fundamento para una cristología de la liberación. Del mismo modo, se tendrá presente la necesidad de una inculturación de la fe cristológica y será mantenida la apertura de las formulaciones cristológicas tradicionales, buscando las bases para una cristología de la inculturación. Además, el misterio de Jesucristo será considerado en el amplio contexto de la pluralidad de las tradiciones religiosas, mostrando la relación entre las otras tradiciones y el misterio de Jesucristo, cosa que allana el camino a una cristología de las religiones.

Pasemos al esbozo del proyecto. El capítulo primero examinará las diversas concepciones de la cristología características de los últimos tiempos, con el fin de llegar a una perspectiva adecuada. El balance resultante de las distintas tendencias cristológicas hoy existentes no está motivado por el mero interés académico, sino por el fin de trazar un enfoque coherente, que podríamos llamar después «cristología integral», y de situarlo en el edificio del proyecto cristológico contemporáneo. Este primer capítulo se titula «Cristología y cristologías: examen de los planteamientos recientes».

El segundo capítulo se pregunta cuál ha de ser el punto de partida de la cristología. No basta con responder que el Nuevo Testamento, como *norma normans*, es también el punto de partida. Surge aquí la cuestión del origen del Nuevo Testamento, de la historia de su comprensión y de su relación con la persona histórica de Jesús de Nazaret. ¿Es, entonces, Jesús mismo el punto de partida de la cristología? ¿O ha de buscarse más bien en la experiencia pascual de los discípulos? La interpretación de Jesús por parte de la fe después de la resurrección ¿sirve de fundamento adecuado para el proyecto cristológico completo? Y si no es así, ¿se puede demostrar que la fe cristológica de la Iglesia apostólica se basa en el Jesús de la historia y que entre él y la Iglesia apostólica no hay solución de continuidad? Tales preguntas serán afrontadas bajo el título «Jesús en el origen de la cristología: del Jesús pre-pascual al Cristo pascual».

Basada en el Jesús de la historia, aunque se inicia con la experiencia pascual de los discípulos, la cristología de la Iglesia apostólica está sujeta a un crecimiento y desarrollo orgánicos. El capítulo tercero, con el título «El desarrollo de la cristología del Nuevo Testamento: del Cristo resucitado al Hijo encarnado», sigue el mismo camino. Ello demuestra la continuidad que existe entre la cristología funcional del primer kerigma de la Iglesia apostólica y la ontológica de la reflexión cristológica de los sucesivos escritos del Nuevo Testamento. La pluralidad de las cristologías neotestamentarias, con todo, no puede reducirse a una diversidad amorfa, ya que entre los diversos estadios de la reflexión cristológica neotestamentaria existe un proceso orgánico de desarrollo y una sustancial unidad de contenidos.

En los últimos años se ha discutido mucho sobre el valor del dogma en general, y del dogma cristológico en particular. Se ha acusado a la definición de Calcedonia de ser abstracta, ahistórica y dualística, de representar una «helenización», incluso una «corrupción» y «alienación» del Jesús de la historia. Cabe preguntarse si el dogma cristológico constituye un desarrollo legítimo, en continuidad con el Nuevo Testamento. ¿Qué valor ha de atribuírsele? ¿Hay lugar para otras enunciaciones de la fe cristológica? El cuarto capítulo, con el título «Desarrollo histórico y actualidad del dogma cristológico», trata de responder a estos interrogantes. En concreto, demuestra qué clase de lógica va inherente a la elaboración del dogma cristológico.

Entre los problemas cristológicos más discutidos en los últimos decenios están los relativos a la psicología humana de Jesús. ¿Qué conciencia tenía de su identidad personal de Hijo de Dios? ¿Qué papel han jugado su conciencia y voluntad humanas? ¿Tenía Jesús una libertad humana auténtica? ¿Estuvo sujeto a la ley común del desarrollo humano? ¿Tuvo que descubrir día a día cómo responder a su propia vocación mesiánica? En una palabra, ¿qué funciones ha desempeñado la psicología humana del Hijo de Dios encarnado en la kenosis durante su vida terrena antes de su transformación en la gloria? El capítulo quinto, titulado «Problemas de la psicología humana de Jesús», está dedicado a estas preguntas.

La pregunta que se hace en el capítulo sexto ha centrado durante muchos siglos la atención de los estudiosos de la cristología, si bien se nos escapa todavía hoy una respuesta adecuada: ¿Por qué Jesucristo? *Cur Deus homo?* En todo caso, el contexto en que se hace la pregunta lo extenderemos aquí a la realidad presente del pluralismo religioso. ¿Era necesario Jesucristo para la salvación de la humanidad? Si no, ¿por qué Dios optó por comunicarse a sí mismo y salvar de una manera aparentemente discriminatoria? ¿Y qué decir de la singularidad de Jesucristo, Salvador universal, en un cntexto donde una mayoría de personas cada vez más creciente —más de cuatro billones hoy— no ha oido su mensaje? Este último capítulo se titula «Jesucristo, el Salvador universal».

Esperamos que al término de nuestra indagación queden descubiertos algunos de los aspectos del misterio de Jesucristo, en cuyo tratamiento no siempre se ha hecho justicia. La conclusión resumirá los rasgos principales que sirven para distinguir una «cristología integral». Semejante cristología abarcaría, en tensión fecunda, aspectos complementarios del misterio, como por ejemplo la soteriología y la cristología, o la cristología funcional y la ontológica. Esta cristología, además, querría señalar incluso un retorno a la historia humana de Jesús, descuidada a veces por el peso ejercido por la especulación cristológica. Mostraría, finalmente, que el acontecimiento de Jesucristo es al mismo tiempo la historia del Dios Trino, Padre, Hijo y Espíritu Santo, y que el misterio de la Trinidad está inmanentemente presente en el del hombre Jesús. La reflexión, en consecuencia, puede ascender válidamente desde Jesús, el Cristo, al Dios revelado en él: de la cristo-logía a la teo-logía.

I
Cristología y cristologías: examen de los planteamientos recientes

No ha habido nunca, ni siquiera en el Nuevo Testamento, una única cristología. Nuestro tiempo ha sido testigo de una variedad de acercamientos cristológicos de los que el presente capítulo trata de dar una visión general. Su propósito es valorar los méritos y los límites de las diversas posiciones cristológicas con el fin, por un lado, de sacar provecho de los frutos resultantes de las mismas y, por otro, de poner remedio a sus límites buscando dar paso a una perspectiva cristológica más completa.

Con este fin por delante, nuestro examen no intenta ser exhaustivo [1]. Quedarán excluidas de nuestra consideración algunas perspectivas cristológicas que, aunque importantes no hace mucho tiempo, hoy, sin embargo, no resultan relevantes. Tales son, por ejemplo: la *Leben-Jesu-Forschung Schule*, ya superada, o la *Religionsgeschichtliche Schule*, cuyo plan-

---

[1] En 1984 la Pontificia Comisión Bíblica publicó un importante volumen con el título *Bible et Christologie* (Cerf, París 1984). El volumen contiene un examen de los métodos usados hoy en cristología, seguido de un informe acerca del testimonio global de la Sagrada Escritura sobre Jesús. El examen coincide en parte con el propuesto aquí. Una traducción inglesa con un comentario a estas dos partes del volumen ha sido publicada por J. A. FITZMYER, *Scripture and Christology. A Statement of the Biblical Commission with a Commentary*, Paulist Press, Nueva York/Mahwaw 1986.

teamiento de la religión comparada está igualmente superado. Por otro lado, prestaremos mayor atención de la que se
acostumbra a las perspectivas cristológicas del Tercer Mundo. En consecuencia, el planteamiento cristológico, basado
en el diálogo con las demás religiones, no se limitará, como
a menudo sucede todavía hoy, al diálogo cristiano-judío,
sino que se extenderá a otras tradiciones religiosas. Se in-
cluirá además la «cristología de la liberación», acercamiento que se ha difundido rápidamente en los continentes del
Tercer Mundo como respuesta a las condiciones socio-eco-
nómicas deshumanizantes de una gran parte de las pobla-
ciones, así como la «cristología de la inculturación», una
perspectiva que emerge del encuentro del misterio de Cristo con las varias culturas en las que está todavía profundamente enraizado.

Ya hicimos mención, al discutir del método, del planteamiento dogmático tradicional para hacer cristología. Demostramos que presenta peligros, entre los que subrayamos de
manera especial el uso dogmáticamente inspirado y acrítico
de la Sagrada Escritura, y la tendencia concomitante de
absolutizar las formulaciones dogmáticas. No necesitamos
repetir aquí lo ya dicho. Sin embargo, pueden señalarse
todavía semejantes peligros inherentes a los tratados cristológicos sistemáticos, que, usando la Biblia de manera más
crítica, pecan no menos por exceso al intentar dar paso a
una síntesis comprensiva de los datos cristológicos. Al hacerlo así, se postula una perfecta continuidad entre el Jesús
histórico y el Cristo de la fe, hasta el punto de ensombrecer
la real discontinuidad entre ellos. Se tiende así a pasar por
alto una doble distancia: la primera, entre el Jesús pre-pascual y el Cristo post-pascual; la segunda, entre Jesucristo y
Dios, su Padre. A estas dos hay que añadir una tercera
distancia que queda igualmente disminuida por tendencias
sistemáticas no fundamentadas, como por ejemplo la que
existe entre la esperanza mesiánica del Antiguo Testamento

y su cumplimiento en Jesucristo según el Nuevo. Aquí se tiende a suponer una continuidad perfecta, como si las profecías mesiánicas presentaran una descripción circunstancial del Mesías que la vida de Jesús parecería realizar al pie de la letra. Postular esto es imponer a priori un significado cristiano a textos cuya referencia inmediata es la antigua alianza, proceso por el que queda oscurecida la entera novedad del «cumplimiento» en Jesucristo de la esperanza mesiánica. La síntesis completa pone en evidencia un interés exagerado por la armonía entre ambos Testamentos, en primer lugar, y después, en el Nuevo, entre el Jesús de la historia y el Cristo de la fe. En ambos casos, como se verá enseguida, la realidad es de hecho más compleja.

Los métodos cristológicos aquí estudiados son de dos categorías: unos se refieren a la cristología bíblica; otros hacen referencia a las perspectivas teológicas. Después de discutirlos, sacaremos algunas conclusiones sobre el método que hemos de seguir en este libro.

MÉTODOS BÍBLICOS Y TEOLÓGICOS
DE LA CRISTOLOGÍA

1. Perspectivas bíblicas

a) Método histórico-crítico

El título alude al uso que la exégesis moderna hace del método «histórico-crítico» a fin de sacar de los evangelios cuanto se puede afirmar críticamente sobre Jesús. Es bien conocido el escepticismo extremo de R. Bultmann sobre la posibilidad de afirmar algo con certeza a propósito del Jesús histórico. Escribe:

«Mi opinión, sin duda alguna, es que no podemos saber más de la vida y de la personalidad de Jesús porque las fuentes cristianas no estuvieron interesadas al respecto, a no ser de un modo muy fragmentario y no sin cierta propensión a la leyenda, y además porque no existen otras fuentes sobre Jesús»[2].

Igualmente conocido es el hecho de que los sucesores de Bultmann, aun manteniéndose fieles al mismo método, han llegado a conclusiones diferentes. E. Käsemann, por ejemplo, ha demostrado que en la tradición sinóptica existen elementos que el historiador ha de reconocer como auténticos:

«Al margen de la oscuridad de la historia de Jesús *(Historie)*, surgen ciertos rasgos característicos de su predicación observables con relativa precisión, y... que el cristianismo primitivo ha unido a su propio mensaje... La cuestión del Jesús histórico es, con toda legitimidad, la cuestión de la continuidad del Evangelio en la discontinuidad del tiempo y en la variación del kerigma»[3].

Los post-bulmanianos han recuperado, por tanto, la confianza en lograr extraer de la tradición evangélica al Jesús de la historia y de establecer, a pesar de la discontinuidad, una continuidad real entre él y el kerigma primitivo. La instrucción *Sancta Mater Ecclesia* (1964) de la Pontificia Comisión Bíblica ha reconocido la validez de un prudente y equilibrado método histórico-crítico[4]. Distingue tres etapas en la formación de los evangelios, incorporadas después en la constitución sobre la Divina Revelación del concilio Vaticano II (DV 19): el Jesús de la historia, la tradición oral y, en parte, escritos que han circulado en las Iglesias después de la resurrección de Jesús, y el trabajo redaccional de los escritores sinópticos. A través del uso de un triple

---

[2] R. BULTMANN, *Jesus*, Mohr, Tubinga 1958, 11.
[3] E. KÄSEMANN, «El problema del Jesús histórico», en ÍD., *Ensayos exegéticos*, Sígueme, Salamanca 1978.
[4] Cf. *Enchiridion Vaticanum*, II, 181ss.

método —respectivamente, *Formgeschichte, Traditionges-chichte* y *Redaktiongeschichte*—, la exégesis crítica es capaz de extraer el Jesús de la historia de la actual forma escrita de los evangelios. Es posible recuperar, si no directamente su «conciencia personal», como se hace notar con frecuencia, sí, al menos, sus modos y actitudes, por ejemplo, su ministerio de curaciones y milagros, junto con los rasgos principales de su personalidad, como son la manera de hablar de sí mismo, la concepción de su misión y la comprensión que de él tuvieron sus discípulos. Por eso, la cristología «explícita» del kerigma post-pascual puede basarse de nuevo en la «implícita» de Jesús mismo. Aunque se dé una discontinuidad entre una y otra, se puede establecer, no obstante, una continuidad entre ambas.

He hablado de un uso «prudente y equilibrado» del método de exégesis histórico-crítico. Esto exige que no se le considere como exclusivo o separado de la tradición eclesial y de la autoridad magisterial de la Iglesia, tal como queda claramente establecido en la constitución sobre la Divina Revelación del concilio Vaticano II (DV 10). La aplicación del método exegético histórico-crítico aislada de la tradición de la Iglesia comportaría el riesgo de un reduccionismo cristológico que se alejaría de la fe de la Iglesia. Semejante reduccionismo puede consistir en la adopción exclusiva de una cristología «funcional» que intencionadamente calla sobre la «ontología» de Jesucristo, o sea, sobre su personal identidad de Hijo de Dios. Esto puede suceder gracias a una elección selectiva del material, como cuando, por ejemplo, no se tiene en cuenta el evangelio de Juan, porque —así se subraya al menos—, aun ofreciendo una profunda meditación psicológica y ontológica sobre la persona de Jesucristo, no es fiable históricamente o por la autenticidad de los dichos atribuidos a Jesús. Concediendo que el cuarto evangelio exige criterios críticos especiales, semejante reduccionismo dejaría inevitablemente una brecha insuperable entre el Jesús de la historia y el Cristo de la fe: la discontinuidad es tal que no deja espacio para la continuidad.

b) Método existencial

Hemos observado anteriormente la influencia ejercida por R. Bultmann a propósito del uso en la exégesis del método histórico-crítico. Hemos constatado también que los seguidores de Bultmann se han alejado de su extremo escepticismo en lo que respecta a la posibilidad de establecer la cristología del kerigma de la Iglesia primitiva sobre un fundamento sólido, esto es, en el Jesús histórico. Para el mismo Bultmann esto no era ni posible ni necesario. Según su interpretación existencial, lo que interesa no es lo que Jesús habría podido pensar o decir. Lo importante, más bien, es el hecho de que tras la palabra que llega a nosotros en el kerigma se nos reta a una decisión de fe. La invitación de Dios al hombre en el kerigma y la respuesta existencial del hombre en la decisión de fe constituyen el verdadero acontecimiento de la revelación. Si esto, después, está fundado o no sobre el Jesús histórico, es una cuestión, en último análisis, carente de significado. Por lo que respecta a las formulaciones cristológicas neotestamentarias, han sido acuñadas en el lenguaje «mitológico» de la época y, por tanto, han de ser «desmitologizadas» dándoles una «interpretación existencial». Escribe Bultmann:

> «Sin duda alguna, *Jesús*, como simple hombre, apareció como un profeta y maestro. No expuso ninguna doctrina tocante a su persona, pero afirmó como dato decisivo el de su actividad. En cuanto a sus ideas, su doctrina no es nueva. Desde este punto de vista es puro judaísmo, puro profetismo... Que tuviera o no la conciencia de ser el Mesías no cambia nada... Es cierto que su llamamiento a la decisión implica una cristología; pero no es una

cristología conceptual entendida como especulación metafísica sobre un ser celestial o como una imagen de su persona que tiene una posible conciencia mesiánica. Es una cristología que es proclamación, invitación a la conversión» [5].

No es necesario extendernos ahora sobre las influencias y presupuestos en los que se basa el acercamiento «existencial» bultmaniano al Nuevo Testamento y a la cristología. Entre otros, están los siguientes: un particular concepto luterano de la fe entendida como fideísmo, la filosofía existencial de Heidegger y un prejuicio racionalista que le hace negar a priori la posibilidad de intervenciones divinas milagrosas. Más importante para nuestro propósito es valorar los riesgos para la cristología inherentes en la postura de Bultmann.

Para Bultmann, el Jesús histórico, su mensaje y su actividad no pueden ser reivindicados como la fuente de la cristología del kerigma de la Iglesia. No se puede establecer ni encontrar continuidad alguna entre la proclamación kerigmática de Cristo y el Jesús histórico. Además, el lenguaje simbólico, usado por el kerigma neotestamentario para expresar la fe cristológica, queda reducido a lenguaje mítico y, en consecuencia, no dice verdad objetiva alguna sobre la persona y la obra de Jesucristo, sino que sirve solamente como provocación para la decisión de fe. En este proceso, la cristología queda reducida a la antropología: ya no existe el problema de afirmar el significado de la persona y del acontecimiento de Jesucristo para la salvación de la humanidad, sino el de la decisión personal de fe del creyente en su relación con Dios. En último análisis, el Cristo de la cristología de Bultmann no tiene su fundamento real en el

---

[5] Cf. R. BULTMANN, *Glauben und Verstehen*, vol. I, Mohr, Tubinga 1933, 245-267, especialmente 265-266. Cf. también R. BULTMANN, *Jesucristo y mitología*, Ariel, Barcelona 1970.

Jesús de la historia: perteneciendo solamente al kerigma, queda reducido a un mito sin consistencia histórica.

c) Método cristológico a través de los títulos

Algunas cristologías neotestamentarias se basan en los títulos aplicados a Jesús. Entre otros autores de estas cristologías, podemos mencionar a O. Cullmann, F. Hahn, V. Taylor y L. Sabourin [6]. Los títulos cristológicos usados en el Nuevo Testamento se incluyen dentro de diferentes categorías. Algunos títulos son mesiánicos, como «el Cristo» (*masiah,* «el Ungido»), «el Siervo de Yahveh» (Is 42-53), el «Hijo del hombre» (Dn 7). Los otros son títulos funcionales, en referencia al papel salvífico de Jesús hacia la humanidad. Entre ellos se pueden mencionar los siguientes: Profeta, Salvador y Señor. Otros títulos pueden referirse todavía a la identidad personal de Jesús y, por tanto, se les califica de ontológicos. Entre éstos están: «Palabra de Dios» e «Hijo de Dios». Con todo, no se puede asumir de antemano el significado ontológico de los títulos. La razón es que la perspectiva completa de la cristología neotestamentaria es, ante todo, fundamental y no ontológica. Si bien es verdad que el dinamismo de la fe provoca la elevación al nivel ontológico, es también verdad que, dondequiera que esto sucede, se ha de demostrar y no puede darse por supuesto.

Por lo que respecta a la importancia de los títulos cristológicos, se requiere una particular atención, dado que es preciso distinguir diferentes niveles de significado. Para dar

---

[6] O. CULLMANN, *The Cristology of the New Testament,* SCM Press, Londres 1963: F. HAHN, *The titles of Jesus in Christology. Their History in Early Christianity,* Lutterworth Press, Londres 1969; V. TAYLOR, *The Names of Jesus,* Macmillan, Londres 1954; L. SABOURIN, *Les noms et les titres de Jésus,* Desclée de Brouwer, Brujas 1963.

un solo ejemplo, el título «Hijo de Dios» tiene un amplio significado en el Antiguo Testamento, donde se usa para indicar en general al pueblo elegido de Dios y en particular al rey davídico como representante de Dios entre su pueblo o incluso todo hombre justo en Israel. Allí donde se aplica a Jesús en el Nuevo Testamento, el significado es básicamente funcional, en continuidad con el significado original del Antiguo Testamento. Por eso es necesario demostrar dónde adquiere un significado ontológico.

La importancia de los títulos cristológicos en la cristología neotestamentaria no puede subestimarse, pero tampoco exagerarse. Una cristología de los títulos no puede ser exhaustiva por sí misma. Si tenemos en cuenta, además, las dificultades críticas y metodológicas que acompañan su uso en el Nuevo Testamento, estará bien no cargar sobre ellos más certeza de la que son capaces de soportar. Algunas de las preguntas críticas que suscitan son las siguientes: Tal o cual título, ¿fue usado por Jesús mismo o se lo aplicaron otros? Y si fueron otros, ¿eran oyentes en vida de Jesús o la Iglesia apostólica después de su resurrección? ¿Se usó, además, el título con su significado original o recibió —y si es así, cómo y dónde— un «significado sobreañadido»? ¿Se ha de entender como «exclusivamente» funcional o se eleva —y dónde— al nivel «ontológico» de la personal identidad de Jesús y de su relación con Dios? Las discusiones recientes sobre la expresión «Hijo del hombre» [7] evidencian ampliamente la cautela con la que se han de tratar los títulos cristológicos.

Incompleta en sí misma, una cristología de los títulos tiene un límite añadido inherente: el de decir poco sobre la historia humana concreta de Jesús, y, por tanto, corre el

---

[7] Cf., por ejemplo, M. CASEY, *Son of Man. The Interpretation and Influence of Daniel 7*, SPCK, Londres 1979; cf. también B. LINDARS, *Jesus Son of Man*, SPCK, Londres 1983.

peligro de seguir siendo abstracta. Más importante, sin embargo, es indicar que el planteamiento bíblico de los títulos a la cristología neotestamentaria, al igual que los títulos mencionados arriba, suscita también el problema de la continuidad y discontinuidad entre el Jesús de la historia y el Cristo de la fe. Claramente, es éste uno de los problemas más importantes que debe ocupar cualquier tratamiento bíblico de cristología que quiera ser crítica. Jesús mismo se ha de ver en el origen de la fe cristológica del Nuevo Testamento. Pero, ¿cómo demostrar que lo está?

2. Perspectivas teológicas

a) Método crítico-dogmático

Hablando al principio del método y acercamiento dogmático de la cristología, señalamos el peligro inherente al mismo de absolutizar el valor de las formulaciones dogmáticas: la definición cristológica de Calcedonia se considera como la única posible para enunciar el misterio de Jesucristo, y pretende ser válida para todo tiempo y lugar. El método «crítico-dogmático» es una reacción a este dogmatismo cristológico. El nuevo acercamiento se basa en la comprensión de que las enunciaciones dogmáticas están, por necesidad, condicionadas por el tiempo y por el espacio del ambiente cultural en el que fueron concebidas. Son y siguen siendo válidas, sin duda, dentro de los parámetros de aquella cultura y, en su contexto histórico, eran a menudo necesarias. Además, forman todavía hoy parte de la memoria de la Iglesia. Su intención profunda era asimismo afirmar el significado del misterio a través de la mediación de los conceptos capaces de comunicarlo, aunque inadecuadamente, si bien el significado mismo sobrepasa siempre los conceptos que hacen de mediadores. Es este significado profundo, no las formulaciones mismas, lo que hay que preser-. var a lo largo de los siglos. La cultura está abierta, sin embargo, a la evolución, y el significado de los conceptos puede cambiar. En situaciones de evolución cultural —y, todavía más, en situaciones en que el mensaje cristiano se ha de encarnar en culturas distintas a aquella en que originalmente fue acuñado— la fidelidad al intento profundo y al significado de las formulaciones tradicionales, comprendidas las dogmáticas, pueden exigir que se arbitren nuevas expresiones que traduzcan el mismo significado. El pluralismo dogmático aparece, pues, como una posibilidad real, si bien es necesario un prudente discernimiento. No se puede tampoco acusar a esta reivindicación de relativismo dogmático, ya que indicar como relativo y no absoluto el valor de una formulación dogmática no equivale a relativizar la verdad y a negar toda objetividad.

La relatividad de las formulaciones dogmáticas no siempre ha sido abiertamente reconocida por la autoridad magisterial de la Iglesia. Basta con recordar la condenación de Pío XII del «relativismo dogmático» con la aparente reivindicación del valor absoluto de las formulaciones dogmáticas de la Iglesia en la encíclica *Humani Generis* (1950) [8] y, en tiempos más recientes, la encíclica *Mysterium Fidei* (1965) de Pablo VI, en la que el papa defiende el valor permanente, inmutable y universal de las formulaciones dogmáticas acuñadas en conceptos derivados de la experiencia humana universal y, por tanto, no sujetas al cambio cultural [9]. Sin embargo, en su discurso inaugural de la primera sesión del concilio Vaticano II (1962), el papa Juan XXIII hizo a este respecto una declaración importante que merece nuestra atención. Dice el papa:

---

[8] AAS 42 (1950) 561-578.
[9] AAS 57 (1965) 753-774; *Enchiridion Vaticanum*, II, n. 414, p. 441.

«Una cosa es, en efecto, el depósito mismo de la fe, es decir, las verdades contenidas en nuestra doctrina, y otra es la forma en que están enunciadas, pero manteniendo el mismo sentido y el mismo significado» [10].

Este importante texto, que reconoce implícitamente la posibilidad de una pluralidad de formulaciones dogmáticas, fue sustancialmente reasumido y hecho propio por el concilio Vaticano II. La constitución *Gaudium et Spes* declara:

«porque una cosa es el depósito mismo de la fe, o sea, sus verdades, y otra cosa es el modo de formularlas, conservando el mismo sentido y el mismo significado» (GS 62; cf. GS 42 y UR 4,6).

A ésta debe añadirse la declaración *Mysterium Ecclesiae* (1973) de la Congregación para la Doctrina de la Fe [11]. Esta declaración distingue el significado de las formulaciones dogmáticas, que permanece estable, de las formulaciones mismas, las cuales, estando sujetas a condicionamientos históricos, son susceptibles de enunciaciones más profundas o, eventualmente, de una nueva expresión.

El acercamiento «crítico-dogmático» a la cristología se basa en el reconocimiento de la posibilidad del pluralismo dogmático así como en la necesidad eventual, en situacio-

---

[10] AAS 54 (1962) 792; *Enchiridion Vaticanum*, I, n. 55 [45]. Este texto oficial es una versión ampliada del texto italiano, publicado en «L'Osservatore Romano», 12 octubre 1962, p. 3, y en «La Civiltà Cattolica» 2697 (1962/4) 214, cuya traducción es: «Una cosa es la sustancia de la antigua doctrina del *depositum fidei*, y otra es la formulación con la que es presentada». A. Melloni ha demostrado que este texto corresponde al autógrafo escrito por Juan XXIII para su discurso. Cf. A. MELLONI, «Sinossi critica dell'allocuzione di apertura del Vaticano II *Gaudet Mater Ecclesia* di Giovanni XXIII», en G. ALBERIGO et al., *Fede, tradizione, profezia*, Paideia, Brescia 1984, 269.

[11] AAS 65 (1973) 396-408; *Enchiridion Vaticanum*, IV, pp. 1673-1675, nn. 2577-2579.

nes de cambio cultural, de recurrir a nuevas formulaciones a fin de preservar inalterado el significado. Un estudioso contemporáneo de la cristología plantea el problema en los siguientes términos:

> «¿Qué exige una fidelidad realmente creativa a nuestra fe en Jesucristo? ¿Cómo se puede profesar hoy día esta fe no sólo sin mutilarla o deformarla, sino también sin envolverla en modelos de pensamiento que ya no expresan lo que en un principio se pretendía con ellos?» [12].

No es éste el lugar de entrar a discutir los méritos o deméritos de ensayos concretos hechos en esta dirección, sino tan sólo de ofrecer algunas observaciones críticas. La primera es que el interés dominante que sugieren tales propuestas cristológicas se refiere a la «inculturación» de la fe en Jesucristo en un contexto de evolución cultural o de un encuentro con otras culturas. Tal interés no sólo es bien recibido sino incluso necesario. Además, en el vasto campo de la encarnación del cristianismo en las diversas culturas, la inculturación doctrinal es, sin duda alguna, el aspecto más problemático. Comporta, en efecto, problemas hermenéuticos delicados en torno a la posible modalidad de «transculturación». La conciencia de tales problemas necesita tanto la práctica de la inculturación doctrinal como la valoración de sus resultados.

Una segunda observación tiene relevancia directa para el propósito de nuestro estudio. Se podrá advertir que el reto fundamental hecho a la cristología es una vez más agarrarse fuerte tanto a la continuidad como a la discontinuidad en la profesión de la fe cristológica: la continuidad en la identidad del significado y la discontinuidad en la mediación de los conceptos. Una vez más aparece claro que

---

[12] P. Schoonenberg, *Un Dios de los hombres*, Herder, Barcelona 1972.

la continuidad-discontinuidad dialéctica es un aspecto importante del discurso cristológico.

b) Método histórico-salvífico

Este enfoque consiste en situar el acontecimiento Jesucristo en el conjunto de la «economía» de las relaciones de Dios con la humanidad a lo largo de la historia, consistentes en su auto-revelación y en el don de sí. La historia de la salvación tiene la misma extensión que la del mundo: evoluciona desde la protología de la creación a la escatología parusiaca del fin de los tiempos. Se diferencia, no obstante, de la historia profana, ya que su objeto formal es el diálogo de salvación iniciado por Dios con la humanidad y continuado a lo largo de toda la historia del mundo. El acercamiento histórico-salvífico a la cristología muestra el puesto central que el acontecimiento Jesucristo ocupa en el desarrollo lineal de la historia de la salvación. Según O. Cullmann [13], el acontecimiento Cristo —desde la encarnación del Hijo de Dios hasta el misterio pascual de su muerte y resurrección— no es sólo el centro real de la historia, es también el principio dinámico de la inteligibilidad del proceso histórico completo. Lo que precede se orienta hacia él como «preparación evangélica»; lo que sigue después pertenece al desarrollo de las potencialidades del acontecimiento en el «tiempo de la Iglesia».

No obstante la centralidad del acontecimiento Cristo, sigue habiendo una tensión en la historia de la salvación, testimoniada en el Nuevo Testamento, entre el «ya» y el «todavía no», entre lo que ya se ha realizado en Jesucristo y lo que todavía está en espera de realizarse en el futuro escatológico. Esta tensión continua hace surgir entre los

---

[13] O. CULLMANN, *Christ and Time*, SCM Press, Londres 1965.

estudiosos de la cristología que siguen el método histórico-salvífico una acentuación diversa en uno u otro aspecto. Distinguimos así, por un lado, la «escatología realizada» (C. H. Dodd), con su énfasis en el «ya», y, por otro, la «escatología consiguiente» (A. Schweitzer), que coloca el acento en el «todavía no». Mientras O. Cullmann pertenece claramente a la primera de estas tendencias, J. Moltmann [14] se sitúa sin ambages en la segunda. Para este último, en efecto, toda la historia humana finaliza en la realización de la promesa divina de una salvación escatológica de la que la muerte y la resurrección de Jesucristo son el modelo proléptico. A pesar del papel insustituible de Jesucristo, el punto focal y el eje de todo el proceso de la historia de la salvación es el *eskhaton*.

A pesar de los diferentes acentos, las dos formas del método histórico-salvífico tienen el mérito de situar el acontecimiento Cristo dentro del edificio de las relaciones de Dios con la humanidad a lo largo de la historia. Muestran cómo el designio salvífico de Dios para la humanidad en Jesucristo se desarrolla progresivamente en la historia, que, en consecuencia, está también centrada en él. Y evidencian, al mismo tiempo, la ambivalencia en la teología cristiana de conceptos como la escatología y el Reino de Dios. Mientras el Antiguo Testamento se orientaba hacia una intervención decisiva de Dios en un futuro indefinido, llamado «de los últimos tiempos», la escatología neotestamentaria se escinde en dos momentos diferentes: el ya cumplido y el todavía no. Por lo que respecta al establecimiento del Reino de Dios en la tierra, se ha de hacer una triple distinción. Dios inaugura su Reino en Jesucristo en dos momentos: primero, el Reino comienza a despuntar sobre la tierra en la vida terrena y en el ministerio de Jesús. Segundo, se inaugura

---

[14] Cf. sobre todo su reciente obra: *El camino de Jesucristo*, Sígueme, Salamanca 1993.

realmente en el ministerio pascual de su muerte y resurrección. Pero el Reino de Dios necesita todavía crecer hasta la propia plenitud escatológica hasta el final de los tiempos. Hasta que se mantenga la tensión entre el «ya» y el «todavía no», no podemos dejar de contar con el «remanente escatológico». Una vez más podemos deducir de esto que la dialéctica de la continuidad y discontinuidad es intrínseca a la cristología. Habrá que demostrar que esta dialéctica se aplica a la distinción entre la historia precedente al acontecimiento Cristo y la que le ha seguido. Y también entre lo que Dios ha realizado en el acontecimiento Cristo y el «remanente escatológico» que está en el futuro.

c) Método antropológico

Hemos observado anteriormente que en el misterio de Jesucristo quedó revelado plenamente el misterio del hombre y que en él Dios entra en un «trueque maravilloso» con la humanidad, dando por supuesta la capacidad y la apertura por parte del hombre de un cambio semejante. El método antropológico de la cristología se llama así porque intenta mostrar la «pasarela» para el misterio de Jesucristo en la humanidad, o viceversa, el puesto o papel de Jesucristo en el peregrinar de la humanidad hacia Dios. Aquí la cristología se inicia con la antropología; no, entiéndase bien, con la antropología en sentido sociológico sino teológico.

Un acercamiento antropológico a la cristología puede asumir dos formas distintas. La primera consiste en situar a la humanidad en el proceso evolutivo del cosmos, presupuesto de la ciencia positiva como un axioma. En tal perspectiva, Jesucristo será visto —en palabras de P. Teilhard de Chardin, protagonista de esta visión antropológico-cristológica— como el «motor» del proceso evolutivo. Teilhard lo llamaba «el Cristo evolutivo». La segunda forma, por el contrario, considera al hombre filosóficamente como abierto a la auto-trascendencia en Dios y capaz de recibir el don libre de la autocomunicación que Dios le hace. Esta segunda perspectiva, además, considera al hombre teológicamente como un ser de hecho creado por Dios y con un destino semejante, y a la humanidad como existencialmente ordenada hacia él en espera de la eventualidad de la más alta auto-comunicación posible de Dios en el misterio de la encarnación. K. Rahner, cuyo nombre va ligado a este tipo de visión antropológico-cristológica, habla a este propósito de una «cristología trascendental» que encuentra su cumplimiento en una «cristología en búsqueda».

Ninguna de estas dos visiones puede desarrollarse aquí por extenso; basta con unas pocas indicaciones y observaciones críticas. P. Teilhard de Chardin busca sobretodo, en un contexto de presunta contradicción entre la fe y la ciencia, reconciliar lo que él llama sus dos «fes»: su fe científica en el proceso evolutivo del mundo y su fe teológica en el Cristo cósmico del que habla san Pablo. Entre la una y la otra no existe, como él lo hace notar, una contradicción, sino, más bien, una «convergencia maravillosa». Jesucristo es el punto omega del proceso evolutivo del mundo, es la causa final que pone en movimiento todo el proceso, atrayéndolo hacia sí mismo. El Cristo cósmico de san Pablo es el «Cristo evolutivo» y, queriendo enfatizar el carácter cósmico del Cristo-punto-Omega, Teilhard habla de su «naturaleza cósmica».

Dos observaciones a lo que acabamos de decir. La primera es que sería equivocado suponer en el pensamiento de Teilhard que un axioma científico como el del proceso evolutivo puede en virtud de sus propias fuerzas llevar a la conclusión, o dar por supuesto, que el misterio de la encarnación era necesario. El acontecimiento de la encarnación es conocido y sólo puede conocerse a través de la revelación. Además, sólo la fe cristiana en el misterio de Cristo puede hacernos descubrir la «convergencia maravillosa» entre el proceso evolutivo del mundo y la «cristogénesis».

La segunda observación es que el Cristo-omega con su «naturaleza cósmica» no puede ser reducido, en el pensamiento de Teilhard, a un principio abstracto: es en su identidad Jesús de Nazaret, muerto y resucitado, y que fue constituido «Señor» por el Dios que lo resucitó. El Jesús de la historia es en persona el Cristo de la fe. Teilhard insiste en el hecho de que sólo en el caso de que el Cristo cósmico se haya insertado personalmente en el «phylum» de la humanidad, puede obrar como causa final que atrae a sí mismo al cosmos en un proceso de evolución. Escribe a este mismo propósito:

> «Si se suprimiese la historicidad de Cristo, esto es, la divinidad del Cristo histórico, quedaría reducida a la nada la experiencia mística de 2.000 años de cristianismo. El Cristo nacido de la Virgen y el Cristo resucitado son inseparables» [15].

Volviendo a la «cristología trascendental» de K. Rahner [16], se funda en una análisis filosófico-teológico de la humanidad en la condición histórica concreta en que fue creada por Dios y destinada por él a la unión con él mismo. Lo «existencial sobrenatural», propio del hombre concreto histórico, no es identificable, por tanto, con una «potentia oboedentialis» o con el «deseo natural» de ver a Dios, intrínseco a la naturaleza humana metafísicamente considerada. En el orden concreto sobrenatural de la realidad, el hombre lleva en sí más que una potencia pasiva para la auto-trascendencia en Dios, y está concreta y activamente orientado hacia la realización de tal auto-trascendencia. De

---

[15] P. Teilhard de Chardin, *Cartas de viaje*, Taurus, Madrid 1966.
[16] Cf. especialmente K. Rahner, *Curso fundamental sobre la fe*, Herder, Barcelona 41989.

esta manera, existencialmente, está anticipadamente a la espera del misterio de la encarnación.

Lo «existencial sobrenatural» intrínseco al hombre en su condición histórica concreta constituye, por tanto, la condición a priori para la posibilidad de la encarnación. O, por decirlo en otros términos, el misterio de Cristo es todo lo que sucede si Dios libremente lleva a cabo de la manera más profunda posible la capacidad de unión con él, que, en el orden concreto de la realidad, es inherente a la humanidad a través de lo «existencial sobrenatural». El hombre histórico está a la espera del misterio de la encarnación. Por eso, la cristología llega a ser la realización perfecta, el cumplimiento absoluto de la antropología. Jesucristo, en el que se ha realizado de forma sublime la unión divino-humana, es el Salvador absoluto de la humanidad, el centro de la historia de la salvación, ya que en él la apertura a Dios, inscrita en la experiencia humana trascendental, encuentra su total realización.

También aquí se han de hacer algunas observaciones. En primer lugar, sería equivocado atribuir a K. Rahner la pretensión de que el misterio de la encarnación es deducible de la naturaleza del hombre en cuanto abierto a la trascendencia o, incluso, de su condición histórica, en cuanto llamado a la unión con Dios. La encarnación puede llegar a ser realidad sólo gracias a una elección libre y a una iniciativa gratuita de Dios. Sólo la revelación cristiana puede decirnos, y de hecho nos dice, que en Jesús de Nazaret la apertura del hombre a Dios ha llegado a su ápice y a su más alta realización posible y que es él en realidad el Hijo de Dios hecho hombre.

En segundo lugar, la «cristología trascendental» y la «cristología en búsqueda» de K. Rahner —lo mismo que, aunque en otra perspectiva, la de Teilhard de Chardin— pueden verse como una forma distinta de la cristología «ascendente» o «descendente». No en el sentido de que toma su punto de partida en la existencia humana del hombre Jesús o incluso en el estado glorificado de su humanidad, sino en un análisis filosófico-teológico de la naturaleza humana en el actual orden de la creación. Esta cristología «ascendente», sin embargo, no representa la única perspectiva cristológica de K. Rahner. En sus escritos está presente también la contraria, esto es, la perspectiva «descendente» o «desde arriba». Esta última está claramente presente allí donde el autor sigue el esquema de reflexión cristológica del prólogo joáneo: «El Verbo se hizo carne» (Jn 1,14) [17]. La coexistencia de ambas perspectivas suscita el problema de su relación, al que hemos de volver enseguida.

Mientras tanto, hay que observar que la cristología trascendental de K. Rahner —y la cristología antropológica en general— se apoya en una base bíblica limitada y tiende a perder contacto con la vida concreta y la historia de Jesús en sus circunstancias culturales históricas. K. Rahner mismo fue sensible a esta laguna y abogó por una vuelta a la historia de Jesús y a sus «misterios históricos». Se puede ver, finalmente, que la cristología antropológica suscita una vez más, si bien de manera distinta, el problema de la continuidad en la discontinuidad; esta vez, entre la apertura del hombre al misterio de Jesucristo y la realización de tal apertura en la historia por parte de Dios.

d) Método de la cristología de la liberación

Quedó demostrado anteriormente que R. Bultmann sostenía que era prácticamente imposible recuperar al Jesús de la historia desde la interpretación de fe del kerigma neotes-

---

[17] Cf. K. RAHNER, «Teología de la encarnación», en *Escritos de Teología*, I, Taurus, Madrid 1963, 139-158.

tamentario. Añadimos también que los post-bulmanianos han recobrado la confianza de poder recuperar en buena medida el Jesús de la historia desde el punto de vista teológico. Al mismo tiempo, han expresado su convicción de que la cristología, si ha de tener un fundamento válido, necesita basarse en Jesucristo. Por ello, los estudios cristológicos recientes se han caracterizado por un masivo retorno al Jesús de la historia, a la «Jesuología» [18].

Sin embargo, el retorno al Jesús de la historia tiene diversas motivaciones y asume un significado distinto según los diferentes conceptos. En el contexto de la hermenéutica occidental, viene determinado fundamentalmente por la necesidad de recuperar al Jesús de la historia como fundamento necesario para una cristología que se considere válida. La intención es dar a la fe cristológica una base crítica adecuada respecto a lo que Jesús enseñó e hizo, en sus palabras y obras. Este modo de proceder pertenece principalmente a la llamada «cristología fundamental», que, tratando los fundamentos de la fe, se dirige a quien quiera ser creyente.

Por el contrario, la vuelta al Jesús histórico de la «cristología de la liberación» está marcada por una intención y significado muy diferente. No se intenta recuperar críticamente los datos históricos para dotar a la fe cristológica de un fundamento histórico válido. Se dirige, más bien, a redescubrir en la praxis del Jesús histórico el principio hermenéutico de la praxis liberadora de la Iglesia cristiana. La praxis de Jesús tiene un valor paradigmático especialmente para el obrar cristiano. Tiene su aplicación especial en un

---

[18] Cf. entre los libros más importantes los siguientes: C. H. DODD, *El fundador del cristianismo*, Herder, Barcdelona ⁵1984; E. SCHWEIZER, *Jesus*, SCM Press, Londres 1978; H. CONZELMANN, *Jesus*, Fortress Press, Philadelphia 1973; X. LÉON-DUFOUR, *Los evangelios y la historia de Jesús*, Cristiandad, Madrid ³1982; J. JEREMIAS, *Teología del Nuevo Testamento*, Sígueme, Salamanca ⁵1986; CH. PERROT, *Jesús y la historia*, Cristiandad, Madrid 1982.

contexto en que grandes masas populares están sometidas a una pobreza deshumanizadora, nacida de estructuras sociopolíticas injustas, y a la resultante necesidad de una liberación integral de los pobres. La cristología de la liberación vuelve así al Jesús histórico no para dotar de un fundamento válido a la fe cristológica de la Iglesia, sino por su valor en sí y para asumirlo como criterio para el discernimiento de la praxis cristiana.

El dogma cristológico no se niega; se da por supuesto por el pueblo creyente aun cuando se considere necesaria una crítica de sus formulaciones. Pero la fe no consiste básicamente en un asentimiento a las enunciaciones cristológicas, sino en el seguimiento del Jesús histórico, sin el cual no se puede acceder al Cristo de la fe. Además, en un contexto de liberación, el Jesús de la historia tiene una importancia especial e inmediata ya que el contexto en el que desarrolló su acción liberadora era en muchos aspectos sorprendentemente semejante a aquel en que los pobres de hoy están luchando por la liberación.

De esta manera la praxis histórica de Jesús se convierte en el tema privilegiado de la cristología de la liberación: sus acciones y su mensaje, sus actitudes, sus preferencias y opciones, su compromiso social y las implicaciones sociopolíticas de su vida y de su muerte. En una palabra, la cristología de la liberación revaloriza la historia humana de Jesús —sin querer reescribir una «historia de Jesús»— como medio de la acción liberadora y salvífica de Dios en la historia. Una cristología de esta naturaleza se hace «desde abajo», la cual no prescinde, sin embargo, de la identidad personal de Jesús como el Hijo de Dios. No hay ruptura entre el Jesús de la historia y el Cristo de la fe, aun cuando la ortopraxis precede a la ortodoxia. Pero en la historia del Hijo de Dios la cristología de la liberación busca el «proyecto», que Dios ha realizado en él, de la liberación humana integral.

Como era presumible, uno de los posibles peligros para una teología de la liberación —y es el que se refiere directamente a la cristología— estaría en el riesgo del reduccionismo cristológico. Para remediar esto, la autoridad magisterial de la Iglesia, aun reconociendo la legitimidad de un proyecto cristológico de la liberación, se ha puesto en guardia contra las distorsiones de la persona de Jesús, en desacuerdo con la fe de la Iglesia, y ha puesto el acento en la necesidad de profesar la «verdad integral» sobre Jesucristo [19]. Mantener toda la verdad sobre Jesucristo y su obra ha de significar, por un lado, profesar que la historia humana de Jesús es la de aquel que es personalmente el Hijo de Dios. Y, por otro, que la liberación que Dios ha realizado en él no es sólo horizontal sino vertical, no sólo humana sino divina. Decir esto es afirmar que el problema fundamental para una cristología de la liberación sigue siendo el de contar con la verdadera continuidad en la discontinuidad. Para poder demostrar esa continuidad con el Cristo de la fe, se necesita primero tomar en consideración la verdad total sobre el Jesús de la historia.

e) La cristología en la perspectiva interreligiosa

Esta aproximación a la cristología que está sólo comenzando a surgir en el contexto actual del pluralismo religioso tiene poco que ver con el enfoque superado de la *Religionsgeschichtliche Schule*. Este último se amparaba en la ciencia de la religión comparada. El primero, en cambio, tiene su punto de partida en el diálogo interreligioso. Su método se asemeja, *mutatis mutandis*, al de la cristología de la liberación, puesto que es inicialmente inductivo. Como la cristo-

---

[19] Cf. el discurso inaugural de Juan Pablo II a la Conferencia de los obispos latinoamericanos en Puebla (1979) en: *Puebla. La evangelización en el presente y futuro de América Latina*, La Editorial Católica, Madrid ²1985.

logía de la liberación encuentra su principio hermenéutico en el Cristo histórico, ya que está basada en la praxis liberadora de la fe, de la misma manera una cristología de las religiones se apoya en una praxis del encuentro interreligioso y trata de descubrir en este amplio contexto la especificidad de la fe cristiana y la unicidad de Jesucristo.

Ni que decir tiene que la praxis del diálogo interreligioso es siempre particular, dependiente de un contexto concreto. Esto, además, se ha de hacer con las demás tradiciones religiosas no de manera abstracta e impersonal, sino más bien con sujetos religiosos concretos. Significa que si es legítimo escribir una cristología de las religiones que trate de situar el misterio de Jesucristo en el contexto del pluralismo religioso en general [20], se requieren también otros estudios cristológicos que se sitúen directamente dentro del contexto del encuentro con una tradición religiosa particular. La tradición en cuestión, cualquiera que sea el caso, pertenecerá al grupo de las llamadas religiones «monoteístas» o proféticas (judaísmo, cristianismo e islam), o al de las religiones llamadas «místicas» u «orientales» (como el hinduismo, el budismo y otras), o incluso al de las religiones «tradicionales».

La cristología en diálogo se ha desarrollado en los últimos años dentro del contexto del encuentro judeocristiano. Estudios cristológicos de autores judíos como P. Lapide, D. Flusser, G. Vermes, J. Neusner y otros [21] han puesto en

---

[20] Cf. J. DUPUIS, *Jesucristo al encuentro de las religiones*, San Pablo, Madrid 1991.

[21] P. LAPIDE-H. KÜNG, *Jesus im Widerstreit. Ein Jüdisch-Christlicher Dialog*, Kösel, Múnich 1976: D. FLUSSER, *Jesús en sus palabras y en su tiempo*, Cristiandad, Madrid 1975; G. VERMES, *Jesus the Jew*, Collins, Londres 1973; ÍD., *Jesus and the World of Judaism*, SCM Press, Londres 1983; J. NEUSNER, *Le Judaïsme à l'aube du christianisme*, Cerf, París 1986; J. J. CHARLESWORTH (ed.), *Jesus' Jewishness: Exploring the Place of Jesus in Early Judaism*, Crossroad, Nueva York 1991; H. KÜNG, *El judaísmo. Pasado, presente y futuro*, Trotta, Madrid 1993.

evidencia el auténtico «ser judío» de Jesús de Nazaret y han demostrado también la profunda inserción de Jesús en la cultura y en las costumbres religiosas de su pueblo. Aunque alejados de la fe cristiana en Jesús, tales estudios son de gran ayuda para el estudioso de la cristología en su esfuerzo por redescubrir las raíces históricas de Jesús. Y, además, servirán grandemente para acercarse, de manera más objetiva de la que se ha acostumbrado, al «Primer» Testamento. Los textos que tratan de la alianza de Dios con Israel, especialmente los relativos a la «espera mesiánica», han de ser leídos primero dentro del contexto histórico de las relaciones de Dios con su pueblo elegido [22]. No se puede imponer a priori una interpretación cristiana, sino que más bien es necesario demostrar que una interpretación semejante es el resultado de una «relectura» hecha a la luz de la experiencia cristiana y por la que se añade un «significado sobreañadido» a los textos.

A pesar de las raíces profundas de Jesús en el judaísmo, el estudioso de la cristología deberá mostrar la originalidad de Jesús, su diferencia, la peculiaridad de su personalidad y, finalmente, la «unicidad» de su persona. Deberá, además, aclarar el hecho de que, aun asumiendo la cultura y la religión judaica, Jesús la transformó profundamente hasta el punto de que en él nace una realidad nueva: la espera del Primer Testamento no sólo encontró cumplimiento en él sino que además esto tuvo lugar de una manera completamente inesperada. Jesús es un profeta, pero no sólo un profeta. No sólo un curandero carismático y taumatúrgico o un simple rabí palestino. Aun reconociendo estos puntos

---

[22] Cf. *Orientations and Recommendations for the Application of the Conciliar Declaration «Nostra Aetate», n. 4*, publicado por la Comisión para Relaciones Religiosas con el Judaísmo (1975), «Origins» 4 (1974-1975) 463-464; también *Notes for a Correct Presentation and Catechesis of the Catholic Church*, publicado por la misma comisión (1985), «Origins» 15 (1985-1986) 102-107.

comunes, se han de reconocer también las divergencias y las mismas contradicciones, pues Jesús es diferente. Se podrá observar una vez más que nos encontramos aquí, aunque desde un ángulo distinto, con el problema de la continuidad-discontinuidad, en esta ocasión entre las raíces históricas de Jesucristo en el judaísmo y el significado de su misterio según la fe cristológica. La cristología no puede pasar por alto este aspecto.

La cristología de las religiones no puede limitarse, sin embargo, al diálogo judeocristiano. Necesita encontrarse también con las diferentes tradiciones religiosas que la fe cristiana encuentra concretamente en varios contextos, ya sean el islam, el hinduismo, el budismo o cualquiera otra tradición religiosa. En este caso el estudioso de la cristología tendrá que descubrir las «pasarelas» para acceder al misterio de Jesucristo, no sólo en el hombre mismo, entendido como abierto al Dios que se autoentrega (cristología «trascendental»), ni solamente en la vida religiosa subjetiva de los individuos en los que la gracia de Dios en Jesucristo está siempre obrando por el Espíritu Santo (GS 22), sino también en los elementos objetivos que juntos toman las tradiciones religiosas del mundo (NA 2; LG 16; AG 9, 11, 15).

Identificar los «elementos de la verdad y de la gracia» (AG 9) presentes en esas tradiciones es una tarea difícil que requiere un agudo discernimiento. Y es también imprescindible, si tenemos en cuenta que el misterio de Cristo se ha de inculturar en un contexto de pluralismo religioso. Identificar en las demás tradiciones religiosas las «pasarelas» hacia el misterio de Jesucristo o las «semillas del Verbo» e interpretar después tales «semillas» no simplemente como expresiones de la aspiración del hombre hacia Dios, significa construir una «cristología en búsqueda» de un nuevo género, dado que tal acercamiento saca a la luz no sólo la espera existencial del hombre por Dios, sino también la espera histórica de Dios por el hombre. Si la primera encuentra en Jesucristo la realización de su esperanza y aspiración, la espera histórica de Dios por el hombre alcanza en él su clímax y plenitud. Esta cristología de la búsqueda por parte de Dios de los pueblos dentro de sus propias tradiciones hace resurgir todavía una vez más, aunque de manera nueva y original, el problema de la continuidad en la discontinuidad. Se trata de la discontinuidad de la absoluta novedad del misterio de Jesucristo en la continuidad de los primeros pasos y aproximaciones hechos por Dios hacia los pueblos, con vistas a su venida.

HACIA UN «ACERCAMIENTO INTEGRAL» A LA CRISTOLOGÍA

La expresión «cristología integral» ha sido tomada de la Pontificia Comisión Bíblica [23]. A su vez, el «acercamiento integral» recibe aquí un significado más amplio, por el que hace referencia a una perspectiva de conjunto. Por «cristología integral» la Comisión Bíblica entiende aquella que tiene en cuenta todo el testimonio bíblico. En su comentario al documento de la Comisión Bíblica, J. A. Fitzmyer explica en esta dirección:

> «En el estudio de la cristología hay que escuchar toda la tradición bíblica, tanto del Antiguo como del Nuevo Testamento, ya que se nos da toda entera como norma de la fe cristiana. En realidad, el desarrollo literario de la unidad canónica de la Biblia refleja la revelación progresiva de Dios y su salvación ofrecida a los seres humanos. En consecuencia, hay que retroceder hasta las promesas hechas a los patriarcas y que, posteriormente introducidas a través de los profetas, se extendieron a las esperanzas del Reino de Dios y del Mesías, y finalmente a la

---

[23] J. A. FITZMYER, *Scripture and Christology*, Paulist Press, Nueva York 1986, 32.

realización de las mismas en Jesús de Nazaret como el Mesías y el Hijo de Dios...» [24].

Todo esto es muy cierto; sin embargo, un «acercamiento integral» en cristología, aunque ha de tener como alma el mensaje revelado, ha de beneficiarse también de las intuiciones de los distintos métodos teológicos. La exposición que hemos hecho más arriba de los diversos métodos cristológicos nos permite, por tanto, sacar algunas conclusiones preliminares respecto a lo que un acercamiento integral a la cristología debería implicar necesariamente. Así lo haremos en este apartado previa enunciación de varios principios.

1. El principio de la tensión dialéctica

Lo hemos visto en acción de diferentes maneras y bajo distintos aspectos siempre que hemos apuntado a la continuidad en la discontinuidad. Así, por ejemplo, entre la espera mesiánica veterotestamentaria y su cumplimiento en el Nuevo Testamento; entre la «condición de judío» de Jesús y su transformación del judaísmo; entre la cristología del Jesús histórico y la de la Iglesia primitiva; entre la cristología del kerigma apostólico y las reflexiones cristológicas más maduras del Nuevo Testamento; entre las enunciaciones primitivas posbíblicas y los siguientes desarrollos cristológicos. En otra dirección, el mismo principio actúa en la continuidad-discontinuidad entre la cristología «en búsqueda» del «existencial sobrenatural» del hombre y el acontecimiento histórico de Jesucristo, o entre la cristología «en búsqueda» de las tradiciones religiosas del mundo y el «encuentro» por parte de Dios del hombre religioso en Jesucristo. En todos estos ejemplos —y también en otros— del principio de la tensión dialéctica habrá que asegurar la

---

[24] *O. c.*, 92.

verdadera relación entre los elementos de la continuidad y los de la discontinuidad. Esta relación ha de llevar consigo una «novedad completa» (san Ireneo), como la que existe entre las «preparaciones evangélicas» (en el hombre, en las religiones e incluso en el judaísmo) y el acontecimiento histórico de Jesucristo. Y, por el contrario, podrá también implicar, a pesar de la diferencia de expresión, una identidad de significado como la que existe entre la cristología neotestamentaria y la de las tradiciones posbíblicas. En suma, un mismo principio tiene muchas aplicaciones diferentes, cada una de las cuales ha de ser valorada en su misma identidad.

2. El principio de la totalidad

Por tal se entiende que una cristología bien asentada ha de evitar todo peligro de reduccionismo y de unilateralidad en cualquier dirección. El misterio cristológico está compuesto de aspectos complementarios, con frecuencia en contradicción entre sí a primera vista, pero que han de mantenerse juntos, si bien a menudo en tensión. Todos los falsos dualismos y las aparentes contradicciones, como, por ejemplo, las que existen entre el Jesús de la historia y el Cristo de la fe, entre la cristología implícita del mismo Jesús y la explícita de la Iglesia, entre la cristología funcional y la ontológica, entre la soteriología y la cristología, entre la salvación y la liberación humana, entre la liberación horizontal y la vertical, entre lo histórico «ya» y lo escatológico «todavía no», así como también entre la antropología y la cristología, entre el cristocentrismo y el teocentrismo, etc., deben ser superados. El modelo calcedonense de unión «sin confusión o cambio, sin división o separación» [25] pue-

---

[25] NEUNER-DUPUIS, *The Cristian Faith*, n. 615.

de servir como paradigma útil: hay que hacer las distinciones, pero hay que preservar la unidad.

3. El principio de la pluralidad

Ya hemos observado que el Nuevo Testamento contiene una pluralidad de cristologías que han de mantenerse en una unidad sustancial. El principio de la pluralidad se aplica todavía más en todo lo que se refiere a la tradición cristológica posbíblica y a los desarrollos cristológicos recientes. Dondequiera que aparezca, esta pluralidad ha sido guiada a lo largo de la tradición cristiana por el intento de inculturar y contextualizar la fe cristológica. Se puede demostrar fácilmente que ya en el Nuevo Testamento el interés por la inculturación y la voluntad de contextualización está siempre en la raíz de la diversidad de los acercamientos al misterio de Jesucristo, testimoniado en la predicación kerigmática [26]; acercamientos patentes desde el paso de un contexto cultural prevalentemente judaico a otro judeo-helenístico y después, posteriormente, a un contexto abiertamente helenístico [27]. El concilio Vaticano II reconoció esto cuando en la constitución *Dei Verbum* hace referencia al *Sitz im Leben* de los evangelios, es decir, al hecho de que éstos fueron escritos «con la mirada puesta en la situación de la Iglesia» (DV 19).

El mismo intento de contextualización y de inculturación está en acción en el desarrollo de los dogmas cristológicos dentro de la tradición posbíblica, como se demostrará a continuación al hablar de «helenización» y «desheleniza-

---

[26] Cf. A. VANHOYE, *Nuovo Testamento e inculturazione*, «La Civiltà Cattolica» 135 (1984/4) 119-136; G. SOARES-PRABHU, *The New Testament as a Model of Inculturation*, «Jeevadhara» 6 (1976) 268-282.
[27] Cf. R. H. FULLER, *The Foundations of New Testament Christology*, Collins, Londres 1969.

ción». Lo mismo ocurre en los métodos y en las perspectivas cristológicas recientes. He aquí algunos ejemplos tomados de los métodos mencionados más arriba. El método «crítico-dogmático» de la cristología se inspira en el intento de inculturización de la fe cristológica en un contexto de cambio cultural. El problema que se plantea es cómo mantener y expresar la fe tradicional en Jesucristo en el contexto de cambio cultural en el que, por una evolución en el significado de los conceptos, las formulaciones tradicionales corren el riesgo de traicionar el «significado» que intentaban transmitir. La misma preocupación domina al método «antropológico» de la cristología, sea en la forma de un evolucionismo cristológico que trata de conciliar la fe cristiana con la cultura científica, sea en la de una «cristología trascendental» que tiene como destinatario al hombre «adulto» en un mundo secularizado. Dígase lo mismo de las diversas cristologías, tanto de la liberación como de las religiones, surgidas en los continentes del Tercer Mundo en respuesta a la provocación de la liberación humana y del pluralismo religioso.

4. El principio de la continuidad histórica

La diversidad cultural ha dado origen a las distintas expresiones de la fe cristológica a lo largo de los siglos. A pesar de ello existe un amplio grado de continuidad histórica entre los diferentes métodos cristológicos, lo mismo que entre las distintas reducciones y herejías cristológicas, en los diferentes períodos de la tradición. La permanencia de actitudes fundamentales hacia el misterio de Jesucristo se debe sobre todo a la estructura ontológica del misterio mismo, compuesto, inseparable e inalterablemente, de dualidad y de unidad. Esta estructura abre el camino a dos formas fundamentales de acercamiento, «desde arriba» y «desde abajo», es decir, desde la persona del Hijo de Dios que se hace hombre o desde el hombre Jesús que es personalmente el Hijo de Dios. Más adelante nos preguntaremos sobre la prioridad histórica en la tradición bíblica y en la posbíblica de estos dos enfoques básicos. Dejando de momento a un lado esta consideración, se puede apreciar ya la constancia a lo largo de los siglos de la lógica inherente a cada una de las dos formas de acercamiento.

Tenemos por un lado el acercamiento «descendente» o «desde arriba» iniciado desde la persona del Hijo de Dios. El tipo de reduccionismo al que tal perspectiva puede dar lugar consiste en minar la realidad o el carácter auténticamente humano de la humanidad de Jesús. En la tradición primitiva esta tendencia hizo surgir diversas herejías cristológicas como el docetismo, el gnosticismo, el apolinarismo, el monofisismo y otras. En la cristología escolástica sucede lo mismo, aunque bajo formas diversas, con el principio de las «perfecciones absolutas» de la humanidad de Jesús, con la teoría de la visión beatífica durante su vida terrena o con el Jesús de la espiritualidad barroca, representado como una teofanía del «buen Dios» manifestándose en forma o apariencia humana. La misma tendencia aparece hoy día como otra posibilidad. Se ha observado que el monofisismo es la tentación constante del «pueblo piadoso» pero poco informado (E. Masure); y K. Rahner ha hablado del «criptomonofisismo» de muchos cristianos de nuestro tiempo.

La misma tendencia, si bien de manera oculta y más sutil, está en acción en la cristología «existencial» de R. Bultmann, que en alguna medida evoca las corrientes primitivas gnóstica y docetista. Como vimos anteriormente, para Bultmann es a fin de cuentas irrelevante, o poco menos, poder descubrir algo significativo de la historia humana de Jesús, ya que el único acontecimiento pleno de significado es el de la palabra proclamada en el kerigma, en el que se reta al hombre a una decisión de fe. Lo que en definitiva interesa a Bultmann no es el significado que se ha de dar al acontecimiento del Jesús histórico, sino al «acontecimiento de la palabra». Éste existe en sí mismo y no necesita basarse en el Jesús histórico. La vida terrena de Jesús, los misterios de su carne no tienen importancia alguna o valor para la salvación. La postura cristológica de Bultmann se reduce, pues, a una nueva versión, en un contexto cultural muy distinto, del docetismo y del gnosticismo. Su Cristo de la fe sin el Jesús de la historia se disuelve en un mito.

Por otra parte, tenemos el acercamiento «ascendente» o «desde abajo», que pone su punto de partida en el hombre Jesús. Como se puede intuir fácilmente, el tipo de reduccionismo al que está sometido este movimiento es exactamente el contrario del que nace de la dirección opuesta. Consistiría en disminuir la condición divina de Jesús o en mantenerse por debajo de la afirmación de su identidad personal de Hijo de Dios. En la tradición antigua este reduccionismo se manifestó de varias formas, por ejemplo, en los ebionitas, que redujeron a Jesucristo a la condición de profeta como los otros o, de otra forma, en las herejías cristológicas del adopcionismo, del arrianismo y del nestorianismo. El mismo modelo apareció en la cristología escolástica de forma exagerada en la cristología del «hombre asumido» (*homo assumptus*), según la cual el hombre Jesús habría existido antes de que el Hijo de Dios habitase en él; o en el «adopcionismo» español, que asignaba al hombre Jesús una filiación divina adoptiva. Se puede reconstruir hoy la misma tendencia en el contexto moderno y secularizado del mundo occidental, donde el racionalismo y la verdad, derivados de la observación científica, prevalecen a menudo.

Por válido que sea el proceder «desde abajo» hacia el misterio cristológico, los estudiosos que siguen este método las más de las veces no llegan adecuadamente a Jesús «Hijo de Dios». La cristología se convierte entonces en una «cristología por grados» en la que Jesús queda reducido a un hombre ordinario en el que Dios está presente en un «grado extraordinario». En todos esos casos, la cristología «desde abajo» termina en una «cristología baja» [28].

En suma, la estructura del misterio cristológico abre el camino a dos acercamientos cristológicos opuestos —el «ascendente» y el «descendente»—, ambos legítimos y complementarios entre sí. Los dos, sin embargo, tienen peligros intrínsecos que, si no se tienen en cuenta, pueden ocasionalmente llevar a herejías opuestas. Por un lado, el acercamiento «desde arriba», característico de la escuela alejandrina, que desarrolló una cristología del «Hijo encarnado», está sometido a las tendencias monofisitas; por otro, el acercamiento «desde abajo», propio de la escuela antioquena, que dio lugar a la cristología del «hombre asumido», puede conducir al nestorianismo. Toda cristología deseosa de mantener la integridad del misterio cristológico habrá de juntar en la unidad, por encima de toda forma de reduccionismo, los dos términos.

5. El principio de integración

Con este principio se busca una «cristología integral» que reúna los elementos complementarios, aparentemente contradictorios, que componen el misterio de Jesucristo. Al mismo tiempo, ha de redescubrir y reintegrar en una presentación de conjunto algunos aspectos del misterio que en el curso de los siglos, o también en nuestro tiempo, se han perdido por el camino o se han descuidado de forma considerable.

---

[28] Por ejemplo, J. A. T. ROBINSON, *The Human Face of God*, SCM Press, Londres 1972, quien expresamente profesa «una cristología 'baja', 'degradada'». Cf. también J. MACQUARRIE, *Jesus Christ in Modern Thought*, SCM Press, Londres 1990, quien explícitamente profesa una cristología «por grados».

Hemos afirmado la validez y la recíproca complementariedad de los dos acercamientos cristológicos, el «desde arriba» y el «desde abajo». Una «cristología integral» ha de combinar ambos. Más adelante veremos cómo se complementan en la dinámica de la fe. Al mismo tiempo, también la soteriología y la cristología son complementarias entre sí y se buscan mutuamente, como veremos también más adelante. En ambos casos, se da un círculo completo: de la cristología «desde abajo» a la cristología «desde arriba», y viceversa; y de forma semejante, desde la soteriología a la cristología, y viceversa. Este movimiento circular completo mostrará mejor la dialéctica que se mantiene entre los métodos complementarios desde ambas direcciones.

La cristología ha pecado a menudo de impersonalismo. Para eliminar esta limitación, se ha de presentar siempre la dimensión personal y trinitaria del misterio. Una cristología del Dios-hombre es abstracta y la única real es la del Hijo de Dios hecho hombre en la historia. Hay que mostrar, por tanto, que las relaciones personales intra-trinitarias informan todos los aspectos del misterio cristológico, cosa que se verifica sobre todo a propósito de la psicología humana de Jesús. Una parte de la dimensión trinitaria del misterio cristológico es su aspecto pneumatológico. Por lo mismo, la cristología ha de incluir una «cristología pneumática», que pondrá el acento en la presencia universal y operante del Espíritu de Dios en el acontecimiento Cristo.

La dimensión histórica del misterio de Jesucristo, así como la verdadera «historia» humana de Jesús, debe ponerse en claro una vez más para contrarrestar la tendencia «deshistorizante» y abstracta de gran parte de la cristología del pasado. La fe cristiana está en Jesús-el-Cristo, esto es, en el Jesús de la historia que fue constituido Cristo por Dios en su resurrección de entre los muertos: no es ni una fe en un Jesús sin Cristo ni en un Cristo sin Jesús. La «Jesuología» y la cristología se han de mantener unidas, ya que un Jesús sin Cristo es algo vacío, un Cristo sin Jesús es un mito.

Finalmente, a pesar de la particularidad histórica del hombre Jesús, se ha de mantener también el significado universal del acontecimiento Cristo y la dimensión cósmica de su misterio. Hay que mostrar que el misterio de Jesucristo es «el universal concreto» en el que coinciden el significado universal y la particularidad histórica. La razón es que en Jesús de Nazaret el Hijo de Dios se ha «humanizado» y su historia humana es la de Dios.

II

Jesús en el origen de la cristología: del Jesús pre-pascual al Cristo pascual

Hemos observado más arriba que, siendo la *norma normans*, el Nuevo Testamento debe ser también el fundamento de la cristología. Hemos indicado también que, teniendo en cuenta las varias etapas de la composición del Nuevo Testamento, la cuestión de la referencia fundamental de la cristología al Nuevo Testamento ha de plantearse con más precisión. ¿Es la cristología post-pascual de la Iglesia apostólica el punto de partida? ¿O lo es la resurrección de Jesús y la experiencia pascual de los discípulos? O, incluso, ¿es el mismo Jesús post-pascual? La introducción al presente capítulo debe mostrar la articulación entre estos varios elementos y ha de indicar en qué sentido y cómo el Jesús terreno está en el origen de la cristología de la Iglesia.

Se ha de reconocer plenamente el papel decisivo que la resurrección de Jesús y la experiencia pascual de los discípulos ocupan en el nacimiento de la fe cristológica. Ellas la hacen nacer y, en este sentido, señalan su punto de partida. Antes de la resurrección de Jesús, los discípulos no habían percibido el verdadero significado de la persona y de la obra del Maestro. Sin duda, habían tenido una cierta intuición de su ministerio y habían visto en él al profeta escatológico del Reino de Dios, sin afirmar, no obstante, el significado exacto de lo que les había dicho. El descorazonamiento ante el lamentable espectáculo de la muerte innoble de Jesús («esperábamos», Lc 24,21) y su tardanza en creer y captar después de la resurrección, dramáticamente ejemplificada por la obstinada negativa de Tomás a creer y su ejemplar profesión de fe («Señor mío y Dios mío», Jn 20,28), son testigos de la falta de comprensión por parte de los discípulos durante la vida terrena de Jesús. *Hechos* nos dice que, incluso después de la resurrección, esperaban un reino político y la restauración, por medio de Jesús, de la supremacía de Israel (Hch 1,6). Precisamente por esto se nos pide cautela en la interpretación de la profesión de fe de Pedro: «Tú eres el Cristo, el Hijo de Dios vivo» (Mt 16,16), seguida de la promesa de Jesús de construir su Iglesia sobre la fe de Pedro. La versión que da Marcos de la profesión de fe de Pedro, «Tú eres el Cristo» (Mc 8,29), es más cercana al hecho y más sobria. Y es característico que la reacción resultante de Jesús consiste en anunciar que él debe cumplir su propia vocación mesiánica como el siervo paciente de Dios.

La narración de Mateo, nos dicen los exegetas, ha sufrido una fuerte influencia redaccional y refleja una comprensión cristológica post-pascual. Una observación semejante se hace también a la narración de Mt 14,33, es decir, el otro texto de Mateo que contiene una profesión de fe madura de los discípulos antes de la Pascua: «Tú eres verdaderamente el Hijo de Dios». Es sintomático que el texto paralelo de Marcos no recoja una profesión de fe semejante, limitándose a contar el asombro de los discípulos (Mc 6,51). J. Schnackenburg ha demostrado la diferencia entre la fe de los discípulos antes y después de la resurrección de Jesús. Escribe:

«Reconocer que los discípulos no llegaron a una verdadera fe cristológica antes de la Pascua no significa negarles una cierta fe en Jesús durante su peregrinación terrena con él. ¿Por qué, entonces, le habrían seguido y habrían permanecido con él? Pero sigue siendo difícil determinar más de cerca el contenido de su actitud de fe. La pregunta de los hijos del Zebedeo (Mc 10,37; cf. Mt 20,21) y otros indicios permiten concluir que todavía estaban pendientes de las esperanzas mesiánicas terrenas en este mundo. Lucas los presenta en esta misma conducta hasta la ascensión de Jesús (cf. Lc 19,11; 22,38; 24,21; Hch 1,6). Para él, solamente la misión del Espíritu en Pentecostés determina el cambio. Entonces, ellos anuncian unánimemente, como se expresa con fórmula adaptada su portavoz Pedro en el discurso de Pentecostés, 'que Dios ha constituido Señor y Mesías a este Jesús a quien vosotros crucificasteis' (Hch 2,36). Lo que Lucas pone en evidencia en su visión teológica constituye sustancialmente la convicción de todos los evangelistas: sólo después de la resurrección de Jesús los discípulos llegaron a la fe plena en Jesús como Mesías e Hijo de Dios» [1].

Podríamos decir, quizá, que los discípulos de seguidores de Jesús se convirtieron en «creyentes», en sentido plenamente bíblico-teológico, por medio de la experiencia pascual.

La resurrección de Jesús, sin embargo, no puede reducirse a una experiencia pascual, entendida como experiencia de «conversión» por parte de los discípulos. Éstos, indudablemente, conocieron una experiencia subjetiva semejante de conversión, pero, si se transformaron, la razón es que encontraron al Jesús resucitado que se manifestó a sí mismo y «se les hizo visible» en su estado glorificado. La transformación operada por la resurrección afecta en primer lugar a Jesús mismo: es objetiva en él y subjetiva en los discípulos. Esta transformación real de la humanidad de Jesús, que pasó de la muerte a la vida de resucitado, de la kenosis a la gloria, sólo podía ser percibida por la fe de los discípulos en relación a la espera escatológica de Israel,

---

[1] R. SCHNACKENBURG, «Cristología del Nuevo Testamento», en J. FEINER-M. LÖHRER (eds.), *Mysterium Salutis*, III, 1, Cristiandad, Madrid ²1980.

como el llegar, más allá de la muerte, a la plenitud escatológica.

El hecho de que la resurrección de Jesús y la experiencia pascual de los discípulos marquen el inicio de su fe cristológica, no significa que la resurrección de Jesús baste por sí sola para «probar» o para testimoniar la identidad personal del Resucitado como Hijo de Dios: la identidad personal de Jesús es objeto de fe y no es susceptible de demostración alguna. Las «apariciones» del Resucitado a sus discípulos son, sin duda, señales capaces de suscitar o de ayudar a la fe, sin las cuales los discípulos, probablemente, no habrían podido percibir la real transformación habida en la humanidad de Jesús. A pesar de ello, la fe en la resurrección no se hubiera dado basándose únicamente en la promesa de las apariciones, como si éstas fuesen capaces de probarla[2].

Entonces, ¿en qué sentido llegaron los discípulos a la fe en Jesucristo a través de la resurrección? Las apariciones del Resucitado «señalaban» que Jesús había alcanzado, más allá de la muerte, el estado escatológico. La plenitud, esperada en el tiempo escatológico, se había cumplido en él o, de manera inversa, la escatología era introducida en el tiempo. Esta condición totalmente nueva de Jesús, jamás experimentada antes, suscitó problemas en torno a la identidad del Resucitado. Los discípulos, entonces, con mirada retrospectiva, se volvieron al testimonio de Jesús durante su vida terrena e, inspirados por el Espíritu, recordaron lo que el Jesús pre-pascual había hecho y dicho, y que, entonces, fue en gran parte malentendido. Esta «memoria» del Jesús histórico jugó un papel decisivo en el nacimiento de la fe cristológica de los discípulos, ya que propició la unión entre Jesús mismo y la interpretación de fe que los discípulos

---

[2] Cf. J. O'COLLINS, *Jesús resucitado*, Herder, Barcelona 1988.

hicieron de él después de la resurrección. Gracias a esto, la fe cristológica de la Iglesia se retrotrae verdaderamente, y puede basarse en el Jesús de la historia, encontrando así en él su fundamento histórico.

El propósito de este capítulo será demostrar que Jesús está verdaderamente en el origen de la fe cristológica de la Iglesia. O, para usar la terminología empleada anteriormente, que hay continuidad-discontinuidad entre la «cristología implícita» de Jesús y la «cristología explícita» de la Iglesia apostólica. El principio de la continuidad en la discontinuidad se aplica a Jesús mismo en su paso del estado kenótico a su condición de glorificado a través de la transformación real de su humanidad en la resurrección. Se aplica también a los discípulos en cuanto que pasan del simple discipulado a la fe cristiana a través de su experiencia pascual.

Esta continuidad no puede presumirse, sino que ha de demostrarse. A menudo, incluso, ha sido negada. Se ha dicho, por ejemplo, que mientras Jesús predicó el Reino de Dios, la Iglesia apostólica predicó en su lugar a Cristo. El mensajero del Reino se convirtió así en el objeto del kerigma, un cambio que falsificó el mensaje de Jesús. El mismo pensamiento de Jesús se centró totalmente en Dios y en la inminencia de su Reino. Nunca hizo de su persona el objeto de su mensaje. La Iglesia apostólica, sin embargo, le hizo objeto de su proclamación. En sus manos, y por un proceso de «divinización» del hombre Jesús, Cristo fue sustituido por el Reino de Dios como objeto de la fe cristiana. El teocentrismo de Jesús quedó reemplazado por la centralidad de Cristo de la Iglesia primitiva.

Se ha sugerido además que mientras Jesús predicó el inminente Reino de Dios, lo que sobrevino fue la Iglesia. Se quiere significar con ello que Jesús, preocupado por el inminente establecimiento del Reino final de Dios, no pensó en un período intermedio de tiempo durante el cual el Reino de Dios, ya presente en el mundo, habría de crecer a lo largo de la historia hasta su perfección y cumplimiento. Jesús, por tanto, nunca pensó en fundar una Iglesia. La Iglesia, en realidad, fue fundada por sus discípulos cuando, después de su muerte, se enfrentaron al retraso del establecimiento del Reinado final de Dios.

Estas construcciones parciales de la intención de Jesús demuestran la importancia de descubrir su verdadero mensaje, si es que la fe cristológica de la Iglesia apostólica ha de encontrar en él su fundamento. Hay que demostrar que entre él y ella no existe, a pesar de la discontinuidad, un abismo insuperable, sino una verdadera continuidad.

Se observará que el orden de la realidad o el orden histórico que vamos a seguir aquí es el reverso del orden epistemológico. Como todos los documentos del Nuevo Testamento, incluidos los evangelios sinópticos, transmiten siempre una interpretación de fe de la historia de Jesús a la luz de la experiencia pascual de los discípulos, no tenemos acceso al Jesús histórico sino a través del Cristo de la fe. Sin embargo, desde el momento en que el método exegético histórico-crítico ha recuperado al Jesús de la historia, se puede seguir de nuevo el movimiento histórico y real o bien recorrer el camino que conduce desde el redescubrimiento del Jesús de la historia al descubrimiento de la fe cristológica.

Este camino lo han recorrido los seguidores de Jesús al pasar del simple discipulado a la fe; o, lo que es lo mismo, de una «Jesuología» a una «cristología». Este mismo camino fue seguido después por otros discípulos a lo largo de los siglos, y ha de seguirse también hoy por los discípulos deseosos de llegar a una fe madura y reflexiva en Jesucristo. El itinerario, que procede de arriba abajo, conduce del encuentro personal con el Jesús terreno a su descubrimiento como Cristo. Todo discípulo, por tanto, se enfrenta así a una pregunta decisiva: ¿Cuándo, dónde, cómo he hecho yo la experiencia de Jesús? ¿Cuándo, dónde, cómo lo he descubierto como Cristo?

El propósito de este capítulo es, pues, demostrar que las hechos y las palabras de Jesús, su autoconciencia y su autorrevelación, sus decisiones y sus opciones, su actitud ante la muerte y ante la vida, en una palabra, su misión entera y su existencia humana, están en el origen de la cristología. El tratamiento será necesariamente breve, si bien habrá de dar cuenta del «Jesús total» de la historia, de su dimensión tanto «vertical» como «horizontal», de su relación con Dios, así como de su relación con la gente. No hacer esto significaría traicionar y destruir la continuidad entre Jesús y Cristo. El argumento estará dividido en cuatro secciones: 1) La misión de Jesús; 2) La identidad personal de Jesús; 3) Jesús frente a su muerte inminente; 4) La resurrección de Jesús y la experiencia pascual.

LA MISIÓN DE JESÚS

El Reino de Dios y su llegada es el tema central de la predicación de Jesús. El tema era conocido ya antes de él y concebido de manera diferente por diferentes predicadores dentro del judaísmo contemporáneo. El último de éstos fue Juan el Bautista —por cuyas manos fue bautizado el mismo Jesús (Mc 1,9-11)—, para quien el Reino de Dios era un inminente juicio divino. El concepto que Jesús tenía del Reino de Dios era, sin embargo, nuevo y original. Para Jesús, el Reino es símbolo del nuevo «dominio» que Dios instaurará en el mundo, renovando casi todas las cosas y restableciendo todas las relaciones entre Dios y los hombres así como entre los hombres entre sí. Para Jesús, además, el Reino de Dios es inminente y, en realidad, no sólo está al alcance de la mano, sino que ya ha comenzado a manifestarse con su misma misión. Jesús anuncia el Reino como la irrupción del Reino de Dios entre los pueblos, gracias al cual Dios manifiesta su gloria. Ésta es la razón por la que la llegada del Reino es una Buena Nueva.

Se ha de notar la ambivalencia de los textos relativos a la inminencia o la presencia ya instaurada del Reino. El evangelio de Marcos comienza el relato del ministerio de Jesús con un resumen programático de su predicación inicial del «Evangelio de Dios»: «El plazo se ha cumplido. El Reino de Dios está llegando. Convertíos y creed en el Evangelio» (Mc 1,15). La venida del Reino es obra de Dios mismo, si bien se requieren por parte del hombre arrepentimiento, conversión (metanoia) y fe. El Reino se entiende aquí abriéndose camino e inminente. En otros textos, sin embargo, se presenta a Jesús afirmando que ya ha sido inaugurado y que, en realidad, está ya presente y operante. Tal es el caso de otra muestra programática de la primera predicación de Jesús que nos ofrece el evangelio de Lucas. Después de haber leído en la sinagoga de Nazaret el anuncio de Isaías de la predicación de la Buena Nueva (Is 61,1-2), Jesús comentó: «Hoy se ha cumplido entre vosotros esta Escritura» (Lc 4,21), indicando con ello que el Reinado de Dios estaba ya irrumpiendo a través de él. De una manera todavía más clara, en la controversia con los fariseos sobre el modo de expulsar a los demonios, Jesús declaraba: «Pero si yo expulso los demonios con el poder del Espíritu de Dios, es que ha llegado a vosotros el Reino de Dios» (Mt 12,28). El Reino de Dios está ya presente.

Para Jesús, el Reino de Dios comienza a aparecer y está ya presente y operante en los hechos que constituyen su misma vida y misión. El Reino, además, es como una semilla que debe desarrollarse continuamente y por cuyo crecimiento debemos rogar: «Venga tu Reino» (Mt 6,10; Lc 11,2). Jesús exultó de alegría por la repentina irrupción del Reino de Dios, del que no era sólo el testigo y el mensajero, sino también su instrumento. En el «ya» de la repentina aparición por medio de él y del Reino de Dios en él, Jesús vio la promesa de su plena realización en el «todavía no».

Indudablemente, el tema del Reino de Dios coloca a Dios mismo en el origen y en el corazón de la acción de Jesús. El Reino de Dios, en realidad, quiere decir Dios mismo, ya que es él el que comienza a actuar en el mundo de manera decisiva, manifestándose a sí mismo y poniendo orden en su creación a través de los actos humanos de Jesús. La misión inicial de Jesús va acompañada de milagros, y sería equivocado entenderlos o tratarlos simplemente como si presentasen las credenciales del profeta del Reino de Dios. Los milagros de curación y los exorcismos (semejantes a las curaciones) —que, generalmente hablando, figuran entre los datos históricos indiscutibles del ministerio inicial de Jesús, los «milagros de la naturaleza», así como la resurrección de entre los muertos—, todos ellos son signos y símbolos de que Dios por medio de Jesús está instaurando su dominio en la tierra, venciendo el poder destructivo de la muerte y del pecado. Los milagros, en una palabra, son los primeros frutos de la presencia operante del Reino de Dios en la humanidad.

El significado de los milagros de Jesús, entendidos como parte constitutiva de la inauguración del Reino de Dios, esta claramente señalado por los evangelistas. Baste con recordar una vez más, a este propósito, la predicación programática de Jesús en la sinagoga de Nazaret, donde las curaciones figuran entre los signos, predichos por Is 61,1-2, que forman parte de la presencia ya efectiva del Reino de Dios (Lc 4,18-21). De forma todavía más clara, a los discípulos enviados por Juan el Bautista a preguntar a Jesús: «¿Eres tú el que ha de venir, o debemos esperar a otro?» (Mt 11,3), la respuesta de Jesús apunta de nuevo a sus milagros de curación como signos y símbolos del Reino ya operante a través de él (Mt 11,4-6). El mismo significado, en relación a la presencia del Reino, se asigna a los exorcismos de Jesús en la controversia con los fariseos, a la que ya hemos aludido.

El Reino de Dios es el gobierno de Dios entre los hombres. Esto exige una completa reorientación de las relaciones humanas y un ordenamiento de la sociedad humana según la intención de Dios. Los valores que, en sintonía con el Señorío de Dios, han de caracterizar las relaciones humanas pueden resumirse en pocas palabras: la libertad, la fraternidad, la paz y la justicia. En conformidad con esto, Jesús denuncia, a través de toda su acción misionera, todo lo que en la sociedad de su tiempo viola estos valores. Este hecho le enfrenta a las diversas clases sociales de su propio pueblo: castiga el legalismo opresor de los escribas, la explotación del pueblo por parte de la clase sacerdotal, la hipocresía arrogante de los fariseos. Jesús no es un conformista, sino un subversivo a favor de la fuerza de Dios: rechaza aceptar las estructuras injustas y los estereotipos de la sociedad en que vive, y se asocia, preferentemente, con los pecadores y los recaudadores de impuestos, con los samaritanos y las prostitutas, con todos los sectores despreciados por la sociedad de su tiempo. A todos ellos les anuncia que el Reinado de Dios ha llegado y les invita a entrar en él por la conversión y el reordenamiento de su vida.

Por esto, el Reino de Dios que está llegando por la vida y la acción de Jesús se dirige, principalmente, a los pobres, a los «anawim» de Dios, esto es, a todos los sectores de gente despreciada, oprimida y aplastada. Para todos ellos Jesús manifiesta una «opción preferencial» que constituye una declaración a su favor por parte de Dios. La exégesis bíblica ha demostrado que los «pobres», a los que preferentemente está destinado, según Jesús, el Reino de Dios, son los desheredados económicamente, a los que hay que añadir las clases despreciadas, oprimidas y marginadas. Todos aquellos que, en una palabra, bajo la presión de estructuras injustas, sufren condiciones de desigualdad [3]. Esto no significa que la pobreza económico-social «deshumanizante» constituya para Jesús objeto de elección por sí misma. Al contrario, Jesús está de parte de los pobres y no de la pobreza: se opone a la riqueza y no a los ricos [4]. Todo esto para decir que lo que cuenta para Jesús es la disposición a entrar en el Reino por la práctica de sus valores, y que los «pobres» son los que están dispuestos a ello, poniendo su confianza en Dios y no en sí mismos, y entre quienes los valores del Reino aparecen presentes y operativos.

«Dichosos vosotros, los pobres, porque vuestro es el Reino de Dios» (Lc 6,20). La forma lucana de la «primera bienaventuranza» afirma claramente que el Reino de Dios está destinado principalmente a los pobres, y el discurso directo («vosotros, los pobres») indica que esta versión está más próxima a las palabras de Jesús que la versión de Mateo: «Dichosos los pobres en el espíritu, porque suyo es el reino de los cielos» (Mt 5,3). ¿Hay, sin embargo, un cambio de orientación de uno a otro? ¿Hay que pensar que la preferencia de Jesús por los pobres, por su carácter aparentemente escandaloso, ha bajado de tono después de él hasta quedar reducida a una «pobreza espiritual» o a una «apertura a Dios» que están al alcance de todos? No parece que sea así. Por el contrario, se puede pensar que hay continuidad entre las dos versiones: los verdaderos pobres

---

[3] Cf. J. Dupont, «The Poor and Poverty in the Gospels and Acts», en A. George et al., *Gospel Poverty*, Franciscan Herald Press, Chicago 1977, 25-52.

[4] Cf. G. Soares-Prabhu, «The Kingdom of God: Jesus' Vision of a New Society», en D. S. Amalorpavadass (ed.), *The Indian Church in the Struggle for a New Society*, NBCLC, Bangalore 1981, 579-608; íd., «Good News to the Poor», *ibíd.*, 609-626; íd., «Class in the Bible: The Biblical Poor a Social Class?», en R. S. Sugirtharajah (ed.), *Voices from the Margin. Interpreting the Bible in the Third World*, Orbis Books, Maryknoll, Nueva York, 1991, 147-171; R. Fabris, *La opción por los pobres en la Biblia*, Verbo Divino, Estella 1992.

son también los «limpios de corazón», abiertos a Dios y a su Reino.

Claramente afirmado en la primera bienaventuranza, proclamada en el sermón de la montaña (Mt 5) o de la llanura (Lc 6,17ss), el destino del Reino de Dios a los pobres se manifiesta también en los pasajes programáticos antes referidos. En el episodio de la sinagoga de Nazaret, la Buena Nueva predicada a los pobres se está cumpliendo ante los oyentes de Jesús por medio de su acción y su ministerio (Lc 4,18-21). El Reino de Dios, presente ya y operativo en la persona y acción de Jesús, está destinado a los pobres. Del mismo modo, en la respuesta de Jesús a los mensajeros de Juan el Bautista, el hecho de que «la Buena Nueva se predica a los pobres» es señal de la misión de Jesús en relación al Reino (Mt 11,5) y de la pertenencia de éste a los pobres.

De cuanto hemos dicho, debe quedar claro que la actitud de Jesús frente a la justicia y a la pobreza va más allá del mensaje de los profetas a este respecto. Ellos, al hablar a favor de los pobres y de los oprimidos y en defensa de sus derechos, estaban indicando claramente la intención de Dios a su favor, su predilección por los pobres y su cólera divina por la injusticia a ellos inferida. Jesús, sin embargo, no sólo manifiesta una «opción preferencial» por los pobres, no está simplemente «a su favor», sino que se identifica personalmente y se asocia preferentemente con ellos. No sólo está *a favor de* los pobres, sino que *pertenece a* ellos y está *con* ellos. En esta pertenencia y asociación de Jesús con los pobres, el amor preferencial de Dios para con ellos llega a su clímax: la actitud de Jesús no es sólo indicativa de la atención de Dios a los pobres, sino que además implica su empeño y compromiso con ellos.

Jesús es el «profeta escatológico» del Reino de Dios en el que no sólo se anuncia el Reino, sino que se realiza. Toda su misión se centra en el Reinado de Dios, esto es, en Dios mismo, que está estableciendo su dominio en la tierra por medio de su mensaje. Centrado en el Reinado de Dios, el mismo Jesús está centrado en Dios mismo. No hay distancia en él entre uno y otro: el «regnocentrismo» y el «teocentrismo» coinciden. El Dios a quien Jesús llama «Padre» está en el centro de su mensaje, de su vida y de su persona. Jesús no habló en primer lugar de sí mismo. Vino a anunciar a Dios y la llegada de su Reinado y ponerse a su servicio. Dios está en el centro, no el mensajero.

La identidad personal de Jesús

Jesús, sin embargo, no es sólo un profeta ni simplemente el «profeta escatológico» que anuncia que el Reino de Dios está por fin estableciéndose en la tierra. Jesús, como hemos insinuado ya, se sitúa a sí mismo en relación con Dios y su Reinado de una manera radicalmente nueva: en su vida y en su persona Dios está interviniendo de manera decisiva en la historia con la inauguración de su Reino. ¿Qué es, entonces, lo que nos dice de sí mismo? ¿Cuánto declara de su propia identidad?

A primera vista, poco. Pues, a pesar de las apariencias en contra, Jesús no parece reivindicar pretensión alguna cierta de ser el «Mesías», el Cristo, el descendiente de David (el «Rey davídico»), en quien se habían de cumplir las expectativas mesiánicas de Israel (2 Sam 7,4-17). Es cierto, sin embargo, que la tradición sinóptica ha conservado al menos dos escenas en las que la cuestión mesiánica se plantea de modo explícito en referencia a Jesús: la confesión de Pedro en Cesarea de Filipo (Mc 8,29) y la escena del proceso de Jesús ante el Sanedrín (Mc 14,61-62). Sin negar un fundamento histórico a estos acontecimientos, la exégesis moderna —como ya se ha recordado más arriba en relación al episodio de Cesarea de Filipo— se inclina a considerarlos influenciados por la fe pascual. El primero es una profesión de fe cristológica que coincide con el kerigma apostólico post-pascual. El segundo es la predicción «post factum» —profecía *ex eventu*— que, según la profecía del Hijo del hombre de Daniel (Dn 7,13), describe con anticipación la gloriosa aparición del Resucitado ante Dios. Sea como fuere, es cierto que el mismo Jesús se abstuvo firmemente de usarlo de forma espontánea, a no ser que otros le incitaran a aceptar el título mesiánico. De hecho, la presencia en la mente de sus oyentes de implicaciones políticas, unidas al título mesiánico, habría sido suficiente para ello. Seguro que Jesús no pretendió ser un Mesías político.

Tampoco parece que Jesús haya intentado legitimar su propia misión reclamando los demás títulos que habían nutrido la expectativa judía de los últimos tiempos y que más tarde le aplicaría la cristología del Nuevo Testamento. En suma, Jesús no se presentó como el profeta anunciado por Moisés. Parece más bien, al menos implícitamente, que se identificó con el misterioso «Siervo paciente de Dios» de la profecía del Deuteroisaías (Is 42-53), como aparecerá más tarde cuando estudiemos la actitud de Jesús ante su muerte inminente. Este título, sin embargo, además de ser relativamente oscuro, gozaba de baja estima entre la gente, ¡ya que estaba en las antípodas de un Mesías triunfante! Por lo que respecta a la expresión «Hijo del hombre», se sigue discutiendo entre los exegetas [5], aún hoy día, si Jesús la usó para hablar de sí mismo con referencia explícita a la figura exaltada de la profecía de Daniel (Dn 7,13-14). Algunos piensan que sí, y lo prueba el hecho de que en la tradición sinóptica la expresión «Hijo del hombre» se encuentra exclusivamente en los dichos en que Jesús habla de

---

[5] Cf., por ejemplo, las obras de MAURICE CASEY y BARNABAS LINDARS mencionadas en la nota 7 del capítulo I.

sí mismo. Ven en esto un fuerte indicio de que Jesús con esta expresión hablaba de sí mismo.

La referencia explícita a la profecía de Daniel es, sin embargo, todavía mucho más problemática. Y otros exegetas sospechan que, allí donde la referencia parece evidente (Mc 14,62), la fe pascual ha influido en el modo en que la narración evangélica relata los acontecimientos. De por sí, la expresión «Hijo del hombre» —un hebraísmo típico— podría ser simplemente una manera redundante de hablar de sí mismo: todo hombre es un «hijo del hombre». Jesús, en este caso, habría podido usarlo para suscitar en la mente de sus oyentes las preguntas acerca de su identidad. Está, además, la cuestión de si, en los dichos de Jesús, la expresión «Hijo del hombre» se refería a sí mismo o a otro. La postura de Bultmann al respecto —abiertamente arbitraria— consiste en considerar como auténticos aquellos dichos atribuidos a Jesús por la tradición sinóptica en los que el «Hijo del hombre» podría entenderse como referido a «otro», ¡pero negando como no auténticos los dichos en que gramaticalmente la expresión habría que entenderla como referida a Jesús mismo!

Tal como están las cosas, se requiere prudencia cuando se trata del uso de los títulos mesiánicos por parte del mismo Jesús. En el caso del título «Hijo de Dios», es cierto, sin embargo, que, a nivel del hecho histórico del Jesús pre-pascual, no se usó nunca con la plenitud de significado que la cristología neotestamentaria le atribuirá posteriormente. En la mente de los oyentes de Jesús el título evocaba una especie de filiación divina metafórica que el Antiguo Testamento atribuyó al rey davídico (cf. 2 Sam 7,14; Sal 2,7). En el Antiguo Testamento el título «Hijo de Dios» recibe, además, un amplio significado y se usa de manera diferente: se aplica a Israel en calidad de pueblo elegido de Dios, a las personas que en Israel eran justas ante Dios y, de modo particular, al Rey davídico en su especial relación con Dios. En ninguno de estos casos, sin embargo, este título indicaba algo más que una filiación metafórica. En su significado tradicional, el título no podía expresar la verdadera identidad de Jesús. Para expresarla, se debería haber asumido un significado «sobreañadido» que abarcara el totalmente nuevo de filiación divina «natural» de Jesús.

Que este significado «sobreañadido» esté ya contenido en la tradición sinóptica nos lo atestiguan algunos ejemplos. Uno de ellos es el «himno de júbilo» de Jesús (Mt 11,27; Lc 10,21-22) —a menudo señalado como un «meteoro» joáneo caído en el material sinóptico—, en el cual, él mismo, cuando da gracias al Padre, hace referencia a su conocimiento recíproco en el que participa como Hijo: «Nadie conoce al Hijo sino el Padre, y al Padre no lo conoce más que el Hijo y aquel a quien el Hijo se lo quiera revelar» (Mt 11,27). Otro ejemplo, en Mc 13,32 (cf. Mt 24,36), es la afirmación del mismo Jesús de que «nadie... ni el Hijo, sino sólo el Padre» sabe nada del día del juicio. Un tercer ejemplo, menos explícito, es la parábola de los viñadores malvados que encontramos en cada uno de los evangelios sinópticos (Mt 21,37; Mc 12,6; Lc 20,13) y en la que el propietario de la viña como última oportunidad manda a su propio hijo, pensando que «respetarán a mi hijo».

Todos estos ejemplos dejan traslucir la filiación natural divina de Jesús, pero cada uno de ellos supera claramente lo que el título veterotestamentario «Hijo de Dios» era capaz de transmitir. La conclusión que se impone por sí misma es que, al revelarse a sí mismo como Hijo de Dios, su Padre, Jesús iba más allá de toda previsión veterotestamentaria de una relación filial con Dios. Además, la forma en que Jesús comunicó el misterio de su persona estaba destinado a permanecer —como se verá enseguida— como la manera privilegiada en que la Iglesia apostólica formuló su fe en el misterio de su persona. La continuidad de expresión entre la autorrevelación de Jesús como Hijo de Dios y la fe cristológica de la Iglesia apostólica la pone bien en evidencia J. Guillet cuando escribe:

> «Si 'Hijo de Dios' es probablemente una creación cristiana, el contenido que lleva consigo no le viene de su historia anterior sino del objeto que contempla. Y si la expresión como tal probablemente no fue pronunciada nunca por Jesús, es, sin embargo, el eco de una palabra ciertamente auténtica por la que Jesús, en algunos momentos decisivos, dejó entrever su más profundo secreto: Él es el Hijo. Estos momentos son raros: los sinópticos mencionan solamente dos, el 'himno de júbilo': 'Nadie conoce al Hijo sino el Padre, y al Padre no le conoce más que el Hijo y aquel a quien el Hijo se lo quiera revelar' (Mt 11,27; Lc 10,22), y la declaración de ignorancia al final del discurso escatológico: 'En cuanto al día y la hora, nadie sabe nada, ni los ángeles del cielo ni el Hijo, sino sólo el Padre' (Mt 24,36; Mc 13,32). Dos textos cuya autenticidad parece bien asegurada tanto por el carácter único de su contenido, difícil de imaginar, como por su estilo inimitable» [6].

Pero no nos adelantemos. La conclusión a propósito de los títulos mesiánicos es que nuestra búsqueda parece presentar resultados en su mayor parte negativos. Pero, a pesar de las diferencias de opinión sobre los diferentes títulos, los exegetas coinciden ampliamente en afirmar que los títulos mesiánicos ocupan solamente un puesto secundario en el testimonio que Jesús dio de sí mismo. Es necesario, en efecto, que su autoconciencia no se haga depender de categorías confeccionadas, demasiado precisas y demasiado estrechas al mismo tiempo, y que, por tanto, a la larga, se muestran inadecuadas. Hay, en efecto, otro aspecto del problema.

Más allá de todos los títulos, y a pesar de la aparente actitud reacia de Jesús a declararse, de sus palabras y acciones se trasluce una autoconciencia sorprendente. Si es cier-

---

[6] J. GUILLET, *Jésus devant sa vie et sa mort*, Aubier, París 1971, 228-229.

to que no tenemos acceso directo a la conciencia subjetiva de Jesús o a su psicología humana, es también cierto que podemos llegar a ella de manera indirecta a través de sus obras y palabras. En sus palabras y acciones aparece la autoconciencia de Jesús. De hecho, sus actitudes y comportamientos sobrepasan totalmente, de forma natural, todas las normas comúnmente admitidas. Ninguna de las categorías confeccionadas podría abarcarlo jamás. Su total originalidad y diferencia se manifiestan de muchos modos.

Una primera manera en que resalta la novedad de Jesús consiste en su estilo trascendente de dar cumplimiento a las promesas del Antiguo Testamento. Jesús transforma lo que lleva a cumplimiento. En particular, la expectativa mesiánica veterotestamentaria encuentra su realización en él de manera nunca esperada o sospechada. Mientras existe una continuidad real entre las promesas antiguas y su nuevo cumplimiento, la discontinuidad entre éstas es todavía mayor, pues el acontecimiento lleva consigo algo totalmente nuevo: *omnem novitatem attulit seipsum afferens*, escribe san Ireneo [7].

Ya hemos observado la forma sorprendente en que Jesús se sitúa de cara al Reino de Dios. No anuncia solamente la venida de éste como profeta escatológico. Afirma además que el Reino de Dios está irrumpiendo en el pueblo gracias a él, a su vida y misión, a su predicación y actividad. Su ministerio es la intervención decisiva de Dios en el mundo, y en él Dios hace suya la causa de los hombres. El tiempo de la preparación ha pasado, y el Reinado de Dios ha irrumpido en el mundo por y en la vida humana de Jesús. Sus milagros son parte integrante de la instauración del Reino de Dios en la tierra.

---

[7] *Adv. Haer.*, 4.34.1.

Jesús se presenta como *rabí*. Pero su enseñanza suscita asombro, pues enseña con una autoridad singular, a diferencia de los escribas, que simplemente interpretan la Ley (Mc 1,22). Jesús sostiene que su autoridad es superior a la de Moisés (Mt 5,21-22; Mc 10,1-9). Pero, ¿cuál es la fuente de esta autoridad tan sorprendente? Jesús proclama el designio definitivo de Dios no como una lección que ha aprendido de la Escritura, ni tampoco como un mensaje recibido de Dios y que se le ha encomendado anunciar, sino como fruto de su inefable familiaridad con el pensamiento mismo de Dios. Jesús simplemente conoce el pensamiento de Dios que proclama. Su manera de hablar indica que lo percibe con una intuición inmediata y lo declara en su propio nombre: «Yo os digo». La fuerza de su autoridad personal y de su seguridad viene reforzada después por el uso particular de los términos: «Amén» y «En verdad os digo», expresiones que conservan un eco auténtico del modo de hablar de Jesús. Esto testifica la conciencia que Jesús tenía de su enseñanza, revestida de una autoridad personal recibida directamente de Dios, una doctrina totalmente segura —sólida como la roca— que participa de la misma consistencia de Dios *(èmèt)*.

Jesús enseñaba en parábolas. Éstas a primera vista parecen no decir nada relativo a su persona. Explican el modo en que Dios inaugura su Reino en la tierra, su forma de crecimiento y las condiciones para entrar en él. Al mismo tiempo, sin embargo, las parábolas manifiestan también la conciencia que Jesús tenía de ser el «hijo predilecto» sobre el que se establece el Reino de Dios y el final de los tiempos (Mc 12,6). En particular, las «parábolas de la misericordia» son testigos de que la conciencia de Jesús, en su actitud hacia los pecadores, refleja el comportamiento misericordioso de Dios mismo. Él conoce y declara la forma en que Dios trata a la oveja descarriada, al hijo pródigo y a los viñadores de última hora.' Este conocimiento confiere a

Jesús en persona el derecho a proclamar el perdón de Dios: «Tus pecados te son perdonados» (Mc 2,5).

En el origen de la autoridad personal de Jesús hay una sorprendente cercanía a Dios, de la que las narraciones evangélicas han conservado indicios impresionantes. La más clara está en la manera, sin precedentes, de invocar a Dios como su Padre usando el término «*Abba*». J. Jeremias —junto con otros exegetas, como F. Hahn y B. Van Iersel— han demostrado de forma convincente que este modo de dirigirse a Dios en la oración era desconocido en el judaísmo contemporáneo [8]. Los argumentos en contra aducidos por G. Vermes y D. Flusser [9] no resisten un serio examen. Es cierto que el uso del término «*Abba*», en referencia a Dios, no era completamente desconocido de los rabís del judaísmo palestinense, pero, no obstante, está el hecho de haber sido Jesús el único que sepamos que se dirigió directamente a Dios en la oración con el término «*Abba*» (Mc 14,36). El término representaba la manera familiar e íntima con la que un niño judío se dirigía a su propio padre terreno: «papá». Jesús, por tanto, habló con Dios de esta manera íntima, y la novedad que aporta al dirigirse a Dios de esta manera fue tan grande que el término arameo original se mantuvo en la tradición evangélica (Mc 14,36). Esta expresión transmite la intimidad sin precedentes de la relación de Jesús con Dios, su Padre, así como la conciencia de una singular cercanía que pedía ser expresada en un lenguaje inaudito. Aunque, tomado en sí mismo y aisladamente, el término no bastaría para dar cuenta suficiente y teológicamente de una filiación divina «natural», sin embargo, testi-

---

[8] Cf. J. JEREMIAS, *Abba*, Sígueme, Salamanca ³1989; íD., *Teología del Nuevo Testamento*, Sígueme, Salamanca ⁵1986.

[9] Cf. G. VERMES, *Jesus the Jew*, Collins, Londres 1973, 210-211; íD., *Jesus and the World of Judaism*, SCM Press, Londres 1983, 41-42; D. FLUSSER, *Jesús en sus palabras y en su tiempo*, Cristiandad, Madrid 1975.

fica, más allá de toda duda, que la conciencia de Jesús era esencialmente filial: Jesús era consciente de ser el Hijo.

Esta conciencia, expresada de forma eminente en el término «*Abba*», se refuerza con la prueba complementaria a la que nos hemos referido más arriba en que Jesús se dirige manifiestamente a Dios su Padre de una manera única y sin precedente (Mt 11,27; 24,36). Añádase que no faltan exegetas que piensan que en la forma lucana de la «oración del Señor» la breve palabra «Padre» está en lugar del original «*Abba*» (Lc 11,2). La oración, entonces, sería el eco directo de la oración misma de Jesús, y explicaría por qué los primeros cristianos, siguiendo el ejemplo de su Maestro, se «atrevieron» a dirigirse a Dios en calidad de «Padre» con la misma intimidad que Jesús (Gál 4,6; Rom 8,15): tenían conciencia de ser «hijos en el Hijo».

Si es cierto, entonces, que, como se dijo anteriormente, toda la vida y misión de Jesús tienen su centro en Dios y no en sí mismo, no es menos cierto también que todo su talante, su pensamiento y sus acciones, sus actitudes y comportamiento implican una cristología de la que, aunque implícitamente, él es claramente consciente. Sería equivocado esperar que Jesús declarara su identidad en términos todavía no accesibles a sus oyentes. En particular, el término «Dios» era totalmente inaccesible tanto a Jesús mismo como a sus seguidores: «Dios» (*Theos*) se refería a Jahveh, al que Jesús se dirige llamándole Padre y con quien se relaciona como Hijo.

Si Jesús hubiera dicho que era «Dios» habría provocado una confusión inextricable y habría hecho ininteligible su propia autorrevelación. La naturaleza misteriosa de Padre-Hijo entre Dios y Jesús, su completa novedad y la falta de una precomprensión dentro de la experiencia religiosa de Israel, así como la ausencia en el ambiente cultural de términos capaces de expresar el nuevo significado, son todos ellos factores que explican abundantemente la inevitable lentitud de Jesús en su autorrevelación. Se necesitaba, en efecto, una pedagogía divina para que Jesús comunicase su mensaje de manera inteligible. La lentitud exigida por la revelación divina que tiene lugar en él tiene probablemente algo que ver con el tan discutido «secreto mesiánico» del evangelio de Marcos: forma parte de la inserción personal de Dios en la historia de la humanidad y de su propio pueblo. La revelación es, a un tiempo, «descubrimiento» y «ocultamiento».

Jesús, sin embargo, hizo algo más que declarar simplemente su misterio en términos sólo en parte comprensibles. Su vida y su misión hablan por él y en ellas Dios ha comenzado ya a revelar a su Hijo. «Ha comenzado», porque la plena revelación por parte de Dios de la identidad de Jesús habría de consistir —ya no podía ser de otra manera— en la acción divina de resucitarlo de entre los muertos. No es casual, sino de necesidad natural, que la cristología «explícita» no pudiera ser más que un desarrollo post-pascual. Pero antes debía intervenir la muerte de Jesús.

JESÚS ANTE SU MUERTE INMINENTE

¿Cómo se enfrentó Jesús a su muerte inminente? ¿Qué significado le atribuyó? Se ha de admitir que la experiencia de su ministerio y la ola de oposiciones que suscitó llevaron a Jesús a considerar una muerte violenta no sólo como una posibilidad real, sino también como un destino inevitable. No es menos cierto también que Jesús, en la perspectiva de su misión, le dio un significado preciso. Esto no significa que Jesús mismo haya explicitado el significado de su muerte inminente en términos que después de él usó la soteriología neotestamentaria. Como la cristología de Jesús, también su soteriología era implícita: las dos estaban destinadas a pasar de lo implícito a lo explícito a la luz de la fe pascual. ¿Qué fundamento había en su propia comprensión que justificara el posterior desarrollo de la soteriología del Nuevo Testamento? Una vez más es preciso usar aquí el discernimiento exegético. Y ha de ser así porque, si la tradición evangélica conservó diversas predicciones hechas por Jesús sobre su muerte, con claras indicaciones de su significado redentor (Mc 10,45), la manera en que éstas están formuladas refleja la comprensión post-pascual del acontecimiento en las primeras comunidades cristianas [10].

Hablando de Jesús y tratando de descargar retrospectivamente sobre él los sucesivos desarrollos que surgieron de la experiencia pascual, ¿qué se puede decir con certeza respecto al modo en que Jesús entendió su muerte? Hablando en general, se puede decir que la actitud fundamental de autoentrega le condujo desde una conciencia del establecimiento, a través de su predicación, su acción y presencia personal, de la salvación final de Dios, a la aceptación consiguiente de su papel de víctima. El Jesús que comenzó proclamando el Reino escatológico de Dios terminó aceptando obedientemente ser la víctima cuya muerte y reivindicación traería la salvación [11].

Se han de evitar aquí dos posturas extremas, las dos sin fundamento. Peca por exceso la que afirma que Jesús habría previsto y predicho todo acerca de su muerte, hasta el punto de haberla premeditado desde el comienzo de su ministerio, y que la habría ofrecido como un sacrificio en términos explícitos como los que usará la soteriología del Nuevo Testamento (cf. Heb 10,5 y Sal 40,7-9, LXX). En el polo opuesto, y pecando por defecto, está la postura según

---

[10] Sobre Jesús ante su muerte, cf. J. GUILLET, *Jésus devant sa vie et sa mort*, Aubier, París 1971; X. LÉON-DUFOUR, *Jesús y Pablo ante la muerte*, Cristiandad, Madrid 1982; H. SCHÜRMANN, *Jesu ureigener Tod*, Herder, Friburgo 1975.

[11] Cf. G. O'COLLINS, *What are they saying about Jesus?*, Paulist Press, Nueva York/Ramsey 1983, 72.

la cual Jesús habría sufrido su muerte de forma simplemente pasiva, sin haberla previsto ni presentido en forma alguna. La vía media entre estas dos posturas extremas —que o bien atribuyen a Jesús una soteriología explícita o bien excluyen cualquier tipo de soteriología— consiste en reconocer la soteriología implícita de Jesús. Vio en su muerte inminente el punto culminante de su misión y explicó su significado salvífico a los discípulos en la Última Cena.

¿Cómo podemos demostrar esto? Difícilmente se puede pensar que Mc 10,45 ha conservado las «mismas palabras» de Jesús (*ipsissima verba Iesu*). Mientras Jesús pudo haberse identificado con el «Siervo de Dios» que ofrecía su vida por la salvación de los demás (cf. el canto cuarto del Siervo en el Deuteroisaías 52-53), el concepto teológico de «rescate» pertenece a la soteriología neotestamentaria posterior y difícilmente puede atribuirse a Jesús mismo. A propósito de la narración de la Última Cena —de la que el Nuevo Testamento ha conservado cuatro versiones: Mt 26,26-29; Mc 14,22-25; Lc 22,17-19; 1 Cor 11,23-26— surge, de un lado, el problema de la influencia ejercida por la práctica litúrgica post-pascual sobre la narración misma y, en particular, sobre las palabras de Jesús, como las pronunciadas sobre el cáliz: «Ésta es mi sangre, la sangre de la alianza, que se derrama por todos» (Mc 14,24). De todos modos, si se nos escapan en gran parte las «mismas palabras» de Jesús, nos queda, con todo, suficientemente asegurada su «verdadera intención» (*ipsissima intentio*). ¿Cuál era, entonces, la intención de Jesús cuando se encontró frente a su muerte inminente?

Ya hemos dicho que Jesús no podía dejar de ver la posibilidad, incluso la probabilidad, de una muerte inminente cuando el conflicto y el enfrentamiento con los fariseos, los saduceos y otros grupos empezaron a adquirir importancia. Hacia el final de su ministerio parecía inevitable poner las cartas boca arriba. Cuando Jesús entró en Jerusalén y arrojó del Templo a los profanadores de la casa de su Padre, sabía muy bien que la fidelidad a su misión podía haber puesto en peligro su vida, llevándole enseguida a la muerte. ¿Cómo reaccionó Jesús ante la perspectiva de una muerte violenta? ¿Cómo la vio?

A lo largo de su ministerio, la actitud de Jesús fue la del servicio y del amor, de la «pro-existencia». La muerte violenta que ahora preveía claramente la aceptará no como una simple e inevitable consecuencia de su misión profética, sino como la última expresión de su servicio de amor, como la culminación y el ápice de su pro-existencia: hasta el final, sería «el hombre para los demás».

Además, Jesús, que se había identificado a sí mismo, implícitamente al menos, con el «Siervo de Dios», habría realizado ahora el papel del Siervo en el sufrimiento y en la muerte. En el momento de la Última Cena, por tanto, sabía Jesús que su muerte inminente sería para la remisión de los pecados, aun cuando no la concibiera como «rescate». La habría vinculado, además, al establecimiento del Reino de Dios, como parece desprenderse de la narración de Marcos (Mc 14,25). En una palabra, el advenimiento del Reino de Dios y la propia muerte redentora, a la que va vinculada, constituyen la «verdadera intención» de Jesús al final de su ministerio terreno y forman su «soteriología implícita», es decir, la fuente de la soteriología explícita de la Iglesia apostólica.

¿Qué más podemos añadir? Primero, la tradición evangélica de la «agonía» en Getsemaní nos muestra a un Jesús angustiado ante la perspectiva de una muerte violenta inevitable. Pero es preciso añadir también que nos muestra a un Jesús que se somete, en una actitud de ciega obediencia, a la voluntad de su Padre (Mc 14,36). La misma doble relación de angustia y de autoentrega en las manos del Padre se expresa en el último grito de Jesús en la cruz: «Dios mío, Dios mío, ¿por qué me has abandonado?» (Mc

15,34). Este grito no es de desesperación ni se ha de pensar que Jesús, aunque la «sensación de abandono» fuese real, «fue abandonado» por el Padre en la cruz. Sin duda es un grito de angustia, pero indica, al mismo tiempo, en conformidad con el último versículo del salmo 22 del que está tomado, una expresión de confianza y de esperanza en el Dios en cuyas manos se «ha abandonado» y ha entregado su espíritu. La línea de fuerza de toda la vida de Jesús está puesta en la fidelidad a su misión y en la absoluta confianza en Dios, su Padre: esta doble actitud alcanza su expresión suprema frente a la muerte.

Segundo, la tradición evangélica de la Última Cena —a pesar del influjo ejercido por la praxis litúrgica post-pascual sobre el texto— ha conservado acciones y palabras decisivas del Maestro que aparecerán más tarde cargadas de significado y se convertirán en el centro de la eucaristía de la Iglesia. Revelan, mejor que cualquier otro dato, la actitud de Jesús frente a su muerte. Después de haber pronunciado la bendición (berakah) sobre el pan y sobre el vino, como era costumbre hacerlo, Jesús inesperadamente añade en sustancia: «Tomad, esto es mi cuerpo» y «Ésta es mi sangre, la sangre de la Alianza, que se derrama por todos» (Mc 14,22-24). Con estas palabras, nunca escuchadas antes, la participación en el pan y el vino adquiere un nuevo significado. En realidad, refiriéndose a la muerte inminente de Jesús, simbolizaba e implicaba de forma efectiva la ofrenda que Jesús estaba haciendo de su vida.

El rito eucarístico de la Cena es la parábola viviente de lo que Jesús llevará a cabo en la cruz, el don de su vida como cumplimiento de su propia misión y como sello de la Nueva Alianza de Dios con su pueblo. El rito eucarístico expresa el significado que Jesús está dando a su muerte. No se somete a ella pasivamente, ni tampoco la acepta tan sólo con absoluta confianza en Dios, que es capaz de vindicar a su siervo. Al contrario, Jesús se entrega a ella en plena conformidad con el plan amoroso de Dios para con los hombres, del que su muerte forma parte. La última palabra pertenecerá a Dios mismo.

LA RESURRECCIÓN DE JESÚS
Y LA EXPERIENCIA PASCUAL

Para completar el camino del Jesús pre-pascual al Cristo post-pascual, esto es, de la cristología implícita a la explícita, resta hablar de la resurrección de Jesús y de la experiencia pascual de los discípulos. Es aquí donde se da el paso desde el simple discipulado a la fe; o mejor, es aquí donde el discipulado se convierte en fe.

La muerte de Jesús en la cruz fue para sus seguidores una experiencia desconcertante. Los evangelios, sin embargo, dan testimonio de los distintos modos en que reaccionaron ante el acontecimiento. Es típica la reacción de los discípulos en su camino a Emaús: «Nosotros esperábamos que él fuera el libertador de Israel» (Lc 24,21). Estando perdida toda esperanza, ¿qué significado se podía dar a la vida del Maestro muerto? Más positiva es la reacción de algunas piadosas mujeres que corren el día de Pascua a ungir el cuerpo. Permanecen fieles a Jesús y quieren guardar viva su memoria. Un simple recuerdo, ya que, humanamente hablando, ¡no se podía hacer más! Si Jesús no hubiese resucitado de entre los muertos, el cristianismo consistiría solamente en un grupo de amigos de Jesús que mantendrían vivo el recuerdo de su enseñanza y que reproducirían, de la mejor manera posible, su ejemplo. En este caso, Jesús, aun siendo uno de los más grandes genios religiosos de la humanidad, no sería «el Señor». Y el cristianismo sería un noble moralismo, no la Buena Nueva para todos los hombres y mujeres de hoy.

La resurrección de Jesús, sin embargo, marca toda la diferencia: señala el punto de partida de la fe cristiana y constituye su centro. Su significado para nosotros se ha infravalorado a menudo como si afectara sólo a Jesús. ¿No era justo que recibiera de Dios su recompensa por un trabajo bien hecho y llevado a término en su muerte? Por lo que respecta al significado que la resurrección tiene para nosotros, ha sido reducido con frecuencia a la última «demostración» por parte de Dios de las credenciales de su mensajero.

Ser cristianos, sin embargo, no consiste en venerar a un maestro muerto o, simplemente, en mantenerle vivo en el recuerdo o en poner en práctica su doctrina. Significa, por el contrario, creer que Jesús está vivo todavía hoy porque el Padre lo resucitó de entre los muertos: «¿Por qué buscáis entre los muertos al que está vivo?» (Lc 24,6). Al mismo tiempo, ser cristianos significa creer que Jesús está presente entre nosotros y que opera por medio del Espíritu. Abrirse uno mismo a este acontecimiento y dar la bienvenida a esta nueva luz significa llegar a la fe cristiana. Por eso, ser cristiano es encontrar de un modo u otro —en la Palabra de Dios, en la eucaristía, en el «sacramento del otro», en los pobres— al Cristo resucitado y, a la luz de la Pascua, descubrir con ojos nuevos a Jesús mismo, a Dios, a la persona humana y al mundo. Para los discípulos de Jesús, ser cristiano consiste en encontrarlo en la experiencia fundante de la Pascua por medio de la cual se les descubre la verdadera identidad y el verdadero significado de la vida y de la muerte de Jesús.

Es, por tanto, esencial decir algo a propósito de la experiencia fundante de los discípulos, sin la cual no habría fe cristiana. No insistiremos en los relatos de las apariciones que, de acuerdo con el testimonio evangélico, originaron la experiencia y echaron a andar el proceso de fe. Las apariciones del Señor resucitado son signos dados a los discípulos para suscitar la fe: creyeron porque vieron a Jesús vivo. En verdad, los discípulos quedaron transformados por esta fe apenas adquirida —se puede hablar, en efecto, de una experiencia de conversión—, pero es preciso añadir que fue el Señor resucitado quien obró en ellos esta transformación, manifestándose como viviente: «se les hizo visible» (*ophté:* 1 Cor 15,5). Un estudio de las apariciones del Cristo resucitado en los evangelios mostraría que Jesús se hizo reconocer como vivo y presente. Las narraciones, de hecho, se componen de un triple momento: la manifestación de Jesús como viviente, su reconocimiento por parte de los discípulos y la misión que se les confía por parte de Cristo.

La resurrección, entonces, antes de transformar a los discípulos, tuvo su efecto en Jesús: éste vive, pero no con la vida que tuvo antes. En primer lugar, está realmente transformado, pues la resurrección no es sólo la «reanimación» o la «revivificación» del cuerpo que yacía en la tumba, como en el caso de Lázaro, que fue resucitado para morir después de nuevo, sino que, por el contrario, Jesús vive una nueva vida y ha entrado en una nueva condición, totalmente nueva, originada por Dios. De esta condición humana nadie había tenido anteriormente experiencia semejante, aunque los discípulos pudieran haberla entendido solamente como la realización anticipada en Jesús de la resurrección del Último Día, en que la fe judaica creyó siempre no sin vacilación. En suma, por lo que respecta a Jesús, la resurrección consiste en alcanzar la condición escatológica; en lo que a nosotros afecta, la resurrección representa la irrupción de la escatología en nuestra historia.

Transformado en esta su nueva condición, Jesús ya no está sujeto a la muerte. La señal de su nueva vida, dada a los discípulos en las apariciones, puede desaparecer. Está vivo para siempre y precisamente por esto está presente en todos los que creen en él. Éste es el fundamento de la fe cristiana y el punto de partida de la cristología neotestamentaria. Nuestro propósito en el siguiente capítulo será demostrar en qué manera la Iglesia apostólica ha expresado, a la luz de la experiencia fundante, su fe, recién adquirida, en la persona de Jesús y el significado de su vida, muerte y resurrección. La cristología explícita comienza con la Pascua.

III
El desarrollo de la cristología del Nuevo Testamento: del Cristo resucitado al Hijo encarnado

La cristología explícita comienza con la Pascua. La cristología del Nuevo Testamento, además, ha sufrido un proceso de desarrollo —que debemos seguir en sus principales etapas— a medida que los primeros cristianos profundizaban su reflexión de fe en Jesús, que es el Cristo. Como se verá enseguida, entre la primera predicación kerigmática cristiana y la última etapa de los escritos apostólicos está en acción un movimiento de reflexión sobre el misterio de Cristo, que comienza con una cristología «desde abajo» y progresivamente llega a una cristología «desde arriba». Comenzando por el estado glorioso y la «condición divina» del Resucitado, se ahondará gradualmente en la identidad personal de Jesús y su filiación divina mediante un proceso de «retro-proyección», volviendo desde los misterios de su vida a su nacimiento humano para ascender después a la «pre-existencia» en el misterio de Dios.

La primera cristología palestinense fue la de la «parusía» (*marana tha*). Los exegetas, sin embargo, no están de acuerdo sobre cómo se ha de entender o captar esta cristología «primitiva». Para algunos la cristología de la «parusía» habría existido independientemente de la exaltación de Jesús en la resurrección. Jesús, en una palabra, habría estado destinado a ser el Mesías glorificado sólo después de su vuelta escatológica y no habría sido constituido tal por el acontecimiento de la resurrección. Semejante opinión no corresponde a los datos históricos del Nuevo Testamento. La cristología palestinense, en efecto, combinó desde el principio la glorificación de Jesús en la resurrección con su vuelta escatológica en la parusía. Nunca, en la fe cristológica apostólica, el «todavía no» escatológico de la parusía estuvo sin el «ya» de la resurrección. El que ha de volver es el mismo que resucitó y que fue glorificado más allá de la muerte. R. Schnackenburg escribe con agudeza:

> «Cierto, no se ha dado jamás un primer tiempo en que una comunidad cristiana (judeo-palestinense) acariciase la idea de la espera de la parusía sin la idea de la exaltación»[1].

Pero también es cierto lo contrario: nunca ha habido una cristología del Resucitado que no esperase su vuelta futura en la parusía. El «ya» de la resurrección es la promesa del «todavía no» del cumplimiento escatológico en la parusía. La Iglesia primitiva, desde el principio, combinó el «ya» con el «todavía no» y los mantuvo en tensión fecunda. Schnackenburg tiene razón al subrayar que:

> «La comunidad primitiva tenía que demostrar ante todo frente al judaísmo que Jesús *crucificado* era, no obstante, el Mesías que por la *resurrección* había sido constituido tal. Su retorno en gloria es, entonces, la consecuencia, y, en esta concepción, la consecuencia *necesaria* para presentar a Jesús ante todo el mundo como redentor o juez. El dicho complejo de Mc 14,62 que junta la exaltación de Jesús con su venida futura sobre las nubes del cielo contiene, por tanto, la más antigua comprensión de la Iglesia de los orígenes de que disponemos respecto a la posición y función ejercida por el resucitado: exaltación y parusía. No hubo nunca fe en una parusía de Jesús sin exaltación, como tampoco

[1] R. SCHNACKENBURG, «Cristología del Nuevo Testamento», en J. FEINER-M. LÖHRER (eds.), *Mysterium Salutis*, III, 1, Cristiandad, Madrid ²1980.

hubo fe jamás en una pura y simple exaltación, porque se esperaba también la parusía de aquel que había sido exaltado hasta
Dios»[2].

Por lo que respecta a la exaltación y resurrección, coinciden, en la cristología primitiva del Nuevo Testamento, en
un único acontecimiento: Jesús fue glorificado y exaltado
por y en su resurrección de entre los muertos por obra del
Padre. También esto lo ha observado bien R. Schnackenburg, quien escribe:

> «El círculo de las ideas que se ha de invocar con la cristología
> de la 'exaltación' se centra en torno a la convicción de que Dios
> concedió a Jesús, después o más bien con la resurrección (en la
> más estrecha relación con ella), dignidad y poder. Por eso, le
> pertenecen también todos los pasajes en que se habla de la toma
> de posesión o de estar sentado 'a la diestra de Dios', una imagen
> para significar el entronamiento regio de Cristo en el poder y
> misión divinos»[3].

El proceso del desarrollo de la cristología neotestamentaria lo seguiremos aquí a través de dos etapas importantes:
la proclamación del Cristo resucitado en el kerigma primitivo y de la proclamación del Resucitado a la confesión del
Hijo de Dios.

La proclamación del Cristo resucitado en el kerigma primitivo

No tenemos acceso directo a la más primitiva cristología
de la Iglesia apostólica por la simple razón de que los
escritos más antiguos del Nuevo Testamento fueron com-
puestos en los años 50 d.C., es decir, más de veinte años
después de la muerte y resurrección de Jesús. Los exegetas,

---

[2] O. c.
[3] O. c.

sin embargo, están de acuerdo en que puede reconstruirse con bastante precisión un retrato de la cristología del primitivo kerigma apostólico a partir de los documentos que poseemos.

1. ¿Dónde se encuentra el primitivo kerigma apostólico?

Algunos pasajes de las primeras cartas paulinas, o incluso de las cartas apostólicas, testifican de alguna manera el kerigma primitivo de la Iglesia. Se mencionan a menudo los siguientes pasajes: 1 Cor 15,3-7, relativa a la «paradosis» de Pablo de la resurrección y de las apariciones de Jesús; la fórmula de fe de Rom 1,3-4, que, sin embargo, comprende ya una cristología más elaborada en que la «carne» y el «espíritu» se refieren a las dos etapas del acontecimiento Cristo; y, finalmente, una pieza de la himnología primitiva, presente en 1 Tim 3,16, en la que la «carne» y el «espíritu» apuntan de nuevo a la kenosis y a la glorificación de Jesús. A esta lista hay que añadir otros pasajes, como 1 Tes 1,10; Gál 1,3-5; 3,1-2; 4,6; Rom 2,16; 8,34; 10,8-9; Heb 6,1. De estos últimos se pueden ya deducir las siguientes características importantes del kerigma primitivo: el misterio pascual de la muerte y resurrección de Jesús constituye el centro del kerigma; se pone el acento allí donde corresponde la primacía, esto es, en la resurrección, si bien ésta nunca aparece separada de la muerte que la precede; la resurrección señala el ingreso de Jesús en el estado escatológico, así como su exaltación como Señor. Todo esto se anuncia como Buena Nueva, pues, estando unido a Dios en todo su ser, Jesús nos ha abierto el camino [4].

---

[4] Para un análisis de los textos, cf. M. SERENTHÀ, *Gesù Cristo ieri, oggi e sempre*, Elle Di Ci, Turín 1986, 24ss; R. SCHNACKENBURG, *o. c.*

Sin embargo, más que dar testimonio del kerigma primitivo, los pasajes que acabamos de mencionar constituyen reflejos de éste presentes en las cartas —y no sólo en éstas— de Pablo. Pero hay otra vía por la que se puede recuperar de forma más directa —y también más segura— la cristología del kerigma primitivo. Se trata de los discursos misioneros de Pedro y Pablo, transmitidos en los *Hechos de los Apóstoles* (Hch 2,14-39; 3,13-26; 4,10-12; 5,30-32; 10,34-43; 13,17-47) en forma de proclamación kerigmática, y dirigidos principalmente a los judíos (el discurso de Pedro a la familia de Cornelio en 10,34-43 es semejante en su contenido) [5]. No se tienen en consideración ni la predicación de Pablo a los «gentiles» de Listra (Hch 14,15-18) ni la que hizo ante el Areópago de Atenas (Hch 17,22-31), pues son testigos de un enfoque distinto, adaptado a oyentes no judíos. El kerigma más antiguo, por el contrario, se dirigía a los judíos, y contiene muchas referencias a la fe de Israel y a la espera mesiánica.

Naturalmente, no se puede pensar —y no es necesario hacerlo— que Lucas transcribió en su libro de los *Hechos* las palabras exactas de los primitivos discursos kerigmáticos, como pudiera haber hecho un taquígrafo. Quiso demostrar simplemente de manera general, y bajo una forma un tanto estereotipada, cómo los apóstoles predicaron a Jesús durante la primera generación cristiana. De esto podemos sacar una idea bastante clara de cómo se expresó por primera vez la fe cristiana en Jesús, y podemos también descubrir algunas características específicas de esta prístina fe y el enfoque que le siguió. Hay que encontrar aquí, por tanto, la primera forma específicamente cristiana de presentar a Jesús y su misterio.

---

[5] Para los textos, cf. C. H. DODD, *La predicación apostólica*, Fax, Madrid 1974.

Un estudio de los discursos apostólicos de Pedro y Pablo mencionados arriba compendia el contenido del kerigma primitivo en los siete puntos siguientes:

«1. Vosotros sois ahora testigos y tenéis la experiencia de la acción del Espíritu Santo. 2. Si el Espíritu Santo se ha difundido sobre Israel en tal abundancia, es signo de que han llegado los 'últimos días' predichos por los profetas. 3. Esto se ha verificado en el nacimiento, la vida y los milagros de Jesús de Nazaret, que los judíos mataron, pero a quien Dios resucitó de la muerte, y nosotros somos testigos de ello. 4. Este Jesús, Dios lo constituyó Señor y Mesías, haciéndolo ascender al cielo y colocándolo a su diestra. 5. Todo esto sucede en conformidad con las Escrituras. Es parte del plan de Dios para la salvación de 'nuestros pecados', y es conforme a la fe de nuestros padres. 6. Jesús resucitado es el nuevo Moisés que vendrá a conducir al Israel escatológico hacia la redención final como Hijo del hombre sobre las nubes del cielo. 7. Si creéis en la palabra que se os predica, si os arrepentís y os hacéis bautizar, seréis salvos» [6].

El discurso de Pedro en el día de Pentecostés (Hch 2,14-39) puede servir de modelo del kerigma apostólico. Lucas lo presenta no sólo como la primera predicación cristiana, sino que además parece proponerlo como paradigmático del modo en que el misterio de Jesús era proclamado a los judíos —palestinos y helenísticos (Hch 2,5-13)— en los primeros días de la Iglesia apostólica. El texto nos informa, además, de que Pedro hablaba en nombre de los «once» (Hch 2,14). El centro cristológico de la proclamación de Pedro —fácilmente identificable en otros discursos— se contiene en los siguientes versículos:

[22] Israelitas, escuchad: Jesús de Nazaret fue el hombre a quien Dios acreditó ante vosotros con los milagros, prodigios y señales que realizó por medio de él entre vosotros, como bien sabéis. [23] Dios lo entregó conforme al plan que tenía previsto y determina-

---

[6] Cf. G. SEGALLA-R. CANTALAMESSA-G. MOIOLI, *Il problema cristologico oggi*, Cittadella, Asís 1973, 74-75.

do, pero vosotros, valiéndoos de los impíos, lo crucificasteis y lo matasteis. [24] Dios, sin embargo, lo resucitó, rompiendo las ataduras de la muerte, pues era imposible que ésta lo retuviera en su poder...

[32] A este Jesús Dios lo ha resucitado, y de ello somos testigos todos nosotros. [33] El poder de Dios lo ha exaltado, y él, habiendo recibido del Padre el Espíritu Santo prometido, lo ha derramado, como estáis viendo y oyendo. [34] Porque David no subió a los cielos; pero él mismo dice:

Dijo el Señor a mi Señor:
Siéntate a mi derecha,
[35] hasta que ponga a tus enemigos
como estrado de tus pies.

[36] Así pues, que todos los israelitas tengan la certeza de que Dios ha constituido Señor y Mesías a este Jesús a quien vosotros crucificasteis.

Este texto fundamental merecería una exégesis atenta. Contiene al mismo tiempo las afirmaciones más fundamentales del primitivo kerigma cristológico y demuestra claramente las perspectivas dentro de las que se proponía el misterio de Jesús. Siguiéndolo, es posible indicar las características principales de la cristología del kerigma primitivo.

2. La cristología del kerigma primitivo

Las características peculiares de la cristología del kerigma primitivo que surgen del discurso de Pedro se pueden resumir en pocas palabras. Se trata de una cristología pascual, centrada en la resurrección y glorificación de Jesús por obra del Padre. Su exaltación es una *acción de Dios sobre Jesús, en favor nuestro.* Es Dios quien resucita a Jesús de entre los muertos, quien lo glorifica y exalta, quien lo constituye Señor y Cristo, Cabeza y Salvador (Hch 5,31). Jesús es el beneficiario de la acción de Dios, que lo resucita, lo establece y lo constituye Señor y Cristo en favor nuestro. Por eso mismo, después de la proclamación kerigmática sigue la invitación al arrepentimiento, a la conversión y al bautismo (Hch 2,37-39). Algo, pues, le ha sucedido *a Jesús, por obra de Dios, para nosotros*. Retomemos estos tres elementos.

Por obra de Dios. La acción divina a que aquí se alude consiste esencialmente en resucitar a Jesús de entre los muertos y se presenta como la intervención decisiva de Dios en la historia de la salvación. Si el Dios del Antiguo Testamento era esencialmente el que había salvado, gracias al Éxodo, a su pueblo desde Egipto, este acontecimiento antiguo se toma ahora como tipo o preanuncio del nuevo acontecimiento de la salvación: la resurrección de Jesús de entre los muertos es el acontecimiento salvífico definitivo de Dios. A pesar de que Dios ha actuado durante la historia y sigue haciéndolo también hoy, el centro del mensaje cristiano sigue siendo el hecho de que, como ya surge del kerigma primitivo, con el acontecimiento pascual la acción salvífica de Dios ha llegado a su ápice. De ahora en adelante, todo lo que siga a este acontecimiento depende de éste. En la resurrección, Dios ha triunfado sobre el pecado y sobre la muerte, manifestándose plenamente como Dios Salvador. La resurrección de Jesús es, en este sentido, la plenitud de la revelación divina.

A Jesús. La resurrección es para Jesús la inauguración de una condición totalmente nueva. Entra en el final de los tiempos y en el mundo de Dios. Para él la esperanza escatológica se ha cumplido ya en toda su realidad humana, cuerpo y alma. La condición totalmente nueva a la que Jesús ha pasado queda expresada en relación a su previa existencia terrena y está definida en términos de espera escatológica; Jesús ha entrado en la gloria final. Es importante observar que en este primer estadio de la cristología no se afirma que Jesús, por su resurrección, retorna a la gloria que tenía con Dios antes de su vida terrena (cf. Jn 17,5). En realidad, no se piensa todavía en la «pre-existencia» de Jesús ni en la encarnación del Hijo eterno: este problema no se plantea todavía y, por tanto, no hay respuesta alguna al respecto.

El kerigma primitivo afirma una discontinuidad real entre la existencia terrena de Jesús y su condición de Resucitado, en cuanto Cristo y Señor. Jesús se transformó realmente y su transformación mide la distancia entre el Jesús de la historia y el Cristo de la fe. Con su resurrección Jesús ha llegado a ser lo que es ahora. Ha alcanzado su propia perfección (*teleiòsis*) (Heb 5,9). La fe cristiana es fe en Jesús *en cuanto* hecho perfecto por Dios. Al mismo tiempo, sin embargo, se mantiene la continuidad entre el Jesús de la historia y el Cristo de la fe: es uno y el mismo. Esta continuidad en la discontinuidad está bien expresa en las profesiones más antiguas de la fe cristiana, tomadas del Nuevo Testamento: «Jesús es el Cristo», «Jesús es el Señor» [7].

Para los primeros cristianos la acción divina de la resurrección de Jesús de entre los muertos, lejos de cancelar su vida terrena, ratifica y autentifica su misma vida y misión. De este modo Dios muestra estar ya presente en la obra terrena de Jesús, en su enseñanza y en sus milagros, en su vida y en su muerte, y, en una palabra, en su persona. Todo lo que ha sucedido durante la vida terrena de Jesús se asume ahora en su condición de Resucitado y recibe así su verdadero significado. El acontecimiento pascual funda la identidad personal y la diferencia cualitativa, es decir, la continuidad en la discontinuidad, entre el Jesús de la historia y el Cristo de la fe: el Resucitado es el que fue crucificado (Mc 16,6).

Por nosotros. Lo que Dios hizo a Jesús es por nosotros, los hombres. Todos los títulos que expresan la dignidad

---

[7] O. CULLMANN, *Les premières confessions de foi chrétienne*, Presses Universitaires de France, París 1948.

adquirida por Jesús resucitado lo consideran en relación a nosotros. Dios ha hecho de él el Cristo (esto es, el Mesías prometido a Israel), el Señor de todos (Hch 10,36), Cabeza y Salvador (Hch 5,31). A él sólo le fue dado el nombre supremo en vistas a la salvación de los pueblos (Hch 4,12) y solamente él ha sido designado por Dios para juzgar a los vivos y los muertos (Hch 10,42). La resurrección de Jesús, por tanto, inaugura el acontecimiento decisivo de la salvación.

También aquí se afirman claramente la novedad y la discontinuidad: es el Señor resucitado el que salva y a la resurrección se le asigna un significado salvífico. Pero, sin embargo, el acontecimiento pascual no cancela todo lo que le ha precedido, aunque el valor salvífico de la muerte de Jesús en la cruz no se ponga claramente de relieve en este preciso momento, cosa que se atribuye enteramente a la responsabilidad de los judíos que lo mataron (Hch 2,23-36). Se vuelve la atención a la investidura real de Jesús, a su entronización (Hch 2,32-36, con la cita del salmo de entronización, Sal 110,1) y la inauguración de su papel mesiánico y salvífico. Con esto la misión terrena de Jesús ha alcanzado el fin establecido por Dios y queda constituido en la plenitud y en la universalidad de su poder salvífico.

Al mismo tiempo, sin embargo, se mantiene la continuidad entre la vida terrena de Jesús y su acción salvífica post-pascual. Su existencia terrena se percibe ahora bajo una luz nueva, como ya dotada del poder mesiánico y salvífico. Los primeros cristianos, volviendo hacia atrás con una mirada retrospectiva a los acontecimientos de la vida de Jesús, descubren en ellos su verdadero significado: el ministerio de curación de Jesús, su actitud hacia la Ley, su misericordia hacia los pecadores, su opción por los pobres, su apertura a toda persona, actitudes todas ellas que aparecen ahora como prefiguraciones de la acción salvífica del Resucitado (Hch 2,22) que la preparaban y a la que conducían.

Si Jesús, por su resurrección, quedó constituido Mesías, Señor y Salvador, se había preparado para esta función durante su existencia terrena.

De acuerdo con el kerigma primitivo, por tanto, la Pascua es la acción de Dios, en Jesús, a favor nuestro. Con esta cristología pascual, que anteriormente hemos llamado explícita, nació la cristología, pues en ella encontramos la etapa inicial de un discurso reflejo y organizado sobre el significado de Jesucristo para la fe cristiana. Este primer discurso cristocéntrico aparece, sin duda, enfrentado al teocentrismo de Jesús mismo que hemos reclamado con anterioridad. El que había anunciado a Dios y a su Reino se ha convertido en el objeto de la proclamación: la Iglesia predica ahora al mensajero del Reino. El contraste, sin embargo, es sólo aparente, pues aquel que ha puesto a Dios en el centro de su mensaje está ahora en el centro de Dios mismo, en su designio y acción salvífica: tal es la importancia de la resurrección para la cristología.

Jesús, como hemos observado ya, se mostró reacio a aplicarse a sí mismo títulos mesiánicos. En particular, se mantuvo alejado del mesianismo davídico y se identificó preferentemente con el Siervo paciente de Dios. Sin embargo, ahora que como Resucitado ha sido transformado por Dios, los títulos mesiánicos veterotestamentarios se convierten en el canal por el que los primeros cristianos trataron de expresar su función y su significado: él es el Cristo, el Señor. Al hacer esto, estaban usando las únicas categorías a su disposición presentes en la propia cultura judaica, mientras que, al mismo tiempo, eran conscientes de la manera trascendente con que Jesús había dado cumplimiento a la antigua promesa mesiánica.

La discontinuidad, por tanto, es notable; no obstante, la continuidad permanece todavía y la cristología explícita del kerigma primitivo ha ahondado sus raíces en la cristología implícita de Jesús mismo, examinada en el capítulo anterior.

En particular, si Jesús se ha convertido en el centro, puesto que Dios mismo lo colocó allí mediante la resurrección, él nunca sustituye a Dios ni toma su puesto, pues Dios dio a Jesús a la humanidad a fin de que, una vez exaltado, pudiese atraer a todos a sí (Jn 12,32): Jesucristo es el «Mediador» (1 Tim 2,5), el «camino», mientras Dios sigue siendo la meta y el fin (Jn 14,6).

El hecho de que la cristología del kerigma primitivo sea pascual significa que el punto de partida de su discurso acerca de Jesús es el acontecimiento pascual mismo. Esto comporta una proyección en el futuro escatológico gracias a la cual el significado de Jesús se explica en relación a la salvación del fin de los tiempos. El origen personal de Jesús mismo no ha sido tocado. Sólo los desarrollos posteriores conducirán a la consideración de su «pre-existencia» y, en consecuencia, a una cristología de la encarnación. En este sentido, la primera cristología puede definirse como una cristología «desde abajo», pues parte de la realidad humana de Jesús, transformada gracias a la resurrección, y no de la «pre-existencia» del Hijo de Dios hecho hombre.

Esto no quiere decir que la cristología primitiva no tiene en cuenta la condición divina de Jesucristo. Ni quiere insinuar tampoco, más bien al contrario, que su condición sea una afirmación cristiana sobreañadida a Jesús mediante un proceso de «deificación» de la que el kerigma primitivo sería un primer testimonio. Las dos posiciones son falsas. Por un lado, en efecto, la condición divina del Señor resucitado está ya proclamada por la cristología del kerigma primitivo. En particular, el término «Señor» se aplica a Jesús precisamente para indicar que el Señorío mismo de Dios sobre el pueblo se extiende ahora al mismo Jesús. Por otro lado, Jesús nunca fue deificado por los primeros cristianos; más bien, su verdadera identidad fue manifestada por Dios en su resurrección y fue reconocida en la fe de la Iglesia primitiva. Lo que es cierto, sin embargo, es que la identidad real de Jesucristo quedó manifiesta primero y, en consecuencia, encontrada y descubierta, en su realidad humana resucitada y glorificada. Era natural, en este punto, que su identidad fuese primero afirmada a este nivel y que de ella emanase una cristología pascual.

Finalmente, la cristología del kerigma primitivo es esencialmente soteriológica. Con esto se quiere decir que su discurso sobre Jesús está centrado en el significado que tiene para la salvación de los hombres. Hemos demostrado que todos los títulos aplicados a Jesús en esta primera etapa de la reflexión cristológica expresan su significado para nosotros tal como lo entendió Dios y lo realizó plenamente en la resurrección. En otras palabras, la cristología primitiva es decisivamente «funcional», ya que define la identidad de Jesús partiendo de las funciones que, en su estado glorificado, ejerce en nuestro favor. Lo que se refiere es lo que Dios hizo para que Jesús fuera para nosotros. El misterio de su persona, su más profunda identidad, permanece aún desconocido y será desvelado solamente por la reflexión posterior.

En particular, en el kerigma primitivo, el título «Hijo de Dios» no se aplica todavía a Jesús con la plenitud de significado que asumirá más tarde. Hemos observado antes las raíces veterotestamentarias de este título y el amplio significado que le fue asignado al aplicárselo al rey David. En este sentido, tal título podía aplicarse ya a Jesús, refiriéndolo característicamente a la investidura mesiánica por parte de Dios en la resurrección. El discurso de Pablo en Antioquía, como se recuerda en *Hechos*, es un claro testimonio de esta atribución: Pablo cita explícitamente el salmo de entronización (Sal 2,7) que ve cumplirse en la acción divina de la resurrección de Jesús de entre los muertos (Hch 13,32-33; cf. también Heb 1,5). En este contexto, el título sigue siendo mesiánico y funcional, y sólo más tarde se llenará de un nuevo significado, hasta convertirse en una de las expresiones privilegiadas de la verdadera identidad de Jesús en relación a Dios.

En conclusión, la cristología del kerigma primitivo puede llamarse «primitiva» en cuanto refleja la comprensión cristiana más antigua de Jesús. Los desarrollos posteriores, sin embargo, ni cancelarán ni anularán el significado y la validez que tienen para nosotros, pues sólo pondrán en evidencia las implicaciones de lo que se dijo ya a propósito de Jesús en el kerigma primitivo. Entre la antigua presentación kerigmática de Jesús y las sucesivas intuiciones más profundas del misterio de su persona hay una continuidad y un desarrollo homogéneo. En ambas se expresa la misma fe, sólo que ésta aparece progresivamente más reflexiva y articulada. El mensaje esencial y decisivo se anunció ya desde los inicios, pues en lo que Dios hizo para que Jesús fuese para nosotros está ya involucrada la verdadera identidad de su persona, aunque permanezca desconocida y haya de ser desvelada. La cristología del kerigma primitivo era funcional: se trataba de una reflexión sobre Jesús, considerado en las funciones que ejerce hacia nosotros. Más tarde, pero sólo a través de un proceso orgánico, la reflexión evolucionará hacia una cristología «ontológica», donde se extenderá a Jesús tal como es en sí mismo y a su persona en relación a Dios.

De la proclamación del Resucitado a la confesión del Hijo de Dios

La proclamación original de la fe pascual había dado ya un cuadro coherente de Jesús, trazando una presentación que no era sino un primer paso en el desarrollo de la cristología del Nuevo Testamento. La distancia entre la cristología del Señor resucitado que se sienta a la diestra de Dios, constituido por él como Salvador, y que llama a los hombres a la reconciliación con Dios y con ellos mismos en la justicia y en el amor, y la cristología de la filiación divina de Jesús, de su origen en Dios y de su pre-existencia con él, es verdaderamente notable. El Nuevo Testamento, sin embargo, da testimonio de un avance progresivo, grandemente significativo, hacia una cristología semejante. Este progreso queda atestiguado no sólo en las Cartas de san Pablo, en el evangelio de Juan y en el Apocalipsis, sino que lo encontramos también en la Carta a los Hebreos y en los evangelios sinópticos. Todos estos escritos ponen su atención en la persona de Jesús y no simplemente en el papel único que le asignó Dios en el plan salvífico.

Lo hacen, naturalmente, de distintas maneras y cada autor con su penetración propia e intención teológica personal. Nuestra intención no es aquí —ni el espacio lo permite— poner de relieve la cristología específica de cada escritor del Nuevo Testamento [8]. Un breve esbozo de la cristología de cada uno de los sinópticos demostraría que cada autor tiene su propia visión específica respecto al misterio de la persona de Jesús. Por lo que se refiere al evangelio de Juan, vemos que estudia con tal profundidad el misterio que sigue siendo insuperable. Las cristologías de Pablo y de la Carta a los Hebreos —y de otras— abundan también en intuiciones personales y merecerían un tratado aparte. No lo podemos hacer aquí. Lo que sí podemos hacer es trazar en líneas generales el desarrollo orgánico de la cristología del Nuevo Testamento tal como emerge del «corpus» neotestamentario considerado como un todo. Es posible señalar algunas piedras miliares en este desarrollo que apuntan hacia una progresiva dilucidación de la identidad personal de aquel a quien Dios estableció como Cristo y Señor. Entre otras cosas, son testi-

---

[8] Para la cristología de los diferentes escritores del Nuevo Testamento, cf. por ejemplo R. SCHNACKENBURG, *o. c.*

gos de las distintas etapas del desarrollo de una cristología
del «Hijo de Dios».

1. Un desarrollo homogéneo hacia la «pre-existencia»

La tarea de demostrar esta progresiva dilucidación es,
sin duda, delicada. Requiere, si se han de distinguir las
diferentes fases de comprensión, leer cada autor y cada
texto en su contexto y en su significado original. Sería
equivocado nivelar todos los argumentos leyendo en todas
partes una profundidad de significado que se alcanzará
solamente en una etapa ulterior. Hablando del título «Hijo
de Dios», recordamos ya su significado metafórico en el
Antiguo Testamento y su significación mesiánica cuando se
aplica a Jesús en el kerigma primitivo. El mismo título
adquirirá ahora, de manera progresiva, un significado «sobreañadido». Al término de este desarrollo se referirá, sin
equívocos, a la filiación única, ontológica y divina de Jesús.
Sin embargo, no se ha de leer este sentido allí donde no
está todavía explícito. Es claro, por ejemplo, que la cristología del Hijo de Dios en el encuentro de la infancia (Lc
1,32) dice solamente que el niño, nacido de María, procede
de Dios y que será llamado «Hijo del Altísimo». No se hace
referencia todavía a la filiación eterna y divina de Jesús en
su pre-existencia, sino solamente al hecho de que Jesús
procede de Dios desde su mismo nacimiento.

Todo parece como si la condición divina de Jesús, que
el kerigma primitivo había percibido en su estado glorificado por medio de la resurrección, fuese reconducida progresivamente hacia el pasado mediante un proceso de retro-
proyección. Pero todo esto tiene lugar en varias etapas: el
nacimiento virginal de los relatos de la infancia se representa como un signo divino de que Jesús proviene de Dios,
desde el principio de su existencia terrena, y calla la cuestión ulterior del origen eterno de Jesús desde Dios, en
calidad de Hijo. El problema de la «pre-existencia» de

Jesús, del misterio de su persona antes de su vida terrena e independientemente de ésta, no se plantea todavía y, por tanto, no ofrece respuesta. Allí donde y cuando se tiene en consideración, el problema llevará, en Pablo y en su ambiente, a nuevas intuiciones cristológicas (Flp 2,6-11; Col 1,15-20; Ef 1,3-13...) y, sobre todo, en el evangelio de Juan, a las alturas del prólogo (1,1-18) en que, desde este punto de vista, justamente la cristología neotestamentaria puede encontrar su propia cumbre.

En realidad, era inevitable que, habiendo percibido en la existencia humana glorificada de Jesús su condición divina y su *status* de Salvador de todos dado por Dios, la fe cristiana reflexionara sucesivamente sobre el misterio de su persona, planteándose el problema del origen de su dignidad exaltada. Una primera manera de hacer esto fue demostrar que el Jesús pre-pascual, a lo largo de su vida terrena y desde sus orígenes, era de Dios y que estaba ya destinado a la gloria, como se manifestó en su resurrección. Los evangelios sinópticos dan cuenta de esta reflexión: el bautismo de Jesús en el Jordán, en los comienzos de su ministerio público, va acompañado de una teofanía en la que se atestigua el origen divino (Mc 1,11, con la doble cita de Sal 2,7 e Is 42,1). La teofanía en el momento de la transfiguración es un elemento posterior que indica la misma realidad (Mc 9,7, con la cita de Is 42,1). Volver atrás al mismo comienzo de la vida terrena de Jesús llevó a los evangelios sinópticos a afirmar el origen divino de su nacimiento humano (Lc 1,32). Pero no van más allá. Todavía no se ha traspasado el umbral de la pre-existencia de Jesús.

Pero cruzar el umbral de la pre-existencia era tan inevitable como fecundo en significado cristológico. Introducía un paso decisivo en la investigación sobre la verdadera identidad de Jesús y llevaba a intuiciones más profundas del misterio de su persona. En realidad, si su condición de Señor resucitado era divina, cosa que Dios puso de manifiesto y fue percibida por la fe; si, además, esta condición divina, manifestada en su gloria, había estado latente en él durante toda su vida terrena, comenzando desde su verdadero origen desde Dios, entonces se sigue que, más allá de su origen humano por parte de Dios, Jesús era y es ya con él. «Pre-existía», estaba con Dios y en Dios en un inicio eterno, independiente y antecedentemente a su manifestación en la carne. Pues el hombre no puede llegar a ser Dios, ni puede ser hecho Dios, aun por Dios mismo. La condición divina de Jesús, que Dios hizo brillar a través del estado glorioso de su existencia humana, era solamente, y no podía ser de otro modo, un reflejo en su ser humano de la identidad divina que le era propia en su pre-existencia con Dios.

El hombre no puede llegar a ser Dios, pero Dios puede hacerse hombre. Y llegó a serlo en Jesucristo: ésta es la inaudita afirmación a la que la reflexión de fe de los primeros cristianos conduciría inevitablemente, con tan sólo desarrollar plenamente las implicaciones de la cristología del kerigma primitivo. Esto es lo que descubrieron con estupor y maravilla y lo proclamaron con alegría al mundo entero, presentándolo como Buena Nueva. Así es como gradualmente fue desarrollándose una cristología neotestamentaria, cuya finalidad no se limita ya a afirmar la condición divina de Jesús, tal como aparecía en su estado glorificado, ni tampoco el origen divino de su existencia humana, sino que se extendía a su pre-existencia en Dios, desde el cual venía y por el que era enviado.

Una cristología de esta naturaleza se desplegará en dos partes complementarias, caracterizada, tal como es, por un doble movimiento, hacia abajo y hacia arriba, descendente y ascendente —si es que se pueden usar términos gráficos—, y que comprende todo el acontecimiento salvífico de Jesucristo: vino de Dios, con el que «pre-existía» desde la eternidad, y a través del misterio pascual de su muerte y resurrección volvió a la gloria de su Padre. En esta perspectiva, la gloria de la resurrección no aparece ya simplemente como don hecho por Dios a Cristo al resucitarlo de entre los muertos: es también un retorno a la gloria que tenía en Dios antes de ser enviado por el Padre a cumplir su misión terrena y, en realidad, «antes de que existiera el mundo» (Jn 17,5).

Un antiguo testimonio del modo en que, yendo más allá de los límites del nacimiento humano de Jesús, la reflexión teológica ha traspasado el umbral de la «pre-existencia», se encuentra en Rom 1,3-4. El Evangelio de Dios, según Pablo, se «refiere a Jesucristo, Nuestro Señor», «su Hijo, nacido de la estirpe de David en cuanto hombre, y constituido por su resurrección de entre los muertos Hijo poderoso de Dios, según el Espíritu santificador». La descendencia de David y la constitución con poder en la resurrección representan los dos momentos, hacia abajo y hacia arriba, del acontecimiento Cristo. El primero está simbolizado por la «carne», el segundo por el Espíritu. El uno es la entrada en el mundo de aquel que es el «Hijo» pre-existente de Dios; el otro es su ser constituido «Hijo de Dios» en su glorificación por parte del Padre. Una cristología de la «pre-existencia» y descendente se antepone a la cristología de la pascua o ascendente del kerigma primitivo. El proceso de retro-proyección ha llevado paradójicamente al resultado de una cristología del «Hijo de Dios», hecho hombre, que llega a ser «Hijo de Dios» en la resurrección.

Un claro ejemplo de un desarrollo cristológico completo, constituido por un movimiento descendente y ascendente, se encuentra en el himno litúrgico citado por san Pablo en su Carta a los Filipenses (2,6-11). Pablo fundó la Iglesia de Filipos alrededor del 49 d.C., y escribió su Carta a los Filipenses hacia el 56 d.C. Sin embargo, si tenemos en cuenta que cita un himno litúrgico que transmitió a los filipenses desde el principio de la fundación de su Iglesia,

podemos concluir que esta «apoteosis del crucificado» existía ya en los años 40. La importancia de este hecho para el
desarrollo de la cristología neotestamentaria no ha pasado
desapercibida a la atención de M. Hengel, que ha escrito:

> «Uno se siente tentado a afirmar que en el curso de menos de
> dos décadas el fenómeno cristológico ha sufrido un desarrollo de
> proporciones mayores que las alcanzadas durante los siete siglos
> posteriores, hasta la perfección del dogma de la Iglesia antigua» [9].

El himno de la Carta a los Filipenses es una composición bien equilibrada que podemos dividir en dos partes,
cada una de las cuales contiene tres estrofas que desarro-
llan respectivamente el movimiento descendente y ascendente del que se compone el acontecimiento Cristo en su
totalidad, y unidas entre sí por una conjunción: «Por esto»
(dio). Este himno se cita aquí según la siguiente composición métrica [10]:

> [6] El cual, siendo de condición divina (en morphè tou theou),
> no consideró como presa codiciable (arpagmos)
> el ser igual a Dios.
> [7] Al contrario, se despojó de su grandeza (ekenòsen),
> tomó la condición de esclavo (morphè doulou)
> y se hizo semejante a los hombres.
> Y en su condición de hombre
> [8] se humilló a sí mismo
> haciéndose obediente hasta la muerte
> y una muerte de cruz.
> [9] Por eso Dios lo exaltó
> y le dio el nombre que está
> por encima de todo nombre,
> [10] para que ante el nombre de Jesús
> doble la rodilla

---

[9] M. HENGEL, El Hijo de Dios, Salamanca 1977.
[10] Para otras opiniones sobre la composición del himno y las adiciones
hechas por Pablo a su texto original, cf. R. SCHNACKENBURG, o. c.

> todo lo que hay en los cielos,
> en la tierra y en los abismos
> [11] y toda lengua proclame
> que Jesucristo es Señor *(Kurios)*
> para gloria de Dios Padre.

No podemos entrar en los detalles exegéticos de este texto. Baste con destacar algunos puntos salientes. Es evidente el doble movimiento, hacia abajo y hacia arriba, cada uno de los cuales comprende tres estrofas de las seis que componen el himno. Jesús vino de Dios, en cuya gloria *(morphè theou)* moraba *(uparkòn)* antes de su vida humana, y, gracias a la resurrección, volvió a él con su existencia humana glorificada. La vida humana y la muerte de Jesús en la cruz se ven como «auto-vaciamiento» *(kenòsis)* y cumplen la figura deuteroisaiana del «Siervo de Dios» *(morphè doulou)*, en cuyos términos Jesús mismo comprendió su propia muerte. Por el contrario, pero de manera análoga, la exaltación de la resurrección se acuñó en términos que recuerdan fuertemente los del kerigma primitivo: el nombre sobre todo nombre que Jesús recibió en su resurrección es el de «Señor» *(Kurios)*.

Claramente, la cristología aquí desarrollada no invalida la precedente sino que se adentra más hondamente en el misterio de la persona de Jesús, planteando la cuestión de su «pre-existencia» con Dios, tratando de darle una respuesta. Pero la nueva cuestión surge de la proclamación pascual del Señor resucitado y da lugar a una cristología más avanzada que expone solamente lo que estaba latente en el kerigma primitivo: ¿Quién es realmente Jesús resucitado, dado que Dios mismo lo ha hecho Señor? En *lo* que él es para nosotros está implicado *lo que es en sí mismo*. La cristología funcional termina, naturalmente, con preguntas relativas a la persona de Jesucristo. Y la respuesta a las mismas señala el advenimiento de una cristología que se eleva del nivel funcional al nivel ontológico. El dinamismo interno de la fe pascual pasa de uno a otro.

El himno de la Carta a los Filipenses, sin embargo, no se debería tomar aisladamente. Las cartas de la cautividad y las pastorales citan otros himnos cristológicos ricos, también ellos, de doctrina cristológica. También éstos son testigos de la dirección en que evolucionó la cristología paulina —y la de la Iglesia apostólica— pasando gradualmente del nivel funcional al ontológico. Podemos mencionar, entre otros: Ef 2,14-16; Col 1,15-20; 1 Tim 3,16; Heb 1,3; 1 Pe 3,18-22. La importancia de la himnología primitiva para la cristología del Nuevo Testamento no ha escapado a la atención de los teólogos. Así, por ejemplo, ha escrito G. Segalla:

> «Por lo que respecta al contenido cristológico, se comprende enseguida la grandísima importancia de los himnos en el desarrollo de la cristología tanto para la concepción de la persona de Cristo, en particular de su «pre-existencia» en Dios, como para su misión redentora universal, en el espacio y en el tiempo» [11].

2. De la pre-existencia a la filiación divina

El hecho de que una cristología ontológica estuviera latente en la funcional del kerigma primitivo no significa, sin embargo, que una fuese deducible de otra, o que lo fuese de hecho, a través de un simple procedimiento lógico. Hay que darse cuenta, en efecto, no sólo del hecho de que la pre-existencia y la identidad divina de Jesús llegaron a anunciarse de forma gradual, sino también del hecho de que todo se entendió en términos de filiación divina. El título de «Hijo de Dios», con el preciso significado ontoló-

---

[11] Cf. G. SEGALLA-R. CANTALAMESSA-G. MOIOLI, *Il problema cristologico oggi*, Cittadella, Asís 1973, 71.

gico que gradualmente asumirá al ser aplicado a Jesús, vendrá a ser el modo privilegiado y decisivo para expresar su verdadera identidad personal. No se puede explicar esto si no volvemos, más allá de la experiencia pascual de los primeros creyentes, a Jesús mismo mediante el recuerdo de su vida terrena tal como se conservó en las primeras comunidades cristianas.

La experiencia pascual, separada del testimonio que Jesús dio de sí mismo, no sería suficiente ella sola para explicar la fe cristológica de la Iglesia. Jesús, sin embargo, vio su propia filiación divina en todas sus actitudes y actos y, sobre todo, en la oración a Dios, a quien llamaba «*Abba*». Lo hizo así bajo la mirada de asombro de los discípulos que compartían su existencia cotidiana. Su conciencia humana, como hemos dicho ya, era esencialmente filial. Sin duda, a pesar de la novedad de dirigirse a Dios en la oración con el término «*Abba*», los discípulos no habían sondeado la profundidad de la relación de Jesús con su Dios. Ahora, sin embargo, que Dios había permitido que su condición divina se manifestara en la resurrección, comienza a aclararse el pleno significado de la filiación de Jesús con su Padre.

La compleja cristología neotestamentaria de la filiación ontológica de Jesús con Dios confiere una expresión objetiva a la conciencia filial que está en el centro de la propia experiencia (subjetiva) que Jesús tuvo de Dios durante su vida terrena. A los discípulos se les dio una vaga idea de esto, pero su pleno significado sólo se hizo claro ahora. En último análisis, la cristología de la filiación de Jesús con Dios tiene y podía tener solamente como propio y último fundamento la conciencia filial de Jesús mismo: éste es su origen último. Sólo volviendo hacia atrás con el recuerdo a lo que Jesús había dicho de sí mismo se podía finalmente percibir el misterio de su unicidad con Dios. «Cuando Jesús resucitó de entre los muertos, los discípulos recordaron lo que había dicho», escribe Juan en su evangelio (Jn 2,22), indicando el proceso de remembranza mediante el cual los discípulos, después de la Pascua, llegaron a captar quién era Jesús. Posteriormente, Juan indica que este proceso de remembranza y comprensión sólo podía tener lugar bajo la dirección del Espíritu Santo: él os «enseñará todas las cosas y hará que recordéis lo que yo os he enseñado» (Jn 14,26; cf. 16,12-13).

En el momento del desarrollo de la cristología neotestamentaria a que hemos llegado, hay, por tanto, un continuo ir y venir entre las cuestiones suscitadas por la reflexión cristiana sobre Jesús y el testimonio de Jesús mismo, tal como fue confiada a la memoria cristiana. Encontramos aquí en acción, en la interpretación neotestamentaria de Jesús, al «círculo hermenéutico». Y a través de este proceso fueron evolucionando las respuestas de la fe, conduciendo a la confesión de Jesús como el Hijo de Dios. El Jesús de la historia, tal como es capaz de descubrirlo hoy la exégesis crítica mediante la tradición de los evangelios, hizo y dijo lo suficiente para justificar la interpretación de fe de su persona que la Iglesia apostólica, a la luz de la experiencia pascual, construyó paso a paso.

Baste con recordar aquí algunos elementos apuntados ya en el capítulo anterior: la autoridad con la que Jesús proclamó el plan y el pensamiento de Dios, como si lo leyese en el corazón de Dios mismo; su certeza de que el Reino de Dios no sólo estaba cerca sino que se estaba inaugurando mediante su vida y acción en su persona; la seguridad de que su actitud hacia el pueblo y las instituciones y sus milagros expresaban la actitud y la acción misma de Dios; su convicción de que estar abiertos a él y a su predicación significaba responder, en la conversión y el arrepentimiento, a la oferta de la salvación por parte de Dios; y que ser sus discípulos equivalía a entrar en el Reino de Dios; pero, sobre todo, su cercanía a Dios, sin precedentes, en la oración. Los interrogantes que la vida y la predicación de Jesús habían suscitado recibían, por fin, una respuesta decisiva: Jesús es el Hijo de Dios. Se retomaba la expresión bíblica tradicional, pero, ahora, aplicada a Jesús después de muchos años de reflexión, a la luz de la experiencia pascual sobre el misterio de su persona, adquiría un significado tan rico que se refería en términos propios a la singular relación Hijo-Padre. Se transmitía de forma inadecuada, pero cierta, el misterio único e inefable de la comunión de Jesús con Dios, el crucificado que había sido resucitado.

Con el descubrimiento de la filiación divina de Jesús se abría un nuevo enfoque para el discurso de fe, que ya no comenzaría, como lo había hecho el kerigma primitivo, desde el Señorío del Resucitado, sino que, invirtiendo la perspectiva, tomaría como punto de partida la unión del Padre y del Hijo en una inefable comunión de vida, antes e independientemente de la misión del Hijo recibida del Padre. La pre-existencia de Jesús antes de su vida terrena, postulada por la condición divina de su estado de Resucitado, era de hecho la existencia en la eternidad de Dios. Fue posible, por tanto, invertir todo el discurso cristológico y partir de la contemplación del misterio inefable de la comunión del Padre y del Hijo en la vida íntima de Dios. W. Kasper ha demostrado bien la enorme aportación del cambio de perspectiva causado en la cristología —y en la teología— por la consideración de la pre-existencia en Dios de Jesucristo, su Hijo. Escribe:

> «Los enunciados neotestamentarios sobre la pre-existencia expresan fundamentalmente, de forma nueva y con mayor profundidad, el carácter escatológico que connota la persona y la obra de Jesús de Nazaret. En Jesucristo Dios se manifestó y comunicó de manera definitiva, incondicionada e insuperable, por la que Jesús entra en la definición misma de la esencia eterna de Dios. Del carácter escatológico del acontecimiento de Cristo se sigue que Jesús desde la eternidad es Hijo de Dios y que Dios desde la

eternidad es el «Padre del Señor Jesucristo». La historia y el destino de Jesús tienen, pues, su fundamento en la esencia de Dios; la naturaleza divina se manifiesta como acontecimiento. Las afirmaciones neotestamentarias sobre la preexistencia conducen, por tanto, a una reinterpretación más amplia del concepto de Dios»[12].

Este planteamiento, de hecho, conduce a la cristología neotestamentaria a su clímax. Encuentra su máxima expresión en el prólogo del evangelio de Juan (1,1-18), que puede considerarse el ápice de la reflexión cristológica del Nuevo Testamento.

> [1] Al Principio ya existía la Palabra (*logos*).
> La Palabra estaba junto a Dios (*ho theos*),
> y la Palabra era Dios (*Theos*)
> [2] Ya al principio ella estaba junto a Dios.
> [3] Todo fue hecho por ella
> y sin ella no se hizo nada
> de cuanto llegó a existir.
> [4] En ella estaba la vida
> y la vida era la luz de los hombres;
> [5] la luz resplandece en las tinieblas
> y las tinieblas no la sofocaron...
> [14] Y la Palabra se hizo (*egeneto*) carne (*sarx*)
> y habitó (*eskènòsen*) entre nosotros
> y hemos visto su gloria (*doxa*),
> la gloria propia de Hijo único (*monogenès*) del Padre,
> lleno de gracia (*charis*) y de verdad (*alètheia*).
> [16] De su plenitud
> todos hemos recibido
> gracia (*charis*) sobre gracia.
> [17] Porque la ley fue dada por medio de Moisés,
> pero la gracia (*hè charis*) y la verdad (*hè alètheia*)
> vinieron por Cristo Jesús.
> A Dios nadie lo vio jamás;

---

[12] W. KASPER, *Jesús, el Cristo*, Sígueme, Salamanca [5]1984.

el Hijo único *(monogenès)*,
que es Dios y que está en el seno del Padre,
nos lo ha dado a conocer *(exègèsato)*.

Sin entrar en una exégesis elaborada del texto, podemos hacer algunas observaciones. El escrito aplica al Hijo pre-existente el concepto de «Verbo» *(dabar)* de Dios, tomándolo de la literatura sapiencial del Antiguo Testamento. Dios, el Padre *(ho Theos)*, se distingue del Verbo que es «Dios» *(theos)* [13]. «Y el Verbo se hizo carne» *(sarx egeneto)* expresa la existencia personal humana del Verbo; la «carne» indica la frágil condición humana que comparte con los hombres. «Y habitó *(eskènòsen)* entre nosotros» evoca la teología veterotestamentaria del *shekinah* en virtud de la cual la Sabiduría «plantó su tienda» para morar entre los hombres.

A pesar de la debilidad de la carne, la gloria de Dios *(doxa),* según Juan, brilla a través de la existencia humana de Jesús desde sus comienzos; la manifestación de su gloria no se aplaza, como para Pablo, al tiempo de su resurrección

---

[13] Éste parece ser el primer ejemplo en que el uso del término *«theos»* con referencia a Jesús es cierto en el Nuevo Testamento. Otros ejemplos del mismo uso en el evangelio de Juan son: la profesión de fe de Tomás después de la resurrección (20,28), y 1,18 según la lectura de algunos manuscritos *(monogenès, theos);* el mismo uso es probable en 1 Jn 5,20. Existen otros textos en el Nuevo Testamento en los que el término *«theos»* se aplica a Jesús, según la interpretación de algunos exegetas. Tales son: Rom 9,5; Col 2,2; Tit 2,10; 2,13-14; Hch 20,28; 2 Pe 1,1. Todos ellos pueden entenderse, sin embargo —y a menudo entenderse mejor—, interpretando el término *«theos»* como referido al Padre. Según el uso que hace Pablo en 1 Cor 8,6, Dios *(theos)* se refiere al Padre, mientras que a Jesús se le llama el Señor *(Kurios).* La conclusión parecería ser que Juan es el primer autor del Nuevo Testamento en haber hecho uso del término «Dios» *(theos)* —distinto del *ho theos* = el Padre— para Jesús. El significado del término se amplía así para referirse a la «divinidad» común al Padre y al Hijo. La terminología «óntica» del Nuevo Testamento está comenzando a evolucionar hacia una terminología «ontológica». En Heb 1,8 *theos* es parte de una cita del salmo 45,7. Sobre esta cuestión, ver, entre otros, R. E. BROWN, *Jesús, Dios y Hombre*, Sal Terrae, Santander 1973.

y exaltación. Jesucristo, el Verbo hecho carne, es el «unigénito» *(monogenès)* «Hijo de Dios». Por eso, su ser eternamente engendrado por el Padre queda expresado de manera distinta que el título funcional de «primogénito» *(pròtotokos)* de entre los muertos, atribuido a Jesús en su resurrección (cf. Col 1,18). El hecho de que el Verbo encarnado esté «lleno de gracia y de verdad» significa que es en su persona la culminación de la bondad *(èmèt, charis)* y de la fidelidad *(hèsèd, alètheia)* de Dios hacia su pueblo. Porque, si la Ley dada por Dios mediante Moisés fue ya una gracia *(charis)*, Jesucristo es la suprema gracia *(hè charis)* de Dios y la más alta manifestación de su fidelidad a su designio salvífico *(hè alètheia)*.

Si, comenzando por el prólogo, damos una visión panorámica de todo el evangelio de Juan, resulta claro que el acontecimiento Cristo se manifiesta en su plenitud desde el «exodos» al «eisodos». El Hijo eternamente con el Padre, la encarnación, la visión de su gloria en la condición humana, que culmina en el acontecimiento de la cruz y resurrección, la efusión del Espíritu: todo esto constituye el misterio de Jesucristo y el acontecimiento Cristo en toda su amplitud.

A pesar de la semejanza entre el himno cristológico de la Carta a los Filipenses y el prólogo de Juan, hay que reconocer plenamente el valor del itinerario de una ruta a otra de la cristología, tal como ha sido bien observado por R. Schnackenburg, que escribe con agudeza:

«No obstante la cristología de la exaltación y de la glorificación, para Juan surgió con la encarnación un nuevo punto de apoyo. Mientras el himno a Cristo de Flp 2,6-11 se orienta hacia la entronización de Cristo con dominio sobre el mundo y toma en consideración la pre-existencia solamente como punto de partida de la vida de Cristo para comprender el hecho inaudito de su 'anonadamiento' y de su 'humillación', para Juan resulta también sumamente importante el primer cambio desde el mundo celeste a su permanencia en la tierra. Toda la vida de Cristo se ve ahora como un descender y un subir del Hijo del hombre (3,13.31; 6,62), como venida del 'Hijo de Dios' al mundo para volver de nuevo al Padre (13,1; 16,28) y alcanzar nuevamente la gloria primera que le era propia aun antes de la fundación del mundo (17,5.24)» [14].

Con el prólogo, pues, se ha alcanzado una altura que se mantendrá inalcanzable. Hemos cerrado un círculo completo desde la condición divina del Resucitado al misterio de la comunión eterna del Hijo con el Padre. La economía divina de la salvación produjo la teología de la vida íntima de Dios, cuyas semillas llevaba en su interior. La cristología funcional dio sus frutos en la ontológica mediante el impulso del dinamismo interno de la fe. La respuesta dada por la fe, a la luz de la experiencia pascual, a la pregunta «¿Qué es Jesús para nosotros?» llevó a la respuesta definitiva que la fe puede y debe dar a la pregunta «¿Quién es Jesús?». La cristología del prólogo joáneo es, podemos afirmarlo, la respuesta cristiana decisiva a la pregunta que Jesús dirigió a sus discípulos: «¿Quién decís que soy yo?» (Mt 16,15). Sin embargo, semejante respuesta resulta posible sólo al final de un largo proceso de reflexión teológica.

La cristología con la que se cierra el Nuevo Testamento es una cristología «hacia abajo». Ya expusimos anteriormente en qué sentido se puede decir que la cristología del kerigma primitivo es «hacia arriba», pues así lo indica el hecho de que la condición divina de Jesús se percibió y afirmó en primer lugar en el estado glorificado de su existencia humana. Seguimos el proceso de interrogantes que esta primera intuición desencadenó y el progresivo cambio de perspectiva a que dio lugar mientras se buscaba, a niveles siempre más profundos, la raíz de esta condición divina que se colocaría finalmente en la secreta vida íntima de

---

[14] R. SCHNACKENBURG, *o. c.*

Dios, anterior e independientemente a la existencia humana de Jesús en la tierra. La cristología que mana de este cambio completo de perspectiva es, por necesidad, «hacia abajo»: parte del ser eterno del Hijo con el Padre para llegar a hacerse hombre en su misión terrena recibida de Dios y, a través de su misterio pascual, en su vuelta a la gloria del Padre.

El Hijo de Dios conoció una condición humana e hizo suya la historia humana. La secuencia a la que rinde testimonio el desarrollo de fe del Nuevo Testamento, desde una cristología hacia arriba a una cristología hacia abajo, ¿es puramente fortuita? ¿O debemos pensar, por el contrario, que este desarrollo fue necesario, empujado como estaba por un intenso dinamismo? La segunda alternativa es la correcta, pues, en último análisis, la condición divina de Jesucristo, percibida primero en la fe mediante su manifestación en la humanidad glorificada de Jesús, no podía, a medida que la fe se hacía reflexiva, continuar poniéndose solamente en su humanidad. La razón es que la humanidad glorificada era sólo un pálido reflejo de su condición divina. El cambio de perspectiva era inevitable y necesario en la medida en que daba sus frutos, pues sólo así la reflexión sobre el misterio de Jesucristo podía alcanzar una fase madura y encontrar expresión adecuada. La cristología hacia arriba condujo a la cristología hacia abajo, arrastrada por el dinamismo de fe.

Esto no significa afirmar que la cristología hacia abajo sustituya a la cristología hacia arriba, haciéndola obsoleta. La cristología del prólogo y del evangelio de Juan no canceló la del kerigma de la Iglesia primitiva. Ni nosotros, hoy, hemos de elegir entre las dos o, por esta razón, entre las distintas cristologías de los varios escritores neotestamentarios. Siguen siendo, por el contrario, enfoques diversos, fragmentarios y mutuamente complementarios del misterio de Jesucristo, que se sitúa por encima de cada uno de ellos y que siempre escapará a una comprensión plena. Hoy, como en la Iglesia primitiva, las diversas cristologías del Nuevo Testamento han de mantenerse, por tanto, en una tensión y en un diálogo fructíferos por miedo —eligiendo uno a expensas de otro— a no abarcar en nuestra visión la plenitud del misterio y, quizá, a perder de vista tanto la auténtica humanidad de Jesús como su verdadera filiación divina.

Éste es el motivo por el que, si bien en un cierto sentido la cristología del evangelio de Juan y, particularmente, la del prólogo representa el culmen de la cristología neotestamentaria, ésta no puede convertirse en un modelo absoluto y exclusivo, con el resultado consiguiente de no dejar lugar alguno a la cristología más antigua del kerigma primitivo. Sin embargo, como se dirá enseguida, esto sucedió en no pequeña medida y no sin serios peligros y resultados negativos en la historia de la cristología después del concilio de Calcedonia, si bien no en conexión directa con este último. Gran parte de los escritos cristológicos recientes, por el contrario, se presentan como reacción masiva frente al monopolio secular y al predominio unilateral del modelo cristológico «desde arriba».

Contrariamente, sin embargo, habrá que preguntarse también si la cristología «desde abajo», mediante la cual la reflexión cristológica reciente se vincula nuevamente a la del kerigma primitivo, se puede bastar a sí misma y ser plenamente adecuada sin el complemento de una cristología «desde arriba». Juzgando desde la pluralidad de cristologías en la unidad de fe, de la que el Nuevo Testamento es digno testigo, se puede ya suponer que, para evitar que resulte unilateral en una dirección u otra, la reflexión cristológica tendrá que seguir siempre un doble camino, «desde abajo» y «desde arriba», e integrar ambos. Y viceversa. O bien, lo que es lo mismo, partiendo de la soteriología se acercará a la cristología para completar de este modo un círculo, recorriendo dos veces el camino completo arriba mencionado. Esto es quizá lo que significaría un acercamiento «integral» a la cristología.

Esta cristología integral asignaría al planteamiento desde abajo su papel legítimo y necesario, consciente del modo con que el kerigma primitivo presentó la persona y la obra de Jesús. «Jesús de Nazaret fue el hombre a quien Dios acreditó entre vosotros con los milagros, prodigios y señales que realizó por medio de él entre vosotros...» (Hch 2,22). La cristología de Pedro, el día de Pentecostés, era la de la presencia y de la obra de Dios en el hombre Jesús: era una cristología del «Dios en el hombre» y no del «Dios-hombre». ¿Qué significa esto para nosotros hoy?

Finalmente, ya hemos observado anteriormente que, en la reflexión gradual de la Iglesia sobre el misterio de Jesucristo, el Nuevo Testamento ocupa un lugar privilegiado como punto necesario de referencia para toda elaboración posterior. Es y debe seguir siendo en todo momento la «norma última» (norma normans). La razón es que la cristología neotestamentaria representa la interpretación auténtica del misterio por parte de la comunidad apostólica de los comienzos, inspirada por el Espíritu Santo y reconocida por la Iglesia como Palabra de Dios. Pero se ha de recordar que este testimonio no es monolítico. Más bien, se compone de una pluralidad de testimonios en la unidad de fe. La tensión en la unidad de las diversas cristologías del Nuevo Testamento garantiza todavía hoy la legitimidad y la necesidad de una pluralidad de cristologías.

IV

Desarrollo histórico y actualidad
del dogma cristológico

La perspectiva original de la cristología neotestamentaria era funcional: se preguntaba y establecía *qué* era Jesús para nosotros. Sin embargo, mediante el dinamismo de la fe, tal perspectiva evolucionó hacia la ontológica, cuya pregunta se convertía en: *¿Quién* es Jesús en sí mismo y en relación a Dios? Esta perspectiva ulterior, que fue desarrollándose gradualmente en el Nuevo Testamento, se expresó en un lenguaje «óntico» e hizo uso de términos como *theos, patèr, logos, huios, sarx, anthròpos...* El capítulo precedente ha demostrado la naturaleza homogénea de este proceso de desarrollo. El presente trata de seguir el desarrollo de la cristología posbíblica, esto es, del dogma cristológico a través de los concilios de la era patrística. Su intención es demostrar, a pesar de una real discontinuidad lingüística, la continuidad de «sentido» y de contenido que existe entre la cristología del Nuevo Testamento y el dogma cristológico de la Iglesia. En el seguimiento del desarrollo histórico del dogma cristológico es también nuestro propósito hacer que aparezca la lógica interna en su misma génesis, la dialéctica, si así puede llamarse, de su proceso evolutivo. Se planteará también el problema del valor permanente y de la actualidad del dogma cristológico en el momento actual. Se dará lugar a una valoración y, siguiendo un enfoque integral, se abrirán perspectivas para una renovación de la cristología.

Fundamental para el Nuevo Testamento era la afirmación de que en Jesucristo, mediante su muerte y resurrección, los hombres habían sido salvados; su identidad personal de Hijo de Dios llegó a descubrirse de forma progresiva como el fundamento esencial sin el que su función salvífica no hubiera tenido consistencia alguna. Este planteamiento soteriológico de la cristología quedó como perspectiva fundamental en la reflexión cristológica posbíblica: la función salvífica de Jesús continuó actuando de trampolín para el descubrimiento de su persona. La función y la ontología se dieron la mano. La coincidencia de las dos dimensiones quedó bien manifiesta en los axiomas que los primeros Padres de la Iglesia tuvieron como fundamentales: «Se hizo hombre para que nosotros fuéramos divinizados»; «Tomó sobre sí lo que es nuestro para compartir con nosotros lo que es suyo». Los Padres, por tanto, hablaron del «trueque maravilloso» *(admirabile commercium)* realizado entre el Hijo de Dios encarnado y la humanidad como la verdadera razón de ser de la encarnación. Compartió con nosotros su filiación. Y en esto consiste la salvación de los hombres, pues «todo lo que no asumió (él) no quedó salvo».

En su forma original, el axioma del «trueque maravilloso» tiene una característica fuertemente personalista y trinitaria: el Hijo de Dios se hizo hombre para que participáramos de su filiación divina. Nos hacemos «hijos en el Hijo», siendo hechos partícipes de su inmortalidad e incorruptibilidad. Ireneo escribió así en el siglo segundo:

«Por eso el Verbo de Dios se hizo hombre y el Hijo de Dios Hijo del hombre, a fin de que el hombre entrase en comunión con el Verbo de Dios y, recibiendo la adopción, se hiciese Hijo de Dios. En efecto, no habríamos podido recibir la eternidad y la inmortalidad... si antes el Eterno y el Inmortal no se hubiera hecho lo que nosotros somos»[1].

Más tarde, sin embargo, la característica personal de la participación en la filiación del Hijo se pondrá a veces en segundo plano para poner el acento en el cambio de las naturalezas, entre la divina y la humana. Por eso, Atanasio, en el siglo IV d.C., citando el axioma en su forma mencionada, escribe:

«Siendo Dios, se hizo hombre para divinizarnos[2].
Él [el Verbo] se hizo hombre para que nosotros fuésemos divinizados[3].

Con el paso de una forma a otra, el «trueque maravilloso» que tiene lugar en Jesucristo sufre un cambio de acento: de un compartir la filiación entre los hijos se pasa a una participación por parte del hombre en la naturaleza de Dios. Esta segunda perspectiva corría el riesgo de oscurecer los aspectos personales e históricos del misterio y, eventualmente, podía desviar la reflexión cristológica y soteriológica hacia consideraciones abstractas y estáticas[4].

El dogma cristológico se desarrolló en los primeros siglos en el contexto del encuentro entre el misterio cristiano y la filosofía del ambiente helenístico. Este encuentro constituyó, al mismo tiempo, tanto una oportunidad como un peligro. Fue una gracia y una tarea. La oportunidad consistía en la posibilidad de expresar el misterio de Jesucristo en los términos de la cultura prevalente en el mundo helenístico: era un don de «inculturación». El reto consistía en mantener intacto el significado y en transmitir la integridad

---

[1] *Adv. Haer.*, III, 19, 1; *Sources chrétiennes*, 34, 332.
[2] *Contra Ar.*, 1, 38; PG 26, 92B.
[3] *De Incarn.*, 54; PG 25, 192.
[4] Cf. P. SMULDERS, «Desarrollo de la cristología en la historia de los dogmas y del magisterio», en J. FEINER-M. LÖHRER (eds.), *Mysterium Salutis*, III, 1, Cristiandad, Madrid ²1980.

del misterio revelado, incluso trasponiéndolo desde la terminología del Nuevo Testamento a la de la filosofía helenística.

El peligro —nada imaginario, como demostró la historia de las primeras «herejías» cristianas— era dar lugar a toda posible forma de reduccionismo que redimensionara el misterio de Jesucristo insertándolo en el edificio existente de la especulación helenística. No se puede suponer que las herejías cristológicas intentaran siempre semejante reduccionismo; a menudo sus protagonistas, aunque equivocados, se movían por el deseo sincero de verter el misterio a su cultura. Es cierto, sin embargo, que las primeras herejías llevaron a semejante reduccionismo, y ésta es la razón por la que la Iglesia empeñó todas sus fuerzas para rechazarlas.

Una breve mirada a la especulación cristológica de los primeros siglos bastaría para comprobar esto abundantemente [5]. Mantener la integridad del misterio de Jesucristo, tal como está revelado en el Nuevo Testamento, significaba afirmar simultáneamente tanto la existencia auténticamente humana de Jesús, que murió y resucitó de entre los muertos por obra de Dios, como su condición divina e identidad personal de Hijo de Dios. Contra todo cortocircuito que, manteniéndose firme en un aspecto del complejo misterio, habría comprometido al otro, la Iglesia tuvo que elegir la *lectio difficilior* que permitiese mantener ambos aspectos en una tensión fecunda.

La amenaza más antigua para la integridad del misterio de Cristo —conocida ya en tiempos apostólicos y contra la que reacciona con vehemencia la cristología del Nuevo Testamento, en particular la de Juan (cf. 1 Jn 1,1-2)—, fue la del «docetismo». Esta corriente tendía a reducir la existen-

---

[5] Cf. B. Sesboüé, *Jésus-Christ dans la tradition de l'Église*, Desclée, París 1982, 55s.

cia humana de Jesús a pura apariencia o a teofanía bajo forma humana. El reduccionismo provocado por la especulación filosófica helenística estaba claramente en acción. Para la filosofía helenística —así como para los mismos antiguos filósofos griegos— era inconcebible que Dios pudiese estar implicado personal y realmente en la realidad humana, pues semejante implicación tanto en la creación como en la historia no era digna de lo Infinito. La existencia humana de Jesús, por tanto, entendida como manifestación divina, no podía ser nada más que una simple apariencia. Contra la herejía docetista, que vaciaba el mensaje cristiano, los Padres de la Iglesia reaccionaron poniendo el acento en la entrada de forma personal del Hijo de Dios en la historia y en la autenticidad de su vinculación a la carne humana. En Jesucristo, insistieron, la carne humana se convirtió en el eje de salvación: *caro, cardo salutis* (Tertuliano). La primera batalla que había que entablar contra el reduccionismo cristológico, suscitado por la especulación helenística, tenía que ver, por tanto, con la realidad de la existencia humana de Jesús. Las herejías comenzaron desde abajo.

Hablando en general, el desarrollo del dogma cristológico de los primeros siglos puede dividirse en tres períodos que corresponden a tres diferentes formas de reduccionismo cristológico a los que la Iglesia respondió, por su parte, con nuevas aclaraciones y ulteriores articulaciones del complejo misterio. La primera forma de reduccionismo se refería a la realidad e integridad de la existencia humana de Jesucristo: la respuesta al docetismo, mencionado arriba, vino del mismo Nuevo Testamento y de los primeros Padres de la Iglesia, entre ellos Ireneo y Tertuliano. En su segunda forma, el reduccionismo cristológico iba dirigido a la condición divina de Jesús, dando así lugar a herejías como el adopcionismo, el sabelianismo, el arrianismo y otros. Contra tendencias semejantes, los dos primeros concilios ecuménicos, el de Nicea (325) y el de Constantinopla (381)

—que son a un tiempo cristológicos y trinitarios—, afirmaron tanto la verdadera dignidad del Hijo de Dios, igual al Padre, como la integridad de su existencia humana. La tercera forma de reduccionismo cristológico tuvo que ver con la unión misteriosa, realizada en Jesucristo, entre su condición divina y la humana. Este misterio de unión en la distinción produjo herejías opuestas: algunas, manteniendo la distinción, sacrificaban la unidad, como el nestorianismo; otras, por el contrario, afirmando la unidad, negaban la distinción, como en el caso del monofisismo. Estas herejías no hacían justicia al Hijo de Dios hecho carne y fueron condenadas, respectivamente, por los concilios de Éfeso (431) y de Calcedonia (451).

Enseguida veremos estos desarrollos; pero es importante observar desde el principio que todas las formas de reduccionismo cristológico brotan del mismo origen, esto es, de la tendencia —que tendrá su equivalente mucho más tarde, incluso en los tiempos modernos, por ejemplo en la filosofía idealista— de reducir el misterio de Jesucristo al alcance de las especulaciones humanas. Contra todas estas tendencias, la Iglesia aclaró progresivamente la ontología de la persona de Jesucristo hasta distinguirlo netamente de todo retrato reduccionista y conservar íntegra la originalidad y la característica aparentemente escandalosa del mensaje evangélico: «Cristo crucificado, que es escándalo para los judíos y locura para los paganos» (1 Cor 1,23). En este proceso la Iglesia hizo uso de instrumentos conceptuales utilizados en el ambiente cultural helenístico.

El capítulo segundo y tercero han demostrado que el Nuevo Testamento da testimonio del desarrollo de la cristología de funcional a ontológica. En correspondencia a este desarrollo se constató una cierta evolución terminológica. Observamos que el término *theos* terminó por usarse sólo de forma progresiva —y probablemente no antes de los escritos joáneos [6]— en referencia a la persona de Jesu-cristo, y que este nuevo uso del término tenía la finalidad de comunicar la condición divina que el Hijo, hecho hombre, compartía con el Padre. El desarrollo del dogma cristológico en la tradición posbíblica da testimonio de una progresiva adopción de una terminología ontológica tomada de la filosofía helenística.

Sería erróneo, sin embargo, creer que la cultura del ambiente helenístico ofreció términos confeccionados capaces de expresar el significado del misterio cristológico o del trinitario. Los términos existentes, en efecto, siguieron siendo ambiguos en su significado y se usaron libremente en sentidos diversos. En particular, la filosofía griega y helenística no había distinguido nunca claramente la naturaleza de la persona, distinción que tanto el misterio trinitario como el cristológico harían necesaria para la reflexión de los Padres de la Iglesia. En consecuencia, ningún término se refiere sin ambigüedad a un concepto como distinto del otro. La confusión llega al máximo a propósito del término griego *hupostasis*. Traducido literalmente al latín como *substantia*, este término, sin embargo, era usado por griegos y latinos con significados opuestos. Así, por lo que respecta al misterio trinitario, los griegos se referían a las *treis hupostaseis* en Dios, es decir, a las tres «personas», mientras que los latinos hablaban de *una substantia*, refiriéndose a la naturaleza divina. Nacieron, por tanto, malentendidos recíprocos: los latinos acusaron a los griegos de «triteísmo» y éstos, al contrario, acusaron a los latinos de «modalismo». Hubo una análoga ambigüedad de conceptos y de términos a propósito del misterio cristológico, que, de hecho, duró más tiempo. La ambigüedad lingüística y los equívocos provocados por ella fueron decisivamente superados por un

---

[6] Cf. capítulo III, nota 13.

canon del concilio de Constantinopla II (553), en el que se distinguieron claramente los términos referidos a la persona y a la naturaleza, equivalentes en las dos tradiciones, griega y latina: en griego *phusis* y *ousia* se refieren a la «naturaleza», *hupostasis* y *prosòpon* a la «persona». En latín *natura* y *substantia* (también *essentia)* a la «naturaleza», *persona* y *subsistentia* a la «persona» [7].

Otro ejemplo de ambigüedad terminológica y del progresivo esclarecimiento del significado se refiere al término *homoousios* («consustancial»), que terminó usándose en el concilio de Nicea (325) como término clave para designar la igualdad del Hijo con el Padre en la divinidad. El mismo término fue condenado anteriormente por un concilio local de Antioquía (269), pues se sospechaba que Pablo de Samosata lo había usado en un sentido aparentemente modalista (que negaba la distinción de las personas en la unidad de la naturaleza). La reflexión trinitaria y cristológica, aun haciendo uso de términos existentes o derivados de la filosofía helenística, les imponía un significado «sobreañadido», sin el cual habrían quedado incapaces de expresar el mensaje cristiano.

El uso de la terminología helenística por la tradición posbíblica ha sido acusado con frecuencia de haber corrompido el mensaje cristiano por vía de la «helenización» [8]. O lo que es peor todavía, en los años recientes, de haber reducido a una «alienación» al Jesús de la historia [9]. Para rechazar la acusación de «alienación», la cristología tiene la

---

[7] Cf. DENZINGER-SCHÖNMETZER, *Enchiridion Symbolorum Definitionum et Declarationum de Rebus Fidei et Morum*, Helder, Friburgo 1965, n. 421; cf. NEUNER-DUPUIS, *The Christian Faith*, n. 621/1.

[8] Cf. especialmente R. DEWART, *The Future of Belief. Theism in a World Come of Age*, Herder, Nueva York 1966; ÍD., *The Foundations of Belief*, Burns and Oates, Londres 1969.

[9] Cf. por ejemplo S. KAPPEN, *Jesus and Freedom*, Orbis Books, Maryknoll, Nueva York, 1977.

tarea de demostrar la continuidad de contenido y de significado entre la cristología neotestamentaria y el dogma cristológico de la Iglesia, de la misma manera que, anteriormente, tuvo que demostrar la continuidad entre el Jesús de la historia y el Cristo de la fe de la Iglesia apostólica.

Por lo que respecta a la «helenización», sin embargo, hay que distinguir entre el uso legítimo, en el contexto histórico necesario, de la terminología ontológica para expresar el significado «idéntico» inalterado y la reducción del contenido del misterio a la especulación griega, expresada en términos helenísticos. El primer procedimiento equivale al de la «inculturación» del mensaje cristiano; el segundo, a su corrupción, mediante un reduccionismo a la especulación filosófica. Varios autores han demostrado [10] que en el desarrollo del dogma cristológico está en acción el primero y no el segundo procedimiento; por el contrario, la «helenización» como inculturación fue practicada por la tradición antigua frente a las tendencias heréticas que confluían en una helenización entendida como reduccionismo. En este último sentido, hay que decir que la tradición cristiana «deshelenizó» el misterio de Jesucristo en lugar de «helenizarlo» o, por decirlo en términos más precisos, que el dogma cristológico representa una «deshelenización» de contenido en una «helenización» de la terminología. Así, A. Grillmeier escribe con agudeza:

> «Nicea no es un ejemplo de helenización sino de deshelenización, un ejemplo de liberación de la imagen cristiana de Dios del punto muerto y de las divisiones hacia las que el helenismo la estaba conduciendo. No fueron los griegos los que produjeron

---

[10] Cf. B. LONERGAN, *The De-hellenization of Dogma*, «Theological Studies» 28 (1967) 336-351; A. GRILLMEIER, «De Jésus de Nazareth 'dans l'ombre du Fils de Dieu' au Christ, image de Dieu», en *Comment être chrétien? La réponse de H. Küng*, Desclée de Brouwer, París 1979; ÍD., *Christ in Christian Tradition*, vol. II: *From the Council of Chalcedon to Gregory the Great (590-604)*, Mowbray, Londres 1986.

Nicea; fue más bien Nicea la que superó a los filósofos griegos...»[11].

En efecto, lo que se realizó no fue la helenización del cristianismo sino la cristianización del helenismo. El proceso de inculturación del cristianismo en una cultura particular implica, siempre y necesariamente, un movimiento hacia la cristianización del ambiente circundante, cuyos conceptos, en la medida en que son usados para expresar el misterio cristiano, asumen un significado sobreañadido. M. Bordoni describe acertadamente la compleja interacción entre fe y cultura que opera en el desarrollo del dogma cristológico durante el período que precede a la definición de Calcedonia. Escribe:

«Toda cultura es un horizonte legítimo de expansión y penetración del mensaje; es por ello que la Palabra de Dios nos obliga a superar ese fundamentalismo bíblico que se reduce a un fixismo literario, para poner de relieve la permanente exigencia de su actualización en una inteligencia siempre renovada de la idéntica Palabra. En el necesario proceso de 'inculturación', que responde a la permanente encarnación de la palabra eterna, el lenguaje cristiano, en virtud de la novedad y originalidad derivadas de su tradición de fe, ha de proveerse necesariamente de los espacios propios, utilizando y modificando, cuando sea necesario, las categorías y las estructuras lingüísticas para hacerles capaces de expresar el misterio de la salvación que anuncia... Un auténtico proceso de helenización que respete una necesaria inculturación histórica de la fe ha de ir unido a un proceso simultáneo de deshelenización... Fueron, en efecto, los movimientos del pensamiento heterodoxo los que en realidad llevaron adelante una helenización de la fe que impuso rígidamente los esquemas conceptuales de la cultura sobre el lenguaje kerigmático. El pensamiento ortodoxo de la teología patrística, por el contrario, que encarnaba la fe cristológica en el contexto del mundo griego, en coherencia con la tradición de la Iglesia, estaba preparando activamente la nueva interpretación lingüística, que Calcedonia sancionó solemnemen-

---

[11] Cf. *art. cit.*, 128.

te, y daba paso a una intervención, al mismo tiempo correctiva (deshelenización) e indicativa (reinterpretativa), para el ulterior desarrollo de la tradición de fe» [12].

Hemos demostrado la existencia en el Nuevo Testamento de dos enfoques diversos de la cristología, «desde abajo» y «desde arriba», así como de la evolución progresiva de un enfoque hacia el otro. Aunque es del todo visible en la tradición posbíblica un cambio definitivo del método funcional al ontológico, los dos siguen existiendo.

La cristología «desde abajo» consistirá ahora en partir del hombre Jesús, es decir, del estado humano y de la naturaleza humana de Jesús, para elevarse a su divinidad como Hijo de Dios. Este método, típico de la tradición antioquena, ha sido calificado a menudo como la cristología del *homo assumptus*, llamada por A. Grillmeier la cristología del *Logos-anthròpos*, y corresponde, en clave ontológica, al movimiento cristológico «desde abajo» del primitivo kerigma apostólico. El peligro en el que se puede caer consiste en no alcanzar de manera adecuada a la naturaleza divina de Jesucristo, Hijo del Padre. Este peligro natural condujo históricamente a la herejía nestoriana, que fue definitivamente condenada por el concilio de Éfeso (431). En dirección opuesta se desarrolló una cristología «desde arriba», que tomó como punto de partida la unión en la divinidad del Hijo de Dios con el Padre y de aquí pasó a afirmar la verdadera humanidad que tomó en el misterio de la encarnación: este método, propio de la tradición alejandrina, se llama cristología del *Logos-sarx* y corresponde a la etapa posterior de la reflexión cristológica neotestamentaria, en cuyo ápice está la cristología de la encarnación del prólogo del evangelio de Juan. Su posible defecto y peligro consis-

---

[12] M. BORDONI, *Gesù di Nazareth. Presenza, memoria, attesa*, Queriniana, Brescia 1988, 324.

tiría ahora en no dar cuenta suficiente de la realidad y autenticidad de la condición humana de Jesús. Este eventual peligro llegó históricamente a su cumbre en la herejía del monofisismo, condenado por el concilio de Calcedonia (451).

Los dos métodos, brevemente descritos, fueron legítimos de por sí. Los dos estaban fundados en estratos diferentes de la cristología neotestamentaria y los dos, sin embargo, eran potencialmente peligrosos siempre que, partiendo de un aspecto, el pensamiento cristológico no hubiera alcanzado al otro. Las siguientes páginas intentan describir el ir y venir, las oscilaciones del péndulo de una perspectiva a otra, por los que la Iglesia, mediante el desarrollo histórico del dogma cristológico, respondió a todo reduccionismo con enunciaciones siempre más articuladas del misterio de Jesucristo. Su fin es demostrar la lógica de este desarrollo, la dialéctica que lo anima y, al mismo tiempo, la actualidad y el valor permanente de las formulaciones cristológicas dogmáticas [13].

LOS CONCILIOS CRISTOLÓGICOS:
CONTEXTO Y RESPUESTA

La exposición se limitará a los principales concilios cristológicos, desde Nicea (325) a Constantinopla III (681), que influyeron significativamente en la evolución del dogma cristológico. Para cada uno de ellos se expondrán brevemente el contexto histórico, el significado de la formula-

---

[13] Sobre la siguiente sección se pueden consultar: A. AMATO, *Gesù il Signore*, Dehoniane, Bolonia 1988, 147-302; B. FORTE, *Jesús de Nazaret, historia de Dios, Dios de la historia*, San Pablo, Madrid 1983.

ción de fe de la Iglesia y la actualidad tanto de los problemas como de las respuestas dadas por ellos.

1. El concilio de Nicea

a) La problemática de Nicea

El contexto del concilio de Nicea es el de la escuela alejandrina de cristología y, especialmente, de la negación por parte de Arrio, sacerdote de Alejandría († 336), de la igualdad en la divinidad del Hijo de Dios con el Padre. La cristología neotestamentaria y los símbolos de fe posteriores fundaron su afirmación de la filiación divina de Jesucristo en el estado glorificado de su humanidad resucitada. En los antiguos símbolos la condición divina se atribuía al hombre Jesús, muerto y resucitado, de quien la fe profesaba la pre-existencia como Hijo de Dios. ¿Cómo comprender, sin embargo, esta filiación divina pre-existente? Podemos observar que la perspectiva en la que se planteaba el problema era la de la cristología ascendente, desde abajo, y que el movimiento y la dirección que se seguían eran considerados como característicos de la cristología del kerigma primitivo.

Una afirmación en términos propios de la divinidad del Hijo pre-existente parecía contradecir tanto al monoteísmo bíblico como al concepto filosófico de la unicidad absoluta de Dios. Y precisamente sobre estas dos bases funda Arrio su argumentación, apelando, por un lado, a algunos textos del Antiguo Testamento, especialmente a Prov 8,22, y, por otro, a la «monarquía» divina, al neoplatonismo y a la filosofía estoica del logos-creator. Sostenía que el Hijo de Dios había sido «engendrado» (gennètos), término que, sin embargo, entendía en el sentido lato de «producido» (genètos) pero que aplicaba en el sentido específico de «hecho», «creado». El Hijo, por tanto, era inferior al Padre, pues había sido creado por Dios en el tiempo y se había convertido en el instrumento del que se había servido Dios para crear el mundo. Era, en efecto, un intermediario entre Dios y el mundo, no, por el contrario, el mediador entre Dios y la humanidad que unía a ambos en su persona. Ni verdadero Dios ni igual a Dios, el Hijo, para Arrio, no era tampoco verdadero hombre, ya que la carne (*sarx*) que el Verbo (*Logos*) le unió no constituía —ni podía hacerlo— una verdadera y completa humanidad. Aparece, pues, claramente que la perspectiva *Logos-sarx* condujo a Arrio a una cristología reduccionista que no daba cuenta del misterio revelado de Jesucristo en ambos aspectos, el de la divinidad y el de la humanidad, a propósito de los cuales el reduccionismo de Arrio se basaba principalmente en consideraciones filosóficas tendentes a «helenizar» el contenido.

b) El significado de Nicea

En respuesta a la crisis arriana, el concilio de Nicea (325) afirma que la filiación divina, que el Nuevo Testamento atribuye a Jesucristo, ha de ser entendida en sentido estricto. Lo que hace el concilio es interpretar la confesión de fe neotestamentaria en el contexto de la crisis arriana dando salida a ulteriores explicaciones que hacen uso de categorías helenísticas.

A pesar de la estructura trinitaria de la profesión de fe nicena [14], su segundo artículo, relativo a la Persona de Jesucristo, adopta —como lo hacía el problema planteado por Arrio— una perspectiva desde abajo. Se habla directamente de Jesucristo, del que se afirma la filiación divina. A la categoría bíblica del «unigénito» (*monogenès*) del Padre se

---

[14] Para el texto, cf. DENZINGER-SCHÖNMETZER, *Enchiridion*, n. 125; NEUNER-DUPUIS, *The Christian Faith*, nn. 7-8; A. AMATO, *Gesù il signore*, 166.

añade, a modo de explicitación *(toutestin),* la de ser «de la sustancia» *(ousia)* del Padre, la de ser engendrado *(gennè-tos),* no hecho *(poiètheis)* y —éste es el término decisivo— la de ser «de la misma sustancia» *(homoousios)* del Padre. El término *homoousios,* sin embargo, se ha de interpretar en el contexto en que está usado: respondiendo a la negación arriana de la igual divinidad del Hijo con el Padre, el concilio afirma directamente la identidad genérica de la naturaleza y no ya —como sucederá más tarde— la identidad numérica de la naturaleza. Lo que se proclama es que el Hijo de Dios es tan divino como el Padre e igual a él en la divinidad.

En su acercamiento desde abajo, el símbolo de Nicea continúa afirmando, de forma prioritaria, los títulos mesiánicos de Jesús como el Resucitado («un solo Señor Jesucristo»); sigue a continuación la proclamación de su filiación divina en el lenguaje «óntico» del evangelio de Juan *(monogenès,* el «unigénito»), acaecida a su vez tras explicitaciones hermenéuticas acuñadas en el lenguaje ontológico helenístico *(ousia, homoousios).* El texto pasa así por tres registros lingüísticos, mostrando primeramente la continuidad entre el lenguaje funcional y el óntico del Nuevo Testamento, y después entre el lenguaje óntico y el ontológico, este último de procedencia helenística. Se añade el tercer registro para preservar en su integridad el significado bíblico de la filiación divina con Dios de Jesucristo. Al mismo tiempo, su interpretación en un lenguaje ontológico lleva a un descubrimiento de su significado a un nivel más profundo de conciencia. Por lo que respecta a la condición humana de Jesús, el símbolo de Nicea, para contrarrestar el reduccionismo arriano, afirma que en Jesucristo el Hijo de Dios no sólo «se hizo carne» *(sarkòtheis),* sino que añade a modo de explicación: «se hizo hombre» *(enanthròpèsas).*

Esta «humanización» del Hijo de Dios se ve en una perspectiva soteriológica que prolonga el motivo soteriológico de la cristología de los Padres de la Iglesia. Estaba en juego, como bien lo había captado san Atanasio, el protagonista de Nicea, la salvación de la humanidad en Cristo Jesús: si Jesucristo no fue ni verdadero hombre ni verdadero Dios, como afirmaba la cristología *Logos-sarx* de Arrio, no sería capaz de traer la salvación o la humanidad no podría salvarse en él. El axioma tradicional «se hizo hombre para que nosotros fuéramos divinizados» quedaba por ello negado desde los dos polos y bajo los dos aspectos. Y con él la experiencia fundante de la Iglesia apostólica, según la cual la salvación de la humanidad consistía en su filiación con Dios en Jesucristo, quedaba amenazada. Para hacer partícipes a los hombres de la filiación de Jesucristo con Dios, era necesario que el Hijo encarnado fuera verdadero hombre y verdadero Dios, el «mediador», es decir, el que une en su propia persona tanto la humanidad como la divinidad, y no un «intermediario» que no es ni lo uno ni lo otro. Sólo así podía verificarse el «trueque maravilloso» de condición y de participación en la filiación divina entre Jesús y nosotros de la que habían hablado los Padres.

Nicea mostró así la estrecha unión que existe entre la soteriología y la cristología, es decir, entre *lo que* Jesucristo es para nosotros y *lo que* Jesús es en sí mismo. Demostró, casi anticipándose a las tendencias reduccionistas posteriores, que toda separación del Cristo-para-mí del Cristo-en-sí-mismo o del Cristo-para-Dios arruina a la fe. Se desarrolla aquí también la unión necesaria entre la Trinidad «económica» y la «ontológica» o «inmanente». La economía de la salvación, realizada por Dios mediante la misión del Hijo y del Espíritu, conduce a la afirmación de la comunicación entre las personas dentro de la divinidad: en el origen de la economía divina de la salvación se descubre la Trinidad ontológica. Y así la profesión nicena de la fe cristológica se inserta en un símbolo trinitario de fe.

c) La actualidad de Nicea

El arrianismo representó una helenización del contenido de la fe cristológica de la Iglesia. Contra esto, el credo niceno afirmó claramente la diferencia entre el misterio de Jesucristo y los conceptos filosóficos helenísticos. Si bien se expresa en un lenguaje helenístico, pues se había hecho necesario a través de la helenización lingüística, este dogma representa una deshelenización del contenido. Por un lado, no existían de antemano categorías ontológicas susceptibles de ser usadas para expresar el misterio; había que crearlas de nuevo. De otro, había que usar los términos existentes, pero, a medida que se les usaba para expresar el misterio, éstos recibían un nuevo y «sobreañadido» significado. Una auténtica «inculturación» ha de dar cuenta, en el lenguaje de la cultura circundante, de la diferencia de contenido entre la fe cristiana y los conceptos filosóficos vehiculares de la cultura. Esto es precisamente lo que Nicea hizo al enfrentarse con la cultura helenística.

El uso del lenguaje filosófico por parte de Nicea ha hecho surgir a menudo sospechas, sobre todo en tiempos recientes. ¿Por qué no contentarse con el lenguaje bíblico? ¿Por qué el uso de los términos filosóficos, cuyo resultado es imponer al objeto de fe un vestido externo de conceptos abstractos? Por otro lado, ¿por qué mantener como normativos a lo largo de los siglos conceptos que fueron usados por el dogma cristológico en un contexto particular histórico-cultural y que ya no están «en sintonía» con el ambiente cultural actual? Más adelante daremos una respuesta formal a estos interrogantes. Mientras tanto, podemos dirigir la atención hacia la naturaleza histórica de la revelación cristiana.

Esta naturaleza histórica exige una siempre renovada «actualización», en la historia y en la cultura, del lenguaje, mediante el cual se propone el contenido inmutable de la fe. Por otro lado, una actualización semejante no consiste simplemente en una «traducción» o «trasposición»; exige, más bien, una «reinterpretación» dentro de un nuevo contexto de un contenido inmutable. En este sentido, para responder a Arrio era preciso discernir entre dos modos posibles de comprender la filiación divina de Jesucristo.

Nicea nos da una interpretación que mantiene el significado bíblico pero haciendo uso de la terminología ontológica y helenista. Esta elección y el discernimiento de fe que implica sigue siendo notablemente actual: hoy no faltan cristologías reduccionistas que interpretan la filiación divina de Jesucristo hasta hacerlo en alguna manera «divino», pero no «verdaderamente Dios» e igual a Dios Padre en la divinidad.

La cristología de Nicea comporta implicaciones para el concepto cristiano de Dios. Subraya la propia peculiaridad a dos distintos niveles: Dios se autocomunica personalmente en la existencia humana del hombre Jesús; esta autocomunicación de Dios en su Hijo encarnado desvela la existencia de autocomunicación entre las tres personas que existe en el misterio de la vida íntima de Dios: la Trinidad económica pone de manifiesto la ontológica. Arrio no llegó a reconocer en Jesucristo el «rostro humano de Dios» (J. A. T. Robinson), según las palabras de Jesús en el evangelio de Juan: «el que me ve a mí, ve al Padre» (Jn 14,9). Apelando a la trascendencia divina, Arrio se negó a admitir que Dios pudiera estar sujeto al devenir y someterse a la humillación y a la muerte humana. La fe cristiana, por el contrario, profesa, según el Nuevo Testamento, el «autovaciamiento» *(kenòsis)* de Dios mismo en Jesús. Afirma abiertamente que la absoluta trascendencia y libertad de Dios lo hacen capaz de autocomunicarse totalmente a los hombres en un hombre. Semejante comunicación divina a la humanidad nos abre, a su vez, una nueva perspectiva hacia lo que es Dios en sí mismo: autocomunicación eterna entre el Padre y el Hijo. La cristología de Nicea, por tanto, conduce a nuevas intuiciones del misterio de Dios: Jesucristo es verdaderamente Dios porque es el verdadero Hijo de Dios [15].

2. El concilio de Éfeso

a) La problemática de Éfeso

En Éfeso, como en Nicea, el problema que se planteaba era cómo entender la divinidad de Jesucristo. Sin embargo, la cuestión en ambos casos se plantea desde dos perspectivas opuestas. La problemática de Nicea se planteó desde abajo: ¿Es Jesucristo verdaderamente Hijo de Dios? La de Éfeso, por el contrario, se hace desde arriba y se pregunta: ¿En qué sentido y en qué manera el Hijo de Dios se hizo hombre en Jesús? El discurso tiene que ver directamente con el Hijo de Dios y no con el hombre Jesús. Sigue, según Juan 1,14, el movimiento de la «encarnación» del Hijo de Dios para indagar la realidad y la modalidad de su unión con el hombre Jesús.

Este cambio de perspectiva, la ascendente y la descendente, reproduce lo que anteriormente había sucedido en el Nuevo Testamento; la reflexión cristológica posbíblica, por tanto, sigue las huellas de la cristología neotestamentaria. En ambas perspectivas existía el peligro de dejar una distancia entre Dios y el hombre Jesús; pero, mientras en Nicea esto habría significado que Jesús no era verdadera-

---

[15] La cristología del concilio de Constantinopla I (381) sólo añade precisiones ulteriores al de Nicea; se pueden dejar de lado aquí. Para el símbolo de Constantinopla I, cf. DENZINGER-SCHÖNMETZER, *Enchiridion*, n. 150; NEUNER-DUPUIS, *The Christian Faith*, n. 12.

mente Dios, en Éfeso habría dejado entender que el Hijo de Dios, no siendo realmente uno con él, se distanciaba del hombre Jesús. Estaba en cuestión, por tanto, la unidad de Jesucristo, verdadero Dios y verdadero hombre. Y en esto, está no menos en juego el escándalo de la encarnación del Hijo de Dios. ¿Es concebible que el Hijo eterno de Dios se haya sometido *a sí mismo* al devenir humano, a la humillación y a la muerte humana?

Nestorio, sacerdote de Antioquía que llegó a ser patriarca de Constantinopla, planteó el problema de la verdadera unidad divino-humana en Jesucristo en una perspectiva ascendente, esto es, desde abajo. Partiendo, como la tradición antioquena, del hombre Jesús, se preguntó de qué manera estaba unido al Hijo de Dios. La suya era una cristología del *homo assumptus*. Su antagonista, Cirilo de Alejandría, obispo de esta ciudad, mantenía la perspectiva opuesta, la desde arriba. Partiendo del Verbo de Dios, se preguntaba de qué manera había asumido en sí una verdadera humanidad en Cristo Jesús. La suya era una cristología del *Logossarx*.

En este punto de la disputa entre Nestorio y Cirilo, podemos observar que queda todavía una ambigüedad y confusión en lo que respecta a la terminología. Cuando Cirilo hablaba de «una sola naturaleza *(phusis)* en Jesucristo», entendía la unidad de la persona *(hupostasis)*; por el contrario, cuando Nestorio hablaba de las dos «naturalezas», parecía haber pretendido referirse realmente a dos personas.

El momento decisivo en el debate entre Nestorio y Cirilo fue la negativa del primero a atribuir de forma personal al Verbo de Dios los acontecimientos de la vida humana de Jesús. En particular, la generación humana del hombre Jesús no podía referirse al Hijo de Dios ya en consecuencia, aunque María pudiera llamarse «Madre de Cristo» *(kristotokos),* sin embargo, no podía decirse «Madre de Dios» *(theotokos)*. Esto significaba poner dos sujetos diferentes: el Verbo de Dios de un lado y Jesucristo del otro. Su unidad era concebida por Nestorio en términos de «conjunción» *(sunapheia)*, suponiendo así dos sujetos concretamente existentes.

Lo que Nestorio rechaza es, en efecto, el realismo de la encarnación. Si el docetismo había reducido la humanidad de Jesús a una apariencia, lo que Nestorio hace aparente e irreal es la «humanización» del Verbo de Dios. La humanidad de Jesús es, sin duda, real, pero parece solamente pertenecer al Verbo de Dios. O, dicho de otra manera, el Verbo aparece en el sujeto humano del *homo assumptus* como en cualquier otro. El hombre Jesús no sería, pues, idéntico al Verbo de Dios hecho hombre, ni el Verbo se habría hecho hombre de manera personal. Más bien, el Verbo estaría presente y operante en el hombre Jesús como en un templo y operante en él. Con esto, por tanto, se desvanece la realidad de la mediación de Jesucristo: una vez que se ha establecido en Jesucristo una distancia que separa al hombre de Dios, la muerte de Jesús en la cruz ya no es la del Hijo de Dios.

En respuesta a Nestorio, Cirilo de Alejandría subraya que el símbolo de Nicea atribuye de manera personal al Hijo de Dios, el unigénito del Padre, identificado personalmente con Jesucristo, los acontecimientos que se refieren a la vida humana de Jesús: «Quien por nosotros los hombres y por nuestra salvación bajó del cielo, se encarnó, se hizo hombre, padeció, resucitó al tercer día, subió al cielo...» [16]. Este lenguaje retoma el del Nuevo Testamento, allí donde Juan atribuye al Hijo de Dios haberse hecho personalmente hombre encarnado (Jn 1,14; cf. también Gál 4,4; Rom 1,3...). Del mismo modo, las expresiones neotestamentarias

---

[16] Neuner-Dupuis, *The Christian Faith*, n. 7.

referidas a la divinidad y a la humanidad se atribuyen al mismo e idéntico «Yo» *(ego);* el mismo «Yo» se usa en el evangelio de Juan para indicar tanto el ser humano de Jesús como el Hijo de Dios que tiene su origen en el Padre (cf. Jn 8,58; 8,40; 8,38; 14,9; 10,30; 17,5). Además, según el kerigma apostólico, un único sujeto subsistente está actuando en Jesús tanto en la humillación de la condición humana como en las acciones que manifiestan el poder divino.

b) El significado de Éfeso

Como había sucedido en Nicea dentro del contexto de la crisis arriana, así también en la disputa entre Nestorio y Cirilo de Alejandría el problema consistía en tener que interpretar en categorías culturales helenísticas la fe cristológica del Nuevo Testamento —aquí, en este caso concreto, el hacerse verdadero hombre el Hijo de Dios— por medio de frases que, añadidas al lenguaje bíblico, lo explicaran.

La frase clave usada por Cirilo en su Segunda Carta a Nestorio [17] para explicar el verdadero significado de la encarnación del Hijo de Dios (Jn 1,14) consiste en afirmar que el Hijo de Dios unió a sí la humanidad de Jesús «según la hipóstasis» *(henòsis kath' hupostasin)*. Esto significaba que, en contraste con la unión por «conjunción» *(sunapheia)* de Nestorio, que consideraba a Jesús como personificación *(prosòpon),* por así decirlo, del Verbo de Dios, la relación entre el Verbo y Jesús es de verdadera y concreta identidad. No en el sentido de que la naturaleza del Verbo se haya cambiado en la carne del hombre Jesús, sino en el sentido de que el Verbo de Dios tomó personalmente la carne humana.

---

[17] Cf. texto en DENZINGER-SCHÖNMETZER, *Enchiridion*, nn. 250-251.

Se ha de advertir, sin embargo, que, en el contexto histórico de la negación por parte de Nestorio, la «unión hipostática» a la que se refería Cirilo no expresa todavía la plenitud de significado que la precisión terminológica le atribuirá más tarde. Lo que realmente se afirma es que la «misteriosa e inefable unión» que se realiza entre el Verbo y la humanidad de Jesús da lugar a una verdadera unidad *(pros henòtèta sundromè)*: el Verbo de Dios se hizo hombre de forma personal en el hombre Jesús. Entre estos dos hay un único sujeto concreto y subsistente: no en el sentido de que el único sujeto resulte de la unión de ambos, sino, más bien, en el sentido de que en Jesucristo el Verbo eterno unió a sí en el tiempo una humanidad que no hubiera existido —o no hubiera podido existir— independiente y anteriormente a esta unión. Lo que está en juego en estas afirmaciones es el reconocimiento del hecho de que el Verbo de Dios se hizo hombre de manera personal, nació y padeció. Por decirlo en otros términos, se discute lo que ha constituido la paradoja del mensaje evangélico y el escándalo para la especulación helenística.

El concilio de Éfeso (431) no elaboró definición dogmática alguna. El dogma de Éfeso ha de encontrarse en la Segunda Carta de Cirilo a Nestorio, que fue oficialmente aprobada por el concilio y no, por el contrario, en los «Doce Anatemas» de Cirilo contra Nestorio [18], que en algunas de sus partes revelan una perspectiva alejandrina llevada a los extremos y hacen uso de formulaciones que fueron objeto de polémica por parte de la perspectiva antioquena.

Después de Éfeso, se buscó un compromiso entre los dos planteamientos, el antioqueno y el alejandrino, en la «Fórmula de Unión» (433). Una profesión de fe cristológi-

---

[18] Cf. texto en DENZINGER-SCHÖNMETZER, *Enchiridion*, nn. 252-263; NEUNER-DUPUIS, *The Christian Faith*, nn. 606/1-12.

ca, escrita por Juan de Antioquía en clave antioquena, fue aceptada por Cirilo de Alejandría: en ella se afirmaban claramente la unidad de Cristo y la atribución de la encarnación al Verbo de Dios. El documento representa una primera tentativa para llegar a una síntesis entre las dos posturas, en la que las diferencias de perspectiva quedan reconocidas al tiempo que se expresa la unanimidad en la misma fe. Comentando tal documento, A. Amato escribe lo siguiente:

> «La fórmula tiene en cuenta los elementos esenciales tanto de la cristología alejandrina (unidad del sujeto; uso del término *henòsis* y no *sunapheia* para indicar la unidad de las dos naturalezas; atribución de la encarnación al Logos; afirmación de María como *theotokos)* como de la antioquena (afirmación de las dos naturalezas; su unión en un solo *prosopòn).* Emplea el término *homoousios* para indicar la consustancialidad de Cristo, no sólo con Dios Padre, sino también con nosotros los hombres. La importancia de esta fórmula reside en el hecho de que las dos corrientes de pensamiento encuentran un modo unitario de expresar la conciencia de fe eclesial mediante un lenguaje no estrictamente escolástico» [19].

El argumento soteriológico refuerza la decisión de fe de Éfeso como había hecho para el de Nicea. Pero, mientras que allí cualquier reducción de la divinidad de Cristo y/o de su humanidad amenazaba la realidad de la salvación de la humanidad en él, aquí al aflojarse su lazo de unión amenazaba con suprimir la verdad de la única mediación del hombre Jesús entre Dios y los hombres (cf. 1 Tim 2,5). Esta mediación exigía que hubiera, en Cristo, un único sujeto de divinidad y de humanidad, de manera que, estando ambas unidas en su persona, pudiese verdaderamente pertenecer y ser solidario, al mismo tiempo, de lo divino y de lo humano. El Verbo encarnado podía salvar a la huma-

---

[19] A. Amato, *o. c.,* 206.

nidad porque es al mismo tiempo Dios-y-hombre, el Dios-hombre. El «trueque maravilloso» de que hablaron los Padres no implicaba ni más ni menos que esto: él necesitaba compartir lo que es nuestro para que pudiera hacernos partícipes de lo suyo. Así, la «unión hipostática» de la divinidad y la humanidad en Jesucristo daba cuenta de su verdadera y única mediación entre Dios y la humanidad: su humanidad era verdadera presencia de Dios entre los hombres y su acción humana era acción de Dios en beneficio de ellos.

b) La actualidad de Éfeso

Una de las cuestiones que se plantean hoy en las discusiones cristológicas es si el misterio de la «unión hipostática» no termina por despersonalizar desde el punto de vista humano al hombre Jesús. Si la naturaleza humana fue asumida por la persona del Verbo de Dios, ¿no significa esto privar a Jesús de una individualidad humana, singular, concreta y original? ¿No queda reducida su humanidad, por tanto, a una abstracción o se hace irreal? [20]

Una respuesta a esta dificultad ha de tener en cuenta la evolución sufrida por el concepto «persona» en los tiempos modernos. En el dogma cristológico, «persona» se refiere a un sujeto existente, concreto e individual: su significado es ontológico. La filosofía moderna, por el contrario, adopta a menudo un concepto psicológico de persona, en referencia a un centro subjetivo de conciencia y voluntad. Este último concepto podría designarse con el término de «personalidad», mientras el término «persona» se refiere, más bien, al primero.

---

[20] Cf. P. Schoonenberg, The Crist, Sheed and Ward, Londres 1970.

En el caso del misterio de la unión hipostática en Jesucristo es claro que aquí existe solamente una persona ontológica, la del Hijo de Dios que se hizo personalmente hombre. Esto, sin embargo, deja intacta la «personalidad» humana del hombre-Jesús, entendida en sentido psicológico como centro humano de conciencia y actividad. La humanidad de Jesús, por tanto, no está «despersonalizada» en el sentido moderno del término, aun cuando —en la terminología de los Padres posteriores a Éfeso— su humanidad es (ontológicamente) anhipostática *(anhupostasia)*, pues fue asumida en la persona *(enhupostasia)* del Hijo de Dios. La asumpción de la humanidad de Jesús por la persona del Verbo *(enhupostasia)* no es una «despersonalización» sino una «impersonalización», desde el momento que la persona del Hijo de Dios queda comunicada y se extiende a la humanidad de Jesús de forma que el Hijo se hace verdaderamente hombre.

Pero hay que decir más. Porque en Jesucristo no hay dos sujetos subsistentes y distintos en el sentido ontológico del término, el Verbo de Dios se hizo verdaderamente persona humana en Jesús. La encarnación del Hijo de Dios es una verdadera humanización. Habiéndose hecho hombre la persona divina, el ser de ésta es de ahora en adelante divino-humano, y una persona divino-humana puede ser también verdaderamente humana. El Hijo de Dios hizo suyas todas las características de la persona humana: vivió una existencia histórica y humana. Jesús, en efecto, más que cualquier otra persona, fue una personalidad completamente original: en él el Hijo de Dios hizo personalmente la experiencia del vivir humano en el acontecer histórico.

El misterio de la «unión hipostática» es, por tanto, el de la humanización de Dios: en Jesús hombre, Dios tomó un rostro humano (cf. Jn 14,9). Jesucristo es «Dios humanizado» y no «hombre divinizado». Una vez que la fe cristológica se hace reflexiva y articulada, resulta claro que no se puede prescindir de una cristología desde arriba. La encarnación es un acontecimiento cuyo origen es Dios y también su agente: es el hacerse hombre de Dios y no el hacerse Dios del hombre. La auténtica humanización de Dios en Jesucristo es, al mismo tiempo, el fundamento de su auto-comunicación a la humanidad y la revelación a la misma del misterio de Dios.

Jesús es Hijo de Dios en cuanto hombre. Esto no significa que es Hijo de Dios a causa de su humanidad, que es creada, sino que, a causa de la encarnación, su humanidad es la del Hijo de Dios. Él es, por tanto, Hijo, aun como hombre. Dada la «unidad en la persona» de la humanidad de Jesús con el Hijo de Dios, la historia humana del hombre Jesús es la del Hijo de Dios mismo, así como su muerte humana es la del Hijo de Dios. Mediante la encarnación Dios entró en nuestra historia y, al contrario, la historia humana llegó a ser la de Dios. El realismo de la encarnación nos lleva a reconsiderar el concepto filosófico de la «inmutabilidad» de Dios. Puesto que por el hecho de la encarnación Dios queda sujeto personalmente al devenir humano, un verdadero «cambio» afecta personalmente a la persona divina que se hace hombre. Sin embargo, no se trata de una necesidad en virtud de la cual Dios habría alcanzado su propia perfección divina, sino que, al contrario, esto nos lleva a la libertad absoluta mediante la cual Dios, permaneciendo el mismo, puede unir a sí de forma personal una existencia humana. Escribe K. Rahner:

> «Dios puede convertirse en algo: el que en sí mismo es inmutable *puede ser* mudable en otra cosa» [21];

y, explicando a continuación cómo Dios pueda llegar a ser algo que no es en sí y de por sí, el mismo autor escribe:

---

[21] K. RAHNER, «Teología de la encarnación», en *Escritos de Teología*, I, Taurus, Madrid 1963.

«La doctrina de la encarnación nos dice que la inmutabilidad de Dios —sin quedar por esto eliminada— no es simplemente lo único que distingue a Dios, si bien nos dice que él, en y a pesar de su inmutabilidad, puede verdaderamente convertirse en algo: él en persona, en el tiempo. Y tal posibilidad no se ha de entender como signo de su indigencia, sino más bien como sublimidad de su perfección, que sería menor si no pudiese hacerse menos de lo que es de forma permanente» [22].

3. El concilio de Calcedonia

a) La problemática de Calcedonia

Éfeso explicitó el significado de la encarnación en términos de «unión en la hipóstasis». Subrayando así la unidad, había dejado la distinción entre divinidad y humanidad. Y es precisamente en este punto donde Calcedonia completa a Éfeso. Además, Calcedonia representa un progreso respecto a la terminología en que se expresa el misterio de Jesucristo. En Éfeso quedó la ambigüedad entre *hupostasis* y *phusis*. En particular, algunas formulaciones de Cirilo de Alejandría, aunque él las entendiese correctamente, seguían siendo en sí mismas ambiguas y potencialmente engañosas, especialmente algunas, como éstas: «naturaleza única de Dios, encarnada» *(mia phusis tou theou sesarkòmenè)*, o «unidad de la naturaleza» *(henòsis phusikè)*. Calcedonia corregirá el lenguaje de Cirilo. Adentrándonos más, como se verá a continuación, vemos que el esquema de Éfeso corría el riesgo de no tener en consideración adecuada la verdadera consistencia y autenticidad de la humanidad de Jesús. Calcedonia deberá poner remedio a este peligro.

La problemática de Calcedonia, en efecto, es la que pone en tela de juicio la humanidad de Jesús. El problema

---

[22] K. RAHNER, *Curso fundamental sobre la fe*, Herder, Barcelona ⁴1989.

planteado es el siguiente: si el Verbo de Dios asumió en sí la naturaleza humana, ¿qué sucede a esta naturaleza en el proceso de unión? ¿Se mantiene en su realidad humana o queda absorbida en la divinidad del Hijo de Dios? La «Fórmula de Unión» entre Juan de Antioquía y Cirilo de Alejandría afirmaba que el Hijo de Dios es «consustancial *(homoousios)* con nosotros según la humanidad»[23]. ¿Qué significaba esto?

Eutiques, monje de Constantinopla, aunque admitía que Cristo era *de (ek)* dos naturalezas, se negaba a afirmar que Cristo se mantiene *en (en)* dos naturalezas después del proceso de unión. Concebía la unión de las dos naturalezas a modo de «mezcolanza» *(krasis)* mediante la cual lo humano queda absorbido en lo divino, con el consiguiente resultado de que Cristo no es «consustancial» con nosotros en la humanidad. Haciendo uso de fórmulas controvertidas de Cirilo, en un sentido no querido por él, Eutiques terminaba por afirmar que después del proceso de unión en Cristo hay una sola naturaleza, ya que la humana fue absorbida por la divina. Con esto se ponía en peligro una vez más la realidad de la única mediación de Jesucristo entre Dios y la humanidad: porque la humanidad quedaba absorbida en la divinidad del Verbo, Jesús después de la unión ya no es verdaderamente hombre. Y, en cuanto a la verdad de la mediación de Cristo, borraba una vez más la realidad escandalosa de la encarnación. Tales eran las implicaciones del monofisismo.

En relación con esto está la carta dogmática del papa León el Grande dirigida a Flaviano, patriarca de Constantinopla, conocida como el «Tomus»[24]. El papa concuerda

---

[23] Cf. Denzinger-Schönmetzer, *Enchiridion*, nn. 272-273; Neuner-Dupuis, *The Christian Faith*, nn. 607-608; A. Amato, *Gesù il signore*, 205.
[24] Cf. texto en Denzinger-Schönmetzer, *Enchiridion*, nn. 291-294; Neuner-Dupuis, *The Christian Faith*, nn. 609-612.

con Cirilo de Alejandría en afirmar la unidad en Cristo: «Nació con la íntegra y perfecta naturaleza de verdadero hombre y de verdadero Dios, completo (como Dios), completo (como hombre)...». Pero el lenguaje de León se acerca más al de la escuela antioquena. Como lo hiciera ya la «Fórmula de la Unión» [25], también habla León de forma explícita y deliberada de «dos naturalezas», cada una de las cuales mantiene, afirma, sus propiedades: «Salvada la propiedad de una y otra naturaleza, que se unen en una persona». «Una y otra forma realizan en comunión con la otra lo que es propio (de cada una)...». Queda por encontrar un acuerdo en el lenguaje entre la escuela antioquena, representada por el «Tomus» de León y Flaviano, y la de Alejandría, que tiene su ejemplo en la Carta de Cirilo a Nestorio.

b) El significado de Calcedonia

La definición de Calcedonia (451), mediante cláusulas explicatorias adicionales, es una nueva actualización del misterio revelado de Jesucristo en plena conformidad con la tradición de la Iglesia [26]. Se compone de dos partes: la primera retoma la enseñanza anterior sobre Jesucristo, siguiendo en su mayor parte la «Fórmula de la Unión» [27], mientras que la segunda añade declaraciones posteriores valiéndose de conceptos helenísticos [28].

El discurso de la primera parte de la definición toma como punto de partida la unión en Jesucristo de la divinidad y de la humanidad. Dentro de esta unidad, se afirma la distinción de las dos naturalezas: «él mismo» es «consus-

---

[25] Cf. nota 23.
[26] Cf. DENZINGER-SCHÖNMETZER, *Enchiridion*, nn. 300-303; NEUNER-DUPUIS, *The Christian Faith*, nn. 213-216; A. AMATO, *o. c.*, 219-220.
[27] Cf. A. AMATO, *o. c.*, 219, nn. 1-15.
[28] Cf. A. AMATO, *o. c.*, 220, nn. 16-24.

tancial» al Padre según la divinidad y a nosotros según la humanidad. En el contexto de la reducción monofisita, había que acentuar la consustancialidad con nosotros en la humanidad. Se respondía a la cuestión suscitada por Eutiques: la naturaleza humana mantiene su integridad y autenticidad después de la unión, a pesar de la excepción del pecado (Heb 4,15). Se puede, sin embargo, observar que «consustancialidad», aplicada a ambas naturalezas, no expresa el mismo significado: mientras que, con respecto a la divinidad, se afirma la consustancialidad numérica del Hijo con el Padre, cosa que no se había hecho en Nicea, en lo que respecta a la humanidad se afirma, como es natural, la consustancialidad específica de Jesús con nosotros. Una vez que los dos componentes del mismo Cristo fueron analizados en clave antioquena, el fin de la primera parte de la definición vuelve hacia su doble origen: su doble procedencia del Padre antes de los siglos respecto a la divinidad y la de María en los últimos días respecto a la humanidad.

Con esto, la definición se acerca al esquema de Éfeso, y en tal esquema se hace referencia a la historia y al motivo soteriológico que llevó al Hijo de Dios a hacerse hombre: «en los últimos días», «por nosotros y por nuestra salvación». La doble «solidaridad» con lo divino y lo humano, implicada en el motivo soteriológico, se pone de relieve también en el título de «María, Madre de Dios» *(theotokos)*. Calcedonia, así, enlaza verdaderamente con Éfeso.

La segunda parte de la definición contiene, sin embargo, declaraciones adicionales formuladas en lenguaje filosófico, que tienden a demostrar cómo en el misterio de Jesucristo coexisten la unidad y la distinción: los conceptos de persona *(hupostasis, prosòpon)* y naturaleza *(phusis)* aparecen aquí claramente distintos. El mismo Señor y Cristo, el Hijo unigénito, es uno en dos naturalezas «sin confusión y cambio» (contra Eutiques), «sin división y separación» (contra Nestorio). La expresión «en» *(en)* dos naturalezas afirma la permanencia de la dualidad después de la unión: Cristo no es solamente «de» *(ek)* dos naturalezas, como admitía Eutiques, sino que es también «en» *(en)* dos naturalezas. Esto significa que la unión hipostática del Verbo con la humanidad mantiene la alteridad dentro de la misma persona; la humanidad no queda absorbida en la divinidad, como sostenía Eutiques. «Sin confusión ni alteración» subraya el hecho de que la distinción de las dos naturalezas perdura y que se mantienen las propiedades de cada una; «sin división y separación» indica que las dos naturalezas no están una frente a otra, como si se tratase de sujetos subsistentes distintos.

Lo que pertenece a cada una de las dos naturalezas queda «salvaguardado», confluyendo en una única persona *(prosòpon)* e hipóstasis *(hupostasis)*. El mismo Jesucristo actúa ya como Dios ya como hombre, puesto que él es, a un tiempo, Dios y hombre. Calcedonia, pues, expone en clave antioquena la unión hipostática que Éfeso había expresado en el esquema alejandrino. La modalidad de la unión de la divinidad-humanidad en Jesucristo aparecía totalmente singular, pero sólo esta unión podía dar cuenta de su única mediación entre Dios y la humanidad.

c) La actualidad de Calcedonia

Respecto a la definición de Calcedonia se ha suscitado a menudo la pregunta, y todavía sigue haciéndose hoy, de si las determinaciones ontológicas que dan soporte al misterio de Jesucristo son necesarias y, por lo mismo, realmente útiles. El problema es si no se puede expresar adecuadamente la fe en un lenguaje funcional, sino que es necesario fijarla en una terminología ontológica. ¿Es necesario que la cristología pase de la terminología funcional a la ontológica? Se atribuye a M. Lutero la división entre lo que Jesús es *para nosotros* y lo que es *en sí mismo*. Sin rechazar la cristología de Calcedonia, cuestionó fuertemente su contribución a la fe cuando escribió:

> «Cristo tiene dos naturalezas. ¿En qué sentido me afecta a mí esto? Que sea por naturaleza hombre y Dios es un hecho que sólo le afecta a él... Creer en Cristo no significa que Cristo es una persona que es hombre y Dios, cosa que no es útil a nadie; significa, más bien, que esa persona es Cristo, es decir, que por nosotros salió del Padre y vino al mundo: de esta función le viene el nombre» [29].

R. Bultmann se hace eco, radicalizándola, de la pregunta de Lutero cuando se pregunta a su vez:

> «¿Me ayuda porque es Hijo de Dios o es Hijo de Dios porque me ayuda?» [30].

Para Calcedonia, sin embargo, y para la tradición posconciliar, no puede darse separación alguna entre la función de Jesús y su ser: la una no va sin el otro. El ser de Jesucristo en sí mismo es el fundamento necesario de su acción salvífica hacia nosotros; puede ser *lo que* es para nosotros a causa de *el que* es en sí mismo. La función y la ontología son mutuamente interdependientes. La tradición cristiana se dirigió, por tanto, hacia el desarrollo de una cristología ontológica; al hacerlo así, siguió el mismo impulso de fe que había sugerido ya en la Iglesia apostólica el desarrollo de la cristología funcional del kerigma primitivo a la ontológica de los escritos posteriores. Esto no quiere decir que semejante desarrollo, que se realizó históricamente sobre todo en Calcedonia, no tenga limitaciones ni imperfecciones. Veremos enseguida esto cuando se trate de

---

[29] Y. CONGAR, *Le Christ, Marie et l'Église*, Desclée de Brouwer, Brujas 1952, 33.
[30] R. BULTMANN, *Glauben und Verstehen*, vol. II, Mohr, Tubinga 1952, 252.

dar una valoración general del dogma cristológico. Mientras tanto, hay que demostrar que las preguntas y respuestas de Calcedonia siguen siendo actuales.

Esta actualidad reside en ayudarnos a mantener, contra el siempre actual peligro del monofisismo, la verdad y la realidad de la humanidad de Jesús en su condición de unión con el Hijo de Dios. Por mucho que se haya acercado a Dios en Jesucristo, el hombre no quedó absorbido ni suprimido. La «humanización» de Dios no significa asimilación de su humanidad en la divinidad. A decir verdad, K. Rahner afirma que lo contrario es lo verdadero, y es que la autenticidad y la realidad de la humanidad de Jesús no son, de hecho, inversamente sino directamente proporcionales a su unión con Dios. Lejos, por tanto, de permanecer real a expensas de la unión, la humanidad de Jesús queda reforzada por ésta, pues la propia autonomía y cercanía a Dios crecen en proporción directa. K. Rahner escribe en efecto:

> «En la encarnación, el Logos crea aceptando y acepta vaciándose *a sí mismo*. Rige también aquí, y precisamente en la medida más radical y específicamente única, el axioma de toda relación entre Dios y la criatura, cual es la cercanía y la lejanía; el estar a disposición y la autonomía de la criatura crecen en la misma medida y no en medida inversa. Por eso, Cristo es hombre de la manera más radical y su humanidad es la más autónoma y la más libre no a pesar de, sino porque es una humanidad aceptada y puesta como automanifestación de Dios» [31].

Queda claro, entonces, que el misterio de la unión hipostática, afirmado por el concilio de Éfeso, no priva a la humanidad de Jesús de un centro humano de referencia para su conciencia y actividad humana. Hecho hombre, el Hijo de Dios se convierte de modo personal en el sujeto de las experiencias humanas. Es Hijo de Dios de manera hu-

---

[31] K. RAHNER, «Teología de la encarnación», en *Escritos de Teología*, I, Taurus, Madrid 1963.

mana y vive su propia filiación con el Padre en una vida humana. Éste es el motivo por el que el diálogo entre Jesús y su Padre, mientras revela su identidad filial como hombre, nos abre la mirada al misterio más profundo del origen del Hijo nacido del Padre, dentro de la vida divina. La filiación divina de Jesús, experimentada como hombre, prolonga y traslada a la conciencia humana el ser eterno del Hijo del Padre que lo engendra. Jesús es al mismo tiempo el «compañero» humano en diálogo con el Padre y su Hijo eterno. Por el contrario, el Padre extiende su relación paterna al hombre Jesús, en el que reconoce a su propio Hijo eterno. El misterio de la unión hipostática excluye cualquier relación recíproca entre dos sujetos en Jesucristo. Supone, por el contrario, la prolongación en el plano humano de la relación interpersonal entre el Padre y el Hijo en la divinidad. La encarnación no es inteligible sin la Trinidad.

Se observó anteriormente que la terminología de Cirilo de Alejandría había sido objeto de controversia por la escuela antioquena y que, más tarde, el concilio de Calcedonia transcribió en gran medida la doctrina de Éfeso en clave antioquena. Después del concilio, surgió una corriente «no calcedoniana», la cual, queriendo permanecer fiel a la terminología de Cirilo, especialmente a la expresión «una naturaleza...» *(mia phusis)*, se negó a hablar de «dos naturalezas» en Jesucristo. En Oriente existen todavía hoy Iglesias no calcedonianas, como la Iglesia copta de Egipto, algunas Iglesias armenias y la siriaca ortodoxa. Sin embargo, siguiendo las huellas del reciente diálogo ecuménico, ha habido profesiones comunes de fe cristológica entre el papa Pablo VI y los cabezas de estas Iglesias no calcedonianas, y, en tiempos más recientes, entre el papa Juan Pablo II y las respectivas autoridades de la otra parte. Las comunes declaraciones y profesiones de fe [32] dejan claro que las Iglesias

---

[32] Los documentos son los siguientes: Profesión de fe firmada por el papa Pablo VI y Shenouda III, patriarca de Alejandría de Egipto (10 mayo 1973)

arriba mencionadas comparten con la Iglesia católica roma-
na la misma fe cristológica, aunque ésta se exprese tratando
de evitar expresiones controvertidas —especialmente la fórmula calcedoniana de las «dos naturalezas»— o una terminología fuertemente partidaria.

Se ha reconocido que los cismas del pasado no fueron
causados por diferencias sustanciales en la fe cristológica,
sino que tuvieron que ver diferencias terminológicas, de
cultura y de formulaciones teológicas. Esta lección de ecumenismo práctico muestra en un ejemplo concreto que la
misma fe cristológica se puede expresar de manera diferente, según la diversidad histórico-cultural de los contextos:
es posible un pluralismo dogmático en la unidad de la fe.
Esto plantea problemas relativos tanto al valor que hay que
atribuir a las definiciones dogmáticas tradicionales de la
Iglesia como a su relación con la *norma normans* de la verdad revelada en el Nuevo Testamento. Todos estos interrogantes serán afrontados a continuación.

4. El concilio de Constantinopla III

a) La problemática de Constantinopla III

Demostramos más arriba que, mientras la problemática
del concilio de Nicea (y de Constantinopla I) fue la de las
dos naturalezas, la divina y la humana, la atención posterior
se fijó en el problema de la unidad en la distinción de las
mismas naturalezas. Observamos también que, mientras

(AAS 65 [1973] 299-301); Declaración Común firmada por Pablo VI e Ignatius Jacob III, patriarca de Antioquía de los Sirios (27 octubre 1971) (AAS 63
[1971] 814); Declaración Común de Juan Pablo II e Ignatius Zakka I Iwas,
patriarca siro-ortodoxo de Antioquía (23 junio 1984) (*Enchiridion Vaticanum*,
IX, 839-841).

Éfeso puso el acento en la unidad de las naturalezas, con Calcedonia el péndulo se inclinó hacia la distinción que existe entre ellas. El concilio de Constantinopla II (553) volvió todavía una vez más sobre el argumento de la unidad, es decir, en la dirección a Éfeso, mientras Constantinopla III (681) seguirá el proceso inverso, volviendo después de Calcedonia al argumento de la distinción.

El contexto y el contenido de Constantinopla II no se expondrán en estas páginas de una forma elaborada. Bastará cuanto sigue. El contexto es el de la corriente «no calcedonense», una especie de «monofisismo verbal» que, siguiendo fiel a las fórmulas ambiguas de Cirilo de Alejandría, afirmaba un compromiso entre la formulación calcedonense y el monofisismo. En un contexto semejante y para reconciliar a los monofisitas, se necesitaba una interpretación de Calcedonia que mostrase el acuerdo entre el concilio y la doctrina de Cirilo. El nuevo concilio condenó los «tres capítulos» [33], esto es, la obra de tres autores, ya difuntos, acusados de nestorianismo, aunque su doctrina había sido tenida como ortodoxa por Calcedonia: este rechazo tiene el valor de una nueva condena del nestorianismo.

Más importantes, sin embargo, son los cánones cristológicos de Constantinopla II [34]. Éstos rechazan la interpretación tanto nestoriana (cánones 5-7) como la eutiquiana (canon 8) de Calcedonia, explicando que la unidad de la *hupostasis* se refiere a un único y solo sujeto subsistente, mientras que la dualidad de las naturalezas *(phusis)* expresa la diferencia que permanece en la encarnación del Hijo de Dios. Entre la «una naturaleza» de Cirilo y las «dos naturalezas» de Calcedonia, a pesar de la diversidad de expre-

---

[33] Cf. cánones 12-14, en DENZINGER-SCHÖNMETZER, *Enchiridion*, nn. 434-437; NEUNER-DUPUIS, *The Christian Faith*, nn. 621-623.
[34] Cf. cánones 1-10, en DENZINGER-SCHÖNMETZER, *Enchiridion*, nn. 421-432; NEUNER-DUPUIS, *The Christian Faith*, nn. 620/1-10.

sión (canon 8), hay paridad de intención y de doctrina. El canon 4, pues, explica la unión hipostática como «unión según la composición» *(katha sunthesin),* que quiere decir que el Verbo de Dios se hizo un único sujeto concreto existente con su humanidad, si bien permanece en él la alteridad entre Dios y hombre. En otras palabras, la naturaleza humana subsiste en la *hupostasis* del Verbo y no constituye un sujeto diferente; o, avanzando un poco más, esto significa que el Verbo comunica su propia existencia personal a la humanidad de Jesús, en el que «se humanizó» verdaderamente. Allí donde Calcedonia distinguió las dos naturalezas, contra la tendencia monofisita de mezclarlas *(krisis),* pero sin articular la relación entre unidad y distinción, Constantinopla II explica esa relación haciendo referencia a la unión hipostática «como unión según la composición». La persona divina del Hijo se hizo auténticamente humana. Jesucristo, por tanto, es una persona compuesta divino-humana, siendo tan humana como divina. La unidad de la persona preside —y prevalece— sobre la distinción de las naturalezas.

A partir de Constantinopla II, sin embargo, el péndulo se seguirá inclinando todavía desde el polo de la unidad al de la distinción, pero con una diferencia. Para Constantinopla III, el problema de la unidad en la distinción se planteará desde el nivel de las «naturalezas» —la divina y la humana— al de las dos acciones y voluntad que proceden de éstas. ¿Cómo llegó a suscitarse esta nueva problemática?

Esta problemática tiene que ver con la existencia humana de Jesús y marca un retorno a la existencia histórica de la que los evangelios son testigo. Jesús distinguió la voluntad del Padre, que él vino a cumplir, de la suya propia (Jn 6,38; cf. Mc 15,36). ¿Cómo hay que entender esto? Las clarificaciones aportadas por Constantinopla II no fueron suficientes para prevenir la posibilidad de una interpretación monofisita de la voluntad y de la acción humana de

Jesús. En efecto, Sergio, patriarca de Constantinopla, basándose en Cirilo de Alejandría, hablaba de «una sola cooperación teándrica» en Jesucristo. La fórmula quedaba abierta a una comprensión monofisita, como si a un único sujeto agente correspondiese una sola modalidad de acción, de tal modo que la acción humana quedase absorbida por el principio divino de actividad. Semejante «mono-energismo» (*mia energeia*) extendería el monofisismo desde el nivel de la naturaleza al de la acción.

El mismo nivel surge respecto de la voluntad o de las voluntades. ¿Era necesario afirmar dos voluntades en Jesucristo, la divina y la humana, correspondientes respectivamente a las dos naturalezas, y de las cuales hacer proceder dos modos diversos de acción, sin separación? Pero, si así fuera, ¿no habría contrariedad o conflicto entre la voluntad divina y la humana? Para evitar la aparición del conflicto, Sergio de Constantinopla se negó a hablar de una doble voluntad: en Jesús sólo había «una voluntad». Esta teoría se llamará en adelante «monotelismo».

En un contexto semejante, estaba en peligro una vez más la autenticidad de la humanidad de Jesús y la realidad de la salvación de la humanidad en él. Privado de una auténtica voluntad y acción humana, Jesucristo no sería verdadero hombre como nosotros; privado de una voluntad humana libre, sólo habría sido capaz de cumplir pasivamente una serie de actos que la voluntad divina le hubiera predeterminado. La salvación de la humanidad no podría haber salido de la libre acción humana de Jesús de autoofrecimiento en la cruz, ni habría podido asumir con un acto voluntario humano y libre su pasión y muerte en fidelidad a su misión mesiánica y en obediencia y sumisión voluntaria a la voluntad del Padre.

En la esperanza de acomodar la corriente monofisita y de poner fin a la crisis, Sergio se dirige al papa Honorio en favor de su propia teoría peligrosa, sugiriendo que, para mantener la paz entre las Iglesias, había que evitar la expresión «dos acciones», que favorecía la división. El papa, en una carta a Sergio (634)[35], se mostró de acuerdo sobre el uso de la expresión «una sola voluntad» y sugirió que se proscribiesen todas las expresiones controvertidas. Animado por el apoyo aparente del papa, Sergio continuó exponiendo la doctrina del monotelismo con más fuerza. Esto equivalía a hacer revivir la crisis monofisita.

b) El significado de Constantinopla III

El papa Martín I convocó en el Laterano (649) un concilio para condenar el monotelismo[36]. Las principales formulaciones de sus cánones fueron tomadas de san Máximo el Confesor, protagonista de la doctrina de las «dos voluntades» en Jesucristo[37]: éstos reafirman la doctrina calcedonense de las «dos naturalezas», y la aplican, por vía de elucidación adicional, a las «dos voluntades». El símbolo del concilio afirma «dos voluntades naturales», la divina y la humana, en plena concordancia. Sus cánones explican que, si Cristo tiene dos naturalezas, tiene también dos voluntades y dos modos de obrar, pertenecientes respectivamente a cada naturaleza, y que ambas están «íntimamente unidas en el solo y mismo Cristo Dios»; así, «con una y otra de sus naturalezas quiso naturalmente nuestra salvación» (canon 10) y la llevó a cabo (canon 11)[38]. Una vez más vemos aquí cómo el motivo soteriológico está puesto al

---

[35] Texto en DENZINGER-SCHÖNMETZER, *Enchiridion*, nn. 487-488.

[36] Texto en DENZINGER-SCHÖNMETZER, *Enchiridion*, nn. 500-522; NEUNER-DUPUIS, *The Christian Faith*, nn. 627/1-16.

[37] Sobre la influencia de Máximo el Confesor en defensa de las dos voluntades en Jesucristo y la autenticidad de su libre voluntad humana, ver F.-M. LÉTHEL, *Théologie de l'agonie du Christ*, Beauchesne, París 1979.

[38] Texto en A. AMATO, *o. c.*, 258.

servicio de la cristología: era necesario que la salvación de la humanidad surgiera también de una verdadera voluntad humana que obrase libremente. El problema, en efecto, se formulaba partiendo del punto de vista histórico de la historia humana de Jesús y, en particular, de la actitud de la voluntad humana de Jesús en el misterio de la agonía en Getsemaní.

El concilio de Constantinopla III enseña la misma doctrina [39]. Reasume la afirmación calcedonense de las dos naturalezas, añadiendo la de las dos voluntades y de las dos acciones naturales. Se añaden las mismas precisiones que en Calcedonia: las dos voluntades y los dos modos de obrar están unidos en una sola y misma persona, Jesucristo, «sin separación, sin cambio, sin división, sin confusión». En respuesta a la presunta contradicción entre las dos voluntades, el concilio explica que entre éstas no hay oposición alguna desde el punto en que la voluntad humana está en plena conformidad con la divina. Pues «era necesario que la voluntad humana se moviera a sí misma (*kinèthènai*), aun estando sometida a la voluntad divina». De tal manera, como san León había dicho en su «Tomus» a Flaviano, que «cada una de las dos naturalezas realiza las funciones que le son propias en comunión con la otra, es decir, el Verbo opera lo que es del Verbo y la carne hace lo que es de la carne». Al mismo tiempo, también las «dos voluntades y operaciones naturales... concurren mutuamente a la salvación del género humano».

c) La actualidad de Constantinopla III

Esta última frase indica una vez más el motivo soteriológico que preside la elaboración posterior del dogma for-

---

[39] Cf. texto en DENZINGER-SCHÖNMETZER, *Enchiridion*, nn. 553-559; NEUNER-DUPUIS, *The Christian Faith*, nn. 635-637; A. AMATO, *o. c.*, 260.

mulado por Constantinopla III. Sin embargo, mientras este concilio prolonga, por un lado, el de Calcedonia, a modo de articulación ulterior, se inspira, por otro, en un retorno al Jesús de la historia, testimoniado por la tradición evangélica. Esto confirma que los pronunciamientos dogmáticos de la Iglesia encuentran su último origen y su punto de partida en el texto fundante del Nuevo Testamento. La Palabra revelada de Dios es la norma última de la interpretación dogmática de la Iglesia: el dogma ha de ser leído en relación a las Escrituras, cuyo significado explica.

La permanencia de la naturaleza humana de Jesús en su unión con el Hijo de Dios, afirmada por Calcedonia, podía parecer abstracta. La presunta absorción de su voluntad y acción humana en la divina, propuesta por el monofisismo y el monotelismo, deja claro que aquí estaba en peligro la realidad del hombre Jesús y de su historia humana, testificada por los relatos evangélicos. La autenticidad de su existencia humana estaba siendo amenazada por la negación de su autonomía natural. La confirmación por Constantinopla III de la autenticidad de la humanidad de Jesús, de su libre voluntad humana y de su acción, sigue siendo de gran actualidad en un tiempo en que se elabora un gran pensamiento cristológico para redescubrir plenamente la autenticidad humana del hombre Jesús. K. Rahner, no sin razón, ha demostrado que el monofisismo sigue siendo un peligro que amenaza hasta nuestros días. Con gran agudeza el teólogo se pregunta: «La afirmación de la existencia en Cristo de una naturaleza humana ¿es suficiente en la práctica para salvaguardar la autonomía que exige su misión de mediador?». Y añade otra pregunta: «Nuestra concepción corriente de los términos 'persona-naturaleza' ¿está libre de todo monotelismo?» [40].

---

[40] Cf. K. Rahner , «Problemi della cristologia di oggi», en *Saggi di cristologia e di Mariologia,* Paoline, Roma 1967.

El riesgo hoy de un monofisismo y de un monotelismo basados en una comprensión moderna de la «persona», entendida como centro de referencia de conciencia y actividad, no es ficticio. La unidad de persona en Jesucristo se entendería, entonces, como indicadora de un centro de actividad, y, desde el momento que tal centro es la persona divina, quedaría negada prácticamente la «personalidad» humana de Jesús o un centro humano de conciencia y actividad. De ello se sigue que quedaría anulado el diálogo interpersonal de Jesús hombre con su Padre, en la oración y en la obediencia. Además, dado que la voluntad humana quedaría absorbida en la divina, desaparecería la autenticidad de la libertad y de las acciones humanas de Jesús, es decir, su ser de hombre en el devenir histórico.

Las «dos voluntades», sin embargo, han de entenderse correctamente. Así como las dos naturalezas no están yuxtapuestas, tampoco lo están las dos voluntades. Lo que se afirma es que, así como el Hijo de Dios es también hombre, de la misma manera quiere también como hombre. En efecto, la voluntad humana de Jesucristo es su voluntad propia y personal, mientras que la voluntad divina es común en la divinidad al Padre, al Hijo y al Espíritu Santo, así como les es común la naturaleza divina. El diálogo entre las dos voluntades, iniciado desde el misterio de la encarnación, no se realizó entre el Hijo de Dios y el hombre Jesús, sino entre la voluntad del Padre y la voluntad humana de su Hijo hecho hombre. Este diálogo de voluntades entre el Padre y el Hijo prolonga al nivel humano la relación de origen mediante la cual en el misterio de Dios el Hijo se acepta a sí mismo desde el Padre, extendiéndola en clave humana en entrega y obediencia. Jesús vivió esta relación como hombre a través de toda su vida humana y su muerte, y la actualizó progresivamente mediante sus opciones y decisiones humanas. En este sentido, es justo afirmar que, como hombre, Jesús creció en la filiación con el Padre viviendo su historia y su destino humanos, hasta que en su pasión y muerte se somete a la voluntad del Padre con un acto final de abandono: «Y aunque era Hijo, aprendió sufriendo lo que cuesta obedecer» (Heb 5,8).

Donde las consideraciones ontológicas de Calcedonia corrían el peligro de hacerse abstractas, Constantinopla III reintrodujo en parte la dimensión histórica del dogma cristológico. Las dos dimensiones, y de ello son hoy muy conscientes los estudiosos de la cristología, necesitaron completarse mutuamente. Además, la inserción personal de Dios en la historia a través de la encarnación se ha de presentar en su pleno significado. Por la entrada de Dios en la historia, la historia misma entró en Dios, de la misma manera que, haciéndose hombre el Hijo de Dios, la humanidad quedó integrada en el misterio mismo de Dios. Por tanto, así como por la encarnación Dios se sometió al devenir humano, así también se sometió a la historia. Afirmar menos significaría vaciar la encarnación de realismo y la revelación de Dios en la historia, que se realiza en ella, de su dinámica. El axioma de los monjes escitas de que «uno de la Trinidad sufrió», recuperado de modo equivalente por el concilio de Constantinopla II [41], es rigurosamente correcto, como lo es también hablar del «Dios crucificado» (J. Moltmann). Y puesto que el Hijo encarnado experimentó verdaderamente la historia humana y el sufrimiento, existe también realmente una historia humana de Dios.

Entre los aspectos ontológicos y los históricos del misterio de Jesucristo hay un lazo indisoluble: la identidad personal de Jesús como Hijo de Dios se expresó y se realizó

---

[41] Cf. canon 10, en DENZINGER-SCHÖNMETZER, *Enchiridion*, n. 432; NEUNER-DUPUIS, *The Christian Faith*, n. 620/10.

en la historia. El misterio de la encarnación consiste en la autoexpresión y comunicación de Dios en la historia humana. Una de las tareas de la cristología contemporánea reside en redescubrir plenamente la dimensión histórica del misterio de Jesucristo y de integrarla en la ontológica.

El dogma cristológico: valoración y perspectivas

1. El valor permanente del dogma

La cristología del Nuevo Testamento fue una interpretación de la persona y del acontecimiento de Jesucristo hecha por la Iglesia apostólica a la luz de su experiencia pascual bajo la inspiración del Espíritu Santo. Esta cristología pertenece al hecho fundante de la revelación y sigue siendo para siempre la norma última (*norma normans*) para la fe de la Iglesia en el misterio. El dogma cristológico de la Iglesia es una interpretación ulterior y progresiva del mismo misterio hecha por la Iglesia apostólica bajo la guía del Espíritu Santo, de la que se hace garante el Magisterio de la Iglesia. El dogma cristológico está constituido por una serie de documentos en los que el sentido y el significado del misterio revelado reciben ulteriores elaboraciones y explicaciones que las tendencias reduccionistas de las herejías cristológicas hicieron necesarias. Tiene el valor normativo que el Magisterio de la Iglesia le atribuye, siempre, sin embargo, en relación a la *norma normans* de la Escritura: la Escritura se lee desde dentro de la Iglesia y es interpretada por ésta; sin embargo, las Escrituras, y no el dogma de la Iglesia, pertenecen al hecho fundante de la Iglesia.

Como «interpretación» que son, las formulaciones cristológicas de los concilios están sujetas a una hermenéutica. Su valor normativo está relacionado con el testimonio fundante de las Escrituras, especialmente con la cristología del

Nuevo Testamento, del que representan una elaboración ulterior en un contexto histórico siempre en evolución. Toda formulación dogmática, por tanto, remite al Nuevo Testamento y no constituye un punto de partida absoluto en la reflexión de fe de la Iglesia. Existe una relación recíproca entre el acto fundante de las Escrituras y las formulaciones dogmáticas de la Iglesia: las Escrituras se leen desde dentro de la Iglesia a la luz posterior de las definiciones de la misma; estas últimas, a su vez, se han de leer en relación a las Escrituras. En la interpretación del dogma funciona una mutua interacción entre texto y contexto, que determina el círculo interpretativo y el triángulo hermenéutico del texto, contexto e intérprete.

Si las formulaciones cristológicas dogmáticas no son jamás el punto absoluto de partida, tampoco constituyen nunca la última palabra en la reflexión de fe de la Iglesia sobre el misterio de Jesucristo. Son interpretaciones adicionales que las circunstancias concretas de los contextos históricos hacen necesarias. Son siempre particulares por definición, es decir, están siempre determinadas y limitadas en el espacio y en el tiempo y, por tanto, dependen de un ambiente cultural.

Ya observamos que el dogma cristológico expresa el misterio de Jesucristo en términos de la cultura helenística. Esta interpretación contextualizada fue perfectamente legítima, ya que, al hacerlo inteligible en el ambiente cultural, preservaba el misterio de toda clase de reduccionismo filosófico. Se trata no de una «helenización», sino, por el contrario, de una «deshelenización» de contenido, si bien dentro de una «helenización» lingüística. R. H. Fuller, exegeta, ha expresado felizmente la necesidad, la legitimidad y el verdadero valor del dogma cristológico, desarrollado por la Iglesia post-apostólica sobre las bases de la cristología neotestamentaria, en que tiene lugar un cambio de la terminología «óntica» del Nuevo Testamento a la «ontológica» de la tradición de la filosofía griega. Refiriéndose a las «cuestiones ontológicas planteadas por la cristología óntica de la misión a los gentiles», escribe:

> «Si la Iglesia había de preservar y proclamar el Evangelio en el mundo grecorromano, debía responder [a las cuestiones ontológicas suscitadas por la cristología óntica de la misión de los gentiles] en términos de ontología que fuesen comprensibles para aquel mundo. Su respuesta a tales cuestiones fue la doctrina de la Trinidad y de la encarnación. Estas doctrinas tomaron el lenguaje óntico del Nuevo Testamento, *theos*, *patèr*, *monogenès*, *huios*, *sarx* y *anthròpos* (Dios, Padre, unigénito, Hijo, carne y hombre), y lo explicaron en un lenguaje ontológico tomado de la tradición de la filosofía griega *(ousia, homoousios, phusis, hupostasis)* y en los términos latinos *(substantia, consubstantialis, natura y persona)*. Con estos instrumentos la Iglesia definió al pre-existente como 'engendrado del Padre' y como 'consustancial a él', y al encarnado como 'una persona' que une en sí 'las dos naturalezas' de Dios y del hombre. Quizás, como se ha afirmado repetidas veces, estas respuestas no eran realmente tales, sino tan sólo señalizadores que indicaban la dirección en que había que encontrar la respuesta o también que señalaban los confines más allá de los cuales todas las respuestas habrían deformado las afirmaciones ópticas del Nuevo Testamento. Por lo menos fueron tentativas válidas dentro de un determinado marco intelectual. Y, dentro de sus límites, impidieron, después de todo, graves distorsiones del Evangelio.
>
> Hemos de reconocer la validez de este resultado de la Iglesia de los cinco primeros siglos dentro de los términos en que operó. Es biblicismo auténtico declarar que la Iglesia ha de repetir simplemente 'lo que la Biblia dice', tanto sobre la cristología como sobre cualquier otro tema. La Iglesia ha de proclamar el Evangelio *desde dentro* de la situación que vive. Y esto es precisamente lo que el Credo niceno y la fórmula de Calcedonia intentaron hacer. 'La definición de Calcedonia era la única manera en que los Padres del siglo V, en su tiempo y con su aparato conceptual, podían traducir fielmente en un símbolo el testimonio que da de Cristo el Nuevo Testamento' (H. W. Montefiore)» [42].

---

[42] R. H. FULLER, *The Fundations of New Testament Christology*, Collins, Londres 1969, 249-250.

«La Iglesia ha de proclamar el Evangelio desde dentro de la situación de su tiempo». Esto indica inmediatamente la validez del proceso de contextualización y de inculturación que actúa en el dogma cristológico y en sus límites, pues los contextos y las culturas que lo rodean son por definición limitados y particulares, en cuanto determinados por el espacio y el tiempo. Las determinaciones dogmáticas hechas por la Iglesia, en cuanto que dependen de conceptos particulares y relativos, potencialmente sujetos a cambio y evolución, son necesariamente fragmentarias, incompletas y perfeccionables, susceptibles de evoluciones y precisiones sucesivas o hasta de cambio. Nos hemos referido anteriormente a la posibilidad de un «pluralismo dogmático» en el sentido derivado de documentos recientes autorizados de la Iglesia [43]. Lo que se necesita conservar es el «sentido» o «significado», es decir, el contenido inmutable de la fe; pero no necesariamente el lenguaje en que quedó acuñado tal significado, incluso por una tradición auténtica. El caso puede surgir cuando, cambiado el significado de algunos términos de una cultura en evolución, se pueden hacer necesarias nuevas enunciaciones que conserven inalterado el contenido de la fe, u otros modos que expresen el misterio, ya que el mensaje cristiano encuentra culturas en las que todavía no ha echado sus propias raíces. El valor dogmático de las definiciones cristológicas no es, por tanto, absoluto, sino relativo y relacional. Por el contenido, en efecto, se relaciona con la cristología neotestamentaria; es relativo en la expresión por el hecho de que no representa la única vía posible para expresar el misterio, la única vía, en suma, que sea válida para todos los tiempos y lugares. El dogma cristológico sigue funcionando como normativo en la tradición viva de la Iglesia dentro de los parámetros del

---

[43] Cf. capítulo I sobre el «método crítico-dogmático» en la cristología, 36-40.

contexto cultural en que históricamente fue acuñado y dentro del cual ha de entenderse. Además, pertenece, y seguirá perteneciendo, a la «memoria de la Iglesia» de la que es testigo.

Una valoración correcta del dogma cristológico tiene que tomar nota también de sus límites e imperfecciones. Éstos han sido puestos de relieve con frecuencia en años recientes, especialmente en relación con la definición de Calcedonia [44]. Es más importante todavía indicar los límites de la definición de Calcedonia, habida cuenta del puesto central que ocupa en el desarrollo del dogma y de la influencia abrumadora que tuvo sobre toda la reflexión cristológica posterior. P. Smulders resume de forma adecuada la situación cuando escribe:

«La catarsis que trajo el concilio de Calcedonia, después de una lucha de siglos y por la que esta confesión se convertía en un bien común para toda la Iglesia hasta nuestros días, no puede, sin embargo, hacernos olvidar sus debilidades. Las serias discusiones llevaron la atención cada vez más hacia la constitución formal del hombre-Dios, Dios y hombre. Del significado salvífico, que, sin embargo, había sido el punto de partida de toda esta reflexión, se habló tan sólo en cuanto que en el texto había sido incorporada la confesión de Nicea.

No se pone de relieve que el Hijo y la Palabra se hicieron hombres, sino más bien que Dios se hizo hombre; ni tampoco en que vivió una vida verdaderamente humana, aunque sí tomó una naturaleza humana íntegra. ¿Se puede, pues, hablar con tanta sencillez de la 'naturaleza' de Dios y verlo, como los antioquenos lo presuponían y como los otros admitían, y considerarlo tan totalmente inmutable e impasible? ¿No habla quizás la Escritura de un Dios personalmente comprometido? ¿No se concibe también la naturaleza del hombre en forma demasiado griega, como una composición estática de alma y cuerpo? ¿Y no se la considera demasiado poco en su desarrollo histórico, libre y consciente?

---

[44] Cf., por ejemplo, B. Sesboüé, *Le procès contemporain de Chalcédonie*, en «Recherches de science religieuse» 65 (1977/1) 54s.

Cuando se distinguen tan fácilmente la 'naturaleza' de Dios y del hombre, como Calcedonia presupone, la presencia humana y la conducta humana de Jesús ¿siguen siendo todavía autorrevelación de Dios? ¿O no es más bien un ocultarse?...

La visión estática predominante sobre la constitución del hombre-Dios, tal como quedó expresada en el concilio de Calcedonia, llevaba en sí también el peligro de dejar en el olvido el carácter genuino de la conducta humana de Cristo. Sobre este punto los siglos siguientes añadieron un válido complemento; pero es importante el hecho de que entenderán la voluntad humana y la acción humana de Jesús prevalentemente como consecuencia de su genuina naturaleza humana, y no como de su participación genuina en nuestra vida y en nuestro destino de hombres» [45].

Los principales límites y peligros inherentes al dogma cristológico son los siguientes: el motivo soteriológico tiende a caer en la sombra, dando la prioridad a la constitución ontológica de la persona de Jesucristo; la dimensión personal y trinitaria del Hijo encarnado deja el puesto a favor de una consideración impersonal del Dios-hombre; la dimensión histórica del acontecimiento Cristo y de la vida humana de Jesús queda eclipsada por la consideración abstracta de la integridad de su naturaleza humana; el compromiso personal de Dios en la historia a través de la encarnación da pie a concepciones filosóficas. En suma, la ontología contra la función, el impersonalismo contra el personalismo, la abstracción contra la historia, la filosofía contra el lenguaje óntico. De todo ello derivó en Calcedonia un lenguaje existencialista que corría el riesgo de dualismo.

Para ilustrar el cambio de perspectiva que el misterio cristológico sufrió desde el Nuevo Testamento a Calcedonia, se puede decir que, mientras el Nuevo Testamento estaba centrado en la cristología como evento, Calcedonia

---

[45] Cf., por ejemplo, P. SMULDERS, «Desarrollo de la cristología en la historia de los dogmas y del magisterio», en J. FEINER-M. LÖHRER (eds.), *Mysterium Salutis*, III, 1, Cristiandad, Madrid ²1980.

la expone como una verdad de fe. La cristología neotestamentaria distinguía etapas en el desarrollo histórico del acontecimiento Cristo: de la pre-existencia a la glorificación a través de la kenosis; Calcedonia afirma la unión de las dos naturalezas, la divina y la humana, en la única persona de Jesucristo. Mientras en el Nuevo Testamento *sarx* y *pneuma* se referían respectivamente (cf. Rom 1,3-4) a la vida humana kenótica de Jesús y a su glorificación en la resurrección, los mismos términos, dirigiendo su atención más tarde hacia la ontología, terminaron por referirse a las naturalezas, humana y divina, de Jesucristo, concebidas a menudo —contra la intención del dogma— como yuxtapuestas una a otra en un aparente «dualismo». Una de las preocupaciones de los estudiosos de cristología más recientes consiste, en efecto, en tratar de superar el dualismo latente de gran parte de la cristología más antigua con una vuelta a la cristología como acontecimiento y, en particular, a la funcional del kerigma primitivo. Escribe a este propósito W. Kasper:

> «El tema cristológico fundamental de la Escritura es la unidad del Jesús terreno y del Cristo glorificado, *el* motivo cristológico fundamental de la Tradición es la unidad de la verdadera divinidad y de la verdadera humanidad».

Y añade:

> «El contenido de la cristología es... el Jesús terreno y el Cristo glorificado de la fe... No es el modelo calcedonense de la unidad de la verdadera divinidad y de la verdadera humanidad, sino que la unidad del Jesús terreno y del Cristo glorificado forma el ámbito de la cristología» [46].

---

[46] W. KASPER, «Christologie von unten? Kritik und Neuansatz gegenwärtiger Christologie», en AA.VV., *Grundfragen der Christologie heute*, Friburgo de Brisgovia 1975, 142-166.

Aquí surge claramente la naturaleza «relacional» del dogma cristológico y la necesidad para toda reflexión cristológica de enraizarse de manera firme en el acontecimiento fundante del Nuevo Testamento. No nos queda más que indicar qué dirección debería adoptar una cristología renovada que quiera poner remedio a los puntos débiles y superar los límites del pasado.

2. Para una renovación de la cristología

Hay que atribuir a la teología posterior, más que al concilio mismo, el hecho de que el modelo cristológico calcedonense, desarrollado en el pasado, se haya usado de forma unilateral. El concilio mismo no pretendió ofrecer un tratado exhaustivo del misterio cristológico, sino tan sólo demostrar la dirección en que se encontraba su expresión correcta, y procurar los indicadores de los límites que, de saltarse, conducirían hacia una de las lecturas reduccionistas opuestas, la del nestorianismo, de un lado, y la del monofisismo, de otro. Se da el hecho de que la cristología posterior tuvo a menudo la tendencia a absolutizar Calcedonia como si constituyera el punto absoluto de referencia, descuidando así la naturaleza relacional de la cristología conciliar respecto a la del Nuevo Testamento. Se siguió, por tanto, una puesta del acento unilateralmente en la composición ontológico-formal de la persona de Jesús, a expensas del acontecimiento Cristo.

La intención inmediata de Calcedonia fue la de preservar la integridad de la naturaleza humana de Jesucristo contra la afirmación monofisita, que quería absorberla en la divina. Quedó expresada, preeminentemente en clave antioquena, la distinción de las naturalezas en la unidad de la persona. Paradójicamente, sin embargo, el modelo postcalcedonense de cristología que más tarde se desarrolló y que mantuvo la hegemonía durante muchos siglos, hasta tiempos recientes, era un modelo «desde arriba» que puso el acento fuertemente en la divinidad de Jesús con riesgo de comprometer su integridad y la autenticidad de su existencia humana. Las elaboraciones sucesivas, insistiendo sobre la voluntad y la acción humana de Jesús, alimentadas por el concilio de Constantinopla III, que prolongó la línea hermenéutica de Calcedonia, no puso remedio a la situación. Se puede afirmar que la reflexión cristológica tradicional, que siguió al período del desarrollo del dogma cristológico, ha adoptado en años recientes un enfoque «desde arriba», esto es, descendente. Sólo recientemente ha habido una reacción a esto con una vuelta masiva a la cristología ascendente o «desde abajo».

Gran parte de la cristología tradicional, por tanto, está caracterizada por una doble tendencia: hacia una ontología unilateral de Cristo, separada de la soteriología, y hacia un acercamiento unívocamente descendente, separado del complemento necesario de una perspectiva ascendente. La sección anterior demostró cuáles son los principales límites del modelo cristológico de Calcedonia. La presente quiere indicar los aspectos correspondientes del misterio que necesitan, también hoy, ser descubiertos en vistas a una cristología renovada e integrada.

a) El aspecto histórico

El primer aspecto que hay que recuperar es el histórico, que debería combinarse con el ontológico. Central al mensaje cristiano no es una doctrina sino un acontecimiento, el de la entrada personal de Dios en la historia y de su designio decisivo hacia ésta en Jesucristo. Este acontecimiento se realiza en la historia concreta de la humanidad y está sujeto él mismo al proceso histórico del devenir. La «historia» concreta de Jesús ha de ser descubierta como la personificación del empeño personal y la autocomunicación de

Dios a la humanidad. Esto comporta un descubrimiento del contenido revelador y salvífico de los acontecimientos de la vida humana de Jesús, de sus «misterios históricos».

En particular, la perspectiva neotestamentaria de las distintas «fases» del acontecimiento Cristo ha de volver a tomar su puesto central: la verdadera transformación realizada en la existencia humana de Jesús al pasar del estado kenótico al de la gloria en su resurrección ha de dirigir el tratamiento de su «psicología» humana, de su conciencia y voluntad, de sus acciones y actitudes. La noción abstracta de una naturaleza humana completa e integral no ha de permitir el oscurecimiento de la verdad de un auténtico desarrollo al que está sometida su existencia humana; tampoco se puede permitir que un principio «a priori» de las «perfecciones absolutas» sea invocado para amenazar la realidad concreta de la identificación de Jesús con nuestra misma condición histórica y humana.

b) El aspecto personal y trinitario

Jesucristo no es un Dios-hombre en términos impersonales: es el Hijo de Dios encarnado en la historia y hecho miembro del género humano. A una cristología impersonal del «Dios humanizado» ha de sustituirla una cristología personalizada del Hijo-con-nosotros. Esto significa poner en evidencia una vez más la dimensión trinitaria del misterio de Jesucristo. Su identidad divina consiste en la relación personal del Hijo hacia el Padre que él vivió en su existencia humana y que expresó con el término «*Abba*». La singularidad y el carácter único de esta relación interpersonal del Hijo con el Padre, experimentada por el hombre Jesús, expresa la realidad concreta del misterio de la «unión hipostática», que tiene su fundamento último en el origen del Hijo desde el Padre en la vida de la divinidad. La relación personal intratrinitaria del Hijo con el Padre se «humanizó» en Jesús y fue experimentada por él como hombre. La cristología no puede estar separada del misterio de la Trinidad.

c) El aspecto soteriológico

Tampoco la cristología puede estar separada de la soteriología: el aspecto soteriológico del misterio se ha de redescubrir y reintegrar en la cristología. En la tradición primitiva, el motivo soteriológico fue el trampolín de la cristología, que sigue en un momento posterior. Explicaba las condiciones a priori sin las cuales la realidad de la salvación humana en Jesús no se podía entender: para ser *lo que* era para nosotros, era necesario que fuera *el que* era, es decir, el Hijo de Dios, pues la salvación humana consiste no en una «redención impersonal» o en una oferta de gracia, sino en ser hechos partícipes, en Jesucristo, de la filiación personal del Hijo. Un motivo más por el que a menudo la cristología se ha hecho impersonal y abstracta se debe también a su separación de la soteriología. El motivo soteriológico necesita reintegrarse en la cristología en su forma personal: no a modo de «humanización» sino a modo de «trueque maravilloso» gracias al cual el Hijo de Dios compartió nuestra existencia concreta humana para hacernos partícipes de su misma filiación con el Padre.

d) El dinamismo de la fe

La cristología del Nuevo Testamento, bajo el impulso de fe, se desarrolló desde la cristología pascual funcional del kerigma primitivo hacia la ontológica de los escritos posteriores. Esto testifica la necesaria complementariedad y la mutua interacción entre la cristología desde abajo y la desde arriba, es decir, entre un enfoque inicial ascendente al misterio de Jesucristo y la perspectiva inversa, la descendente, de una fe reflexiva y articulada. Sugerimos al principio que la reflexión cristológica había de recorrer todavía hoy el mismo camino. Para que haya una renovación de la cristología, hay que descubrir y hacer propia la unidad en la tensión entre la cristología desde arriba y la desde abajo. Sólo su interacción recíproca puede ayudar a tener en equilibrio, en un «acercamiento integral», los distintos aspectos del misterio de Jesucristo, que seguirá estando siempre más allá de la plena comprensión y elaboración humana.

V
Problemas de la psicología humana de Jesús

El concilio de Constantinopla III había en parte introducido en la propia doctrina de la voluntad humana de Cristo una perspectiva histórica: en el misterio de su sufrimiento, pasión y muerte, Jesús se sometió a la voluntad del Padre con un acto auténtico de voluntad humana. El concilio de Constantinopla III, por tanto, estaba así orientando directamente la reflexión cristológica de la Iglesia hacia los problemas de la psicología humana de Jesús que estaban ya latentes en su doctrina sobre la voluntad y acción humana de Jesús. Para hacer justicia a estos problemas era necesario un retorno al Jesús de la historia y a su vida humana, de los que da testimonio la tradición evangélica: sólo así podrían evitarse teorías apriorísticas y deducciones abstractas. Esto explica que, desde hace algunas décadas, la psicología de Jesús se haya convertido en objeto de un estudio explícito, centrado en la historia concreta y humana de Jesús, tal como la Iglesia apostólica conservó su memoria en la tradición escrita y oral. Objeto del presente capítulo será, pues, un estudio concreto sobre la psicología humana de Jesús.

Esto no significa que la reciente cristología se centre exclusivamente en dicho estudio. La tradición conciliar dejó sin resolver problemas relativos a la constitución formal ontológica de Jesucristo, a la que se dedicó gran parte de la reflexión teológica a lo largo de los siglos siguientes. No es éste el lugar para poder seguir las distintas teorías propuestas por las escuelas clásicas y dar cuenta de forma racional del misterio de la unión hipostática. Esto último, sin embargo, continúa todavía hoy empeñando la reflexión de los estudiosos de la cristología, los cuales se acercan a ella adoptando de manera predominante —pero no exclusiva— una perspectiva ascendente, hacia arriba. Entre las cuestiones principales relativas a la constitución ontológica de Jesucristo, y que requieren hoy la atención de los estudiosos de cristología, se pueden recordar las siguientes, a las que aludimos ya a lo largo de las exposiciones precedentes.

Si la persona ontológica del Hijo de Dios comunica con la humanidad de Jesús y, en consecuencia, ésta existe por el «acto de ser» del Hijo, ¿no es, acaso, impersonal su humanidad e irreal, en último análisis, su existencia humana? ¿Es concebible el «éxtasis de ser» (H. M. Diepen) del hombre Jesús en el Hijo de Dios? Ya observamos anteriormente que el dogma cristológico contenía implícitamente la respuesta a tal cuestión, que de hecho es una falacia. El «hecho de ser» del Hijo dota a la humanidad de Jesús de una existencia humana real y auténtica: lo hace hombre de forma personal. A pesar de ello, sigue urgiendo la cuestión de si Jesús, negando en sí una persona humana, no ha llegado a ser irreal. ¿En qué sentido, entonces, es posible hablar de Jesús como «persona humana»? En el sentido, al menos, de que una persona «divino-humana» es también verdaderamente humana, y en el sentido ulterior de que el Hijo de Dios hecho hombre goza, actualiza y desarrolla una genuina «personalidad humana». W. Kasper escribe a este propósito:

«La asunción de la humanidad de Jesús, acto de la más alta unión, sitúa a esta naturaleza en su autonomía de criatura. La humanidad de Jesús está, pues, hipostáticamente unida con el

Logos de forma humana, y esto significa que garantiza la libertad humana y la autoconciencia humana. Precisamente porque Jesús no es otro que el *Logos*, en el *Logos* y a través de él, es también una persona humana. Y, al contrario, la persona del *Logos* es la persona humana» [1].

Unida a esta primera cuestión hay otra: el modelo cristológico tradicional de una persona en dos naturalezas ¿no ha dejado en concreto de hacer justicia a la auténtica, histórica y concreta humanidad de Jesús? ¿Y es capaz de hacerle justicia de alguna manera? P. Schoonenberg, que formuló estas preguntas, sugirió con precisión que sólo un cambio completo de perspectiva en la constitución ontológica de Jesucristo es capaz de compensar sus límites y restablecer su justo equilibrio: Jesús no sería una persona divina que asume la naturaleza humana, sino una persona humana en la que Dios está plenamente presente y operante en su Verbo.

El aparente «dualismo» de la cristología de las dos naturalezas sería, por tanto, superado y su condición divina se pondría una vez más allí donde la descubrió el kerigma primitivo, es decir, no más allá ni por encima de su existencia humana, sino desde dentro y desde lo hondo de la misma. Un cambio semejante de perspectiva no parece ni necesario ni practicable teológicamente y tampoco se trata de elegir entre la cristología del kerigma primitivo y los desarrollos posteriores del Nuevo Testamento. A pesar de ello, hay que dirigir la atención hacia la necesidad de volver a la realidad concreta de Jesús y, a tal fin, de no dejar perder la unión con la cristología funcional del kerigma, una cristología desde abajo, que habló de Jesús como de un hombre en que Dios estaba presente y operante (cf. Hch 2,22).

---

[1] W. KASPER, *Jesús, el Cristo*, Sígueme, Salamanca [5]1984.

El presente capítulo trata de demostrar que ambas perspectivas, la ascendente y la descendente, deben combinarse en una teología de la psicología humana de Jesús que quiera hacer justicia al mismo tiempo tanto a la realidad de su condición humana e histórica como a su identidad personal de Hijo de Dios.

Una teología semejante ha de compensar las deficiencias de que adolece gran parte de la especulación cristológica del pasado. Ha de recuperar la dimensión histórica de la vida humana de Jesús en su estado de kenosis, el aspecto personal de sus relaciones con Dios, su Padre, en obediencia y libre sumisión y, finalmente, el motivo soteriológico que constituye el fundamento de su misión mesiánica. Esta vuelta y esta mirada renovada al Jesús real de la historia someten a la teología de su psicología humana, de su conciencia y conocimiento, de su voluntad y libertad, a una revisión profunda. Lo que se pide es una teología de los «misterios históricos» de la vida humana de Jesús: los misterios de su bautismo y transfiguración, de la agonía en el huerto y del grito en la cruz, de su conciencia de la mesianidad y filiación, de su conocimiento e ignorancia, de su oración y fe en Dios, de su entrega a su misión y de su obediencia a la voluntad del Padre, de su libre autoentrega y del «abandono» en las manos de su Padre.

La tradición evangélica ha conservado el recuerdo de estos «misterios históricos» de la vida de Jesús. Y lo ha hecho, sin duda, de distintas formas: cada evangelio sinóptico posee características propias y un interés específico. Después de un período prolongado de meditación en los misterios de la vida de Jesús, el evangelio de Juan penetra más hondamente en la autocomprensión y la psicología humana de Jesús. Pero en los cuatro evangelios se encuentra la memoria de la misma persona y del mismo acontecimiento. Ya demostramos antes cómo, a través del testimonio de los evangelios, se puede recuperar al Jesús de la historia hasta el punto de poder afirmar que la interpretación de Jesús que nos da la Iglesia apostólica se basa realmente en la autocomprensión y revelación de Jesús.

Permaneciendo en el ámbito de la comprensión de fe que la Iglesia apostólica tuvo del hombre Jesús y que se contiene en la tradición evangélica y en los demás escritos del Nuevo Testamento, es posible demostrar ahora qué retrato del hombre Jesús nos transmite y cómo percibe su psicología humana. A la objeción de que no tenemos ningún acceso a la psicología humana de Jesús y que es pura presunción reconstruirla a partir del testimonio evangélico, la respuesta es que, dado que este último ha conservado a rasgos generales un retrato de Jesús, mostrándonos el tipo de hombre que era, nos queda la posibilidad de acceder a su autocomprensión, pues las actitudes y las acciones de una persona revelan naturalmente y desvelan espontáneamente el pensamiento y las intenciones de la persona misma.

LA AUTOCONCIENCIA
Y EL CONOCIMIENTO HUMANO DE JESÚS

1. La unidad psicológica y la autoconciencia de Jesús

1. La problemática de la unidad en la distinción

La unidad ontológica de la persona de Jesucristo supone también la «psicológica». Por otra parte, la existencia humana de Jesús introduce en el Hijo de Dios una distinción que se extiende del nivel ontológico al de la autopercepción o autoconciencia. ¿Cómo concebir, por tanto, la unidad psicológica de Cristo? ¿Cuál es el centro de referencia de las acciones humanas? ¿La conciencia divina? Pero, ¿no es ésta común a las tres personas divinas? ¿Será, entonces, la conciencia humana? Pero si en Jesucristo no hay persona humana, ¿puede la conciencia humana hacer de centro de referencia? Se pueden distinguir tres aspectos del problema del modo siguiente: 1) ¿Se puede, o se debe, afirmar en Jesús un centro de referencia psicológico humano, es decir, un *ego* humano? 2) La naturaleza humana de Jesús ¿es autónoma o heterónoma? 3) Más importante todavía: ¿en qué modo el hombre Jesús era consciente de ser el Hijo de Dios?

El dogma cristológico ofrece a este propósito algunas orientaciones que necesitan ser brevemente recordadas. El concilio de Constantinopla III afirmó que en Jesucristo hay una voluntad y una acción auténticamente humanas, no, sin embargo, en oposición a la voluntad divina, sino perfectamente sometidas a ella. Era necesario, se dice, que la voluntad humana «se moviese a sí misma» *(kinèthènai)*, pero, por otro lado *(dè)*, que estuviera sometida a la voluntad divina [2]. ¿Cómo se ha de entender esta autodeterminación de la voluntad humana de Jesús en plena conformidad con la divina?

Por un lado, las «dos voluntades» y acciones no pueden yuxtaponerse una a otra o verse, por así decirlo, de manera paralela, como era el caso del nestorianismo. Por otro, no se puede pensar que la voluntad divina obre como principio «hegemónico», regulando y determinando a la manera monofisita una voluntad humana que se dejaría guiar pasivamente. ¿Cómo conciliar, por tanto, la auténtica iniciativa de la voluntad humana de Jesús y su sumisión moral a la voluntad de Dios? No hay en Jesús dos líneas paralelas de acción ni hay en él una acción «teándrica» derivada de la fusión de las dos acciones y voluntades. Hay que afirmar una unidad orgánica de las dos voluntades en comunión y

---

[2] Cf. DENZINGER-SCHÖNMETZER, *Enchiridion*, nn. 421-432; NEUNER-DUPUIS, *The Christian Faith*, nn. 620/1-10.

subordinación. Los actos humanos mantienen su autenticidad, pero son actos humanos del Hijo de Dios. Así como el Verbo de Dios solamente haciéndose hombre llegó a ser —por añadidura— «algo menos de lo que es en sí mismo» (K. Rahner), de la misma manera, sus acciones humanas son algo menos que las divinas; sin embargo, así como Jesús es personalmente el Verbo encarnado, así también sus acciones humanas son personalmente las del Hijo encarnado.

La solución al problema de la unidad psicológica de Jesús se ha de buscar también en la dirección de un correcto equilibrio entre dos posiciones extremas y opuestas. Como se podría esperar, existen dos acercamientos al problema; los dos tienen como punto de partida polos opuestos, desde abajo y desde arriba. Ambas perspectivas son igualmente válidas dentro de los límites permitidos: no hay una cristología absoluta de la psicología humana de Jesús. Ambas, sin embargo, necesitan completarse mutuamente, no sea que, haciéndose unilaterales, amenacen la unidad o la distinción. Las controversias de las últimas décadas dan fe de la realidad de un peligro semejante.

Un planteamiento antioqueno llevado a sus últimos extremos puede tener como ejemplo la cristología de dos franciscanos y escotistas, Déodat de Basly y L. Seiller. Partiendo de la cristología del *homo assumptus*, de la escuela antioquena, Déodat concibe el diálogo entre Jesús y Dios como un «duelo de amor» entre Jesús hombre y el Dios trino. Aunque el «hombre asumido» no es una persona humana, sin embargo, dada «su unión» con el Verbo, el *ego* humano de Jesús sigue siendo plenamente autónomo. El «hombre asumido» encuentra al Dios trino en un «duelo de amor». L. Seiller, discípulo de Déodat, ha consolidado la perspectiva del maestro. Continúa afirmando que en Jesús no hay persona humana y sostiene que «la unión hipostática» no afecta a la psicología humana de Jesús. El «hombre asumido» actúa como si fuese una persona humana; es el sujeto humano, plenamente autónomo, de las propias acciones sobre las cuales el Verbo de Dios no ejerce la más mínima influencia. La obra de Seiller [3] fue colocada en el índice de libros prohibidos en 1951 [4]. La razón es que, concibiendo el *ego* humano de Jesús como sujeto autónomo, no queda a salvo la unidad de la persona divina ontológica.

Aun siguiendo el planteamiento antioqueno de la cristología del *homo assumptus*, la posición del P. Galtier [5] es mucho más cauta y matizada. Afirmó que Jesús, el *homo assumptus*, aunque no era una persona humana, tenía un *ego* psicológico humano, esto es, un centro humano de referencia de las acciones humanas propias. El *ego* de los dichos de Jesús, contenidos en los evangelios, no se refería a la persona divina del Verbo, sino que expresaba su personalidad humana. Además, puesto que la naturaleza humana de Jesús es completa, posee naturalmente una conciencia humana gracias a la cual —ya que la conciencia pertenece a la naturaleza— la naturaleza humana de Jesús se hace intencionalmente presente a sí misma en sus acciones humanas. Por eso, las acciones y experiencias humanas de Jesús se refieren a un centro humano, psicológico y empírico: el *ego* humano es el centro de la vida psicológica de Jesús. Éste goza plenamente de autonomía psicológica, pues, aunque en conformidad con la voluntad divina, la naturaleza humana se determina a sí misma. El Verbo de Dios no ejerce influencia alguna sobre los actos humanos de Jesús, de los que él es simplemente el «sujeto de atribución». Además, la conciencia humana es consciente de las propias acciones y las refiere a sí misma como a su sujeto inmediato.

---

[3] LÉON SEILLER, *La psychologie humaine du Christ et l'unicité de personne*, «Franziskanische Studien» 31 (1949) 49-76, 246-274.
[4] Cf. *Acta Apostolicae Sedis* 43 (1951) 561.
[5] P. GALTIER, *L'unité du Christ*, Beauchesne, París 1939.

Es aquí donde surge una dificultad en la posición de Galtier. ¿Cómo sabe Jesús que es el Hijo de Dios y no simplemente una persona humana? ¿Cómo sabe que su *ego* humano es sólo un centro psicológico de referencia, no una persona ontológica? Galtier busca la solución a este problema en la «visión beatífica», es decir, en el conocimiento objetivo e inmediato de la Trinidad que se presume tuvo Jesús durante su vida terrena. En efecto, según Galtier, es necesaria la visión beatífica en Jesús para impedir que, de lo contrario, tuviera una percepción errónea subjetiva de ser una persona ontológica humana. En la visión beatífica del Dios trino, el intelecto humano de Jesús ve la propia humanidad unida hipostáticamente a la segunda persona de la Trinidad. Este conocimiento objetivo de su persona divina es la clave para entender el misterio de la unidad psicológica de Jesús. En síntesis, según la teoría de Galtier, hay en Cristo un *ego* humano psicológico; la naturaleza humana goza de plena autonomía; Cristo, mediante la visión beatífica, tiene un conocimiento objetivo de su propia identidad divina.

En dirección opuesta está el exagerado acercamiento alejandrino a la unidad psicológica de Jesucristo, representado, entre otros, por P. Parente [6]. La tesis de este autor consiste en un cambio completo de la posición de Galtier: en Jesús no hay un *ego* humano psicológico; la naturaleza humana es totalmente «heterónoma»; Cristo tiene una conciencia directa y subjetiva de la propia identidad divina. Mientras que para Galtier la naturaleza humana actuaba como si constituyese una persona humana, para Parente el Verbo de Dios no sólo actúa de manera personal en y por las acciones humanas de Jesús, sino que es también el principio «hegemónico» que las regula y determina. De lo

---

[6] P. PARENTE, *L'io di Cristo*, Morcelliana, Brescia 1955.

que se sigue que el único principio de unidad, incluso psicológica, es la persona divina del Verbo, ya que no hay ningún *ego* psicológico humano que haga de centro de referencia de las acciones humanas. El *ego* de los dichos evangélicos de Jesús es directamente la persona divina. La naturaleza humana no sólo queda sustancialmente «autodesposeída» mediante la unión hipostática, sino que es gobernada y guiada «hegemónicamente» por el Verbo en todas sus acciones: es, por tanto, enteramente heterónoma. Además, la conciencia humana de Jesús alcanza a la persona divina del Verbo: Cristo es directamente consciente de su propia persona divina. Los dichos de Cristo consignados en los evangelios expresan asimismo una conciencia inmediata: «Yo y el Padre somos uno» (Jn 10,30).

2. Hacia una solución del problema

Con ocasión del 1.500° aniversario del concilio de Calcedonia, el papa Pío XII publicó la carta encíclica *Sempiternus Rex* (1951), en la que se afirmaban los principios básicos para una comprensión correcta de la unidad psicológica de Jesús [7]. Recuerda el papa que no se puede poner en peligro la unidad de la persona en Jesucristo. «Aunque nada impide escrutar más a fondo la humanidad de Cristo, aun desde el punto de vista psicológico», se debe respetar, sin embargo, la definición de Calcedonia. Sigue poniendo de relieve las nuevas teorías que de manera desconsiderada sustituyen la definición calcedonense por las «propias elucubraciones»: «Estos teólogos describen el estado y la condición de la naturaleza humana de Cristo en tales términos

---

[7] Cf. texto en Denzinger-Schönmetzer, *Enchiridion*, n. 3905; Neuner-Dupuis, *The Christian Faith*, nn. 662-663.

que parece que se haya de tomar como un sujeto *sui generis*, como si no subsistiese en la persona del mismo Verbo» [8]. El significado del documento es el siguiente: es legítimo hablar de un *ego* psicológico humano en Jesús con tal que se mantenga la unidad ontológica de la persona. En consecuencia, no es lícito suponer en él dos individuos ni concebir un *homo assumptus* dotado de plena autonomía, puesto, por así decirlo, al lado del Verbo *(penes Verbum)*.

La unilateralidad de ambas posiciones extremas y opuestas, descritas arriba, es imputable a la falta de una clara distinción entre persona y naturaleza. Erigiendo la naturaleza a sujeto de la conciencia, Galtier concibe erróneamente la naturaleza como «sujeto» de las acciones. Por otro lado, considerando al Verbo como principio «hegemónico» de los actos humanos, Parente, de manera también equivocada, le atribuye el papel de «especificar» esas acciones. Para encontrar el justo equilibrio es necesario salvaguardar de manera intacta la distinción entre persona y naturaleza. Sin embargo, como se verá a continuación, el problema del conocimiento que Jesús tenía de su propia divinidad se puede afrontar tanto en clave antioquena como en clave alejandrina.

A. La persona divina el *ego* humano psicológico.

El *ego* de la conciencia humana de Jesús no es la naturaleza humana en su autoposesión intencional (Galtier),

---

[8] El texto publicado primeramente en *Osservatore Romano* decía: «ita provehunt... ut eadem *saltem psycologice* reputari videatur...». Las palabras «saltem psycologice» parecían condenar también la teoría de Galtier. Sin embargo, en el texto oficial publicado en AAS 43 (1951) 638 estas dos palabras han quedado suprimidas. Por tanto, lo que se condena en la encíclica es la teoría de Seiller. Cf. «Gregorianum» 32 (1951) 562, nota 68.

sino que, por el contrario, es la persona divina, ontológica. La razón es que la conciencia es el acto de la persona en la naturaleza y mediante ésta. Se sigue que el centro último de referencia de los actos humanos de Jesús es la persona divina del Verbo. El *ego* de los dichos evangélicos de Jesús es, en última instancia, el Verbo de Dios en su conciencia humana: él es consciente de sí mismo de manera humana, así como él es el que obra verdaderamente de modo humano.

Esto, sin embargo, no quiere decir que en Jesús no haya una «personalidad humana» o un *ego* humano que actúe como centro humano de referencia de las experiencias humanas de Jesús. El *ego* de los dichos evangélicos es el Verbo, pero precisamente en cuanto consciente de manera humana en su humanidad: es la expresión de la autoconciencia humana del Verbo. El misterio de la unión hipostática se extiende al orden de la intencionalidad humana. En consecuencia, el *ego* humano psicológico de Jesús es, en efecto, nada más que la prolongación, en la conciencia humana, del *ego* de la persona del Verbo. El uno no se opone al otro, sino que se relaciona esencialmente con él. Sin un centro humano semejante de referencia, el Verbo no podría ser consciente de forma humana de las propias experiencias humanas como suyas. En este sentido escribe K. Rahner:

«Jesús... posee un centro subjetivo de acción, humano y creatural, tal que en la libertad le coloca frente al Dios incomprensible. Un centro en el que Jesús ha vivido todas esas experiencias que nosotros tenemos de Dios en un sentido no menos, sino por el contrario, más radical... que en nuestro propio caso. Y ello, hablando con propiedad, no a pesar de, sino más bien a causa de la llamada unión hipostática. Pues, en realidad, cuanto más unida está una persona a Dios, por su ser y por su existir de criatura, tanto más intensa y profundamente alcanza el estado de autorrealización. Y cuanto más radicalmente un determinado individuo es

capaz de experimentar su realidad de criatura, tanto más unido
está a Dios» [9].

B. Autonomía y heteronomía de la naturaleza humana de Jesús.

Para resolver el problema de la autonomía o heterono-
mía humana de Jesús, es necesario definir con claridad qué
es la autonomía y tener en mente la distinción entre persona y naturaleza. La naturaleza humana de Jesús es «autónoma» en el sentido de que cumple por principio lo que
especifica y determina las acciones y reacciones humanas.
La sustancial «auto-expropiación» de la naturaleza humana,
unida hipostáticamente al Verbo, no quita para nada su
espontaneidad. La psicología humana de Jesús es semejante
a la nuestra: la naturaleza humana especifica sus acciones
humanas, garantizándoles su autenticidad humana.

Por otro lado, puesto que está unida hipostáticamente
al Verbo, la naturaleza humana de Jesús está totalmente
expropiada ontológicamente en orden a la persona. Las
acciones humanas de Jesús son verdaderamente las del Verbo de Dios: él es el que actúa en ellas, ejerciendo su propia
«causalidad personal». Pero esta total «expropiación» en el
orden de la persona no quita para nada el sentido de responsabilidad y de iniciativa humana de Jesús: garantiza que
en Jesús el Hijo de Dios mismo responde como hombre a
la misión recibida de su Padre. El Verbo de Dios cumple
personalmente su misión humana con total dedicación y
entrega. Vale también aquí el axioma que K. Rahner pone
a propósito de toda relación entre Dios y la criatura:

---

[9] K. RAHNER, «La cristología entre la exégesis y la dogmática», en *Escritos
de Teología*, I, Taurus, Madrid 1963.

«La proximidad y la lejanía, el estar a disposición y la autonomía de la criatura crecen en la misma medida y no en medida inversa. Por eso Cristo es hombre de la manera más radical y su humanidad es la más autónoma, la más libre, no a pesar de, sino porque es la humanidad aceptada y puesta como automanifestación de Dios» [10].

C. La conciencia de Jesús de la propia filiación divina.

Es el aspecto más misterioso de la conciencia humana del Verbo encarnado. Explicar la conciencia que Jesús tenía de la propia divinidad por medio de la «visión beatífica» no satisface por diversos motivos. Primero, porque el conocimiento de Jesús de la propia identidad personal sería inferior específicamente a la que de ordinario tienen los hombres: una persona tiene una conciencia subjetiva y no sólo objetiva de la propia identidad. Segundo, la «visión beatífica» deja sin explicar cómo conoce Jesús que su propia humanidad está unida a la segunda persona de la Trinidad, cosa que se presume debe ver por medio del conocimiento objetivo de la visión. Tercero, como se verá más adelante, la «visión beatífica» de Jesús durante su vida terrena se supone gratuitamente: no se afirma, en efecto, en el Nuevo Testamento.

Es, por tanto, necesario hablar en Jesús de una conciencia subjetiva de su divinidad. Pero, ¿cómo puede un entendimiento humano ser el instrumento con el que una persona divina se hace consciente de sí misma? Una vez más son posibles aquí dos enfoques distintos y opuestos: el que parte desde abajo (entre otros, K. Rahner y E. Gutwenger), que se pregunta en qué modo el hombre Jesús es subjetivamente consciente de la propia divinidad, y el que parte

---

[10] K. RAHNER, «Teología de la encarnación», en *Escritos de Teología*, I, Taurus, Madrid 1963, 139-158.

desde arriba (por ejemplo, H. U. von Balthasar), que interroga de qué forma el Verbo encarnado se hace consciente humanamente en la conciencia humana de Jesús. Ambos caminos, dentro de los parámetros del misterio de la unión hipostática, son válidos y complementarios.

a) La enunciación desde abajo.

El hombre Jesús es subjetivamente consciente de la propia divinidad mediante una conciencia directa de la unión hipostática. Lo que equivale a decir: la unión hipostática vuelve a entrar en la esfera de la conciencia humana de Jesús. La autoconciencia humana de la divinidad no es una nueva realidad añadida a la unión hipostática, sino que representa el aspecto subjetivo de la misma. La unión hipostática no podría existir sin esa conciencia, ya que es la prolongación natural de la unión hipostática misma en la esfera del entendimiento humano. Por eso, el *ego* de los dichos evangélicos de Jesús se refiere a la persona del Verbo, en cuanto humanamente consciente de sí mismo [11].

b) La enunciación desde arriba.

Se cambia la perspectiva. El problema no es: ¿cómo puede el hombre Jesús saber que es Dios?, sino, más bien: ¿cómo sabe el Hijo de Dios que es hombre? Habiendo asumido la naturaleza humana y, con ella, una conciencia humana, el Verbo de Dios se hace consciente de forma humana. El centro último de referencia de un acto semejan-

---

[11] K. RAHNER, «Ponderaciones dogmáticas sobre el saber de Cristo y su conciencia de sí mismo», en *Escritos de Teología*, V, Taurus, Madrid 1964, 221-246.

te de conciencia es la persona divina. Pero, ¿cómo puede un intelecto humano ser instrumento en virtud del cual una persona divina llega a ser consciente de sí misma, tarea esta a la que por naturaleza no estaría preparada? Necesita adaptarse a semejante tarea, pero no, sin embargo, por una realidad añadida a la unión hipostática.

Más bien, la asumpción de la naturaleza humana por el Verbo extiende también sus efectos hasta la conciencia humana de Jesús. La conciencia humana del Hijo de Dios es, pues, la prolongación en la conciencia humana del misterio de la unión hipostática. Así como la comunicación del «acto de ser» del Verbo a la naturaleza humana hace a ésta idónea para subsistir en él y le da la existencia, de manera semejante hace idónea a la conciencia humana para ser el trámite para la autoconciencia humana del Verbo. Así, el *ego* hipostático del *Logos* se hace autoconsciente en la naturaleza y en la conciencia humana. El *ego* es la persona divina humanamente consciente: es el *ego* humano del Verbo.

En conclusión, se puede afirmar lo que sigue. La única persona divina del Verbo es humanamente autoconsciente en Jesús: esto supone en él la existencia de un *ego* humano psicológico. La conciencia humana es propia del Verbo, mientras que la divina es común a las tres personas divinas. En la vida divina intratrinitaria, emerge una conciencia «del Nosotros», que tiene tres centros focales de conciencia. La autoconciencia humana de Jesús, por el contrario, introduce una relación de diálogo «Yo-Tú» entre el Padre y el Verbo encarnado: «Yo y el Padre somos uno» (Jn 10,30); «El Padre es mayor que yo» (Jn 14,28). Estos datos evangélicos que expresan la conciencia humana del Hijo encarnado pasan a clave humana y extienden a nivel humano la relación interpersonal del Hijo con el Padre dentro de la vida divina.

2. El conocimiento humano de Jesús

1. El problema del conocimiento y de la nesciencia

¿Qué conocimiento humano tuvo Jesús? ¿Qué perfección atribuir a su conocimiento humano y qué límites hay que ponerle? Un estudio del conocimiento humano de Jesús ha de tener en cuenta dos hechos: se trata del conocimiento del Hijo de Dios; el Verbo, encarnado en la kenosis, no tuvo la posesión durante su vida terrena de la «perfección» *(teleiòsis)* (cf. Heb 5,9) que alcanzó en la resurrección. Sin duda, hay que afirmar en Jesús algunas perfecciones a causa de su identidad personal de Hijo de Dios. Por otra parte, no sólo su naturaleza humana sigue siendo la misma, sino que su existencia humana en la kenosis implica que él, voluntariamente, asumió las imperfecciones.

El que, por la unión hipostática, las dos naturalezas no se mezclen —la naturaleza humana conserva su propia integridad— implica que las perfecciones de la naturaleza divina, en este caso el conocimiento divino, no se comunican directamente a la naturaleza humana; el que las dos naturalezas no estén separadas significa que la conciencia humana de Jesús es la del Hijo de Dios. Las perfecciones de una conciencia como ésta no deben ser, por ello, ni exageradas ni indebidamente reducidas. Además, el estado kenótico de la existencia humana de Jesús significa que no se permitió a la gloria divina *(doxa)* manifestarse durante su vida terrena sino en el tiempo de su glorificación, y que el Verbo, habiendo asumido plenamente la condición concreta del género humano, excepto el pecado (Heb 4,5), comparte con los hombres su condición, sufrimiento y muerte comprendidas. Asumió libremente las consecuencias del pecado que podía adoptar y transformar en instrumento de salvación.

Todo esto sirve para demostrar que «el principio absoluto de perfecciones», aplicado muchas veces a la humanidad de Jesús, de manera especial a su conciencia humana, carece de fundamento. Las perfecciones humanas de Jesús son proporcionales a su estado kenótico y están en relación a su misión. En cuanto al primero, hay que recordar que lo que diferencia el estado kenótico de Jesús del de su estado glorioso es una transformación real: sólo en la resurrección estará en posesión de la plenitud de su poder mesiánico y salvífico. En cuanto al segundo, Jesús, durante su vida terrena, poseyó el conocimiento y las perfecciones humanas, necesarias al cumplimiento de su misión.

Es necesario, sobre todo, volver a los evangelios para ver cómo la tradición apostólica entendió la humanidad de Jesús. La tradición evangélica, en efecto, no sólo da testimonio de las perfecciones sorprendentes de la humanidad de Jesús, sino también de sus obvias imperfecciones: su nesciencia, la tentación, la agonía del huerto, el grito en la cruz... Estas indicaciones son tanto más fiables cuanto que podrían haber planteado dificultades para la fe en Jesucristo, fe que la tradición evangélica trataba de comunicar.

La psicología humana del Verbo encarnado en la kenosis aparece, por tanto, como un profundo misterio. ¿Cómo conciliar y combinar en ella elementos que parecen contradecirse y anularse mutuamente? ¿Cómo afirmar al mismo tiempo la ausencia del pecado y la verdadera tentación, la visión de Dios y el sentido de haber sido abandonado por él en la cruz, la obediencia a la voluntad de Dios en la muerte y el libre ofrecimiento de sí mismo? En todo esto son inútiles y fuera de lugar deducciones apriorísticas: lo que se requiere es seguir la historia de Jesús y su misión. Por un lado, debe revelar al Padre (Jn 1,18), por otro, debe sufrir por la salvación de la humanidad (Lc 24,26).

Por lo que respecta al conocimiento de Jesús, la tradición evangélica nos transmite sus extraordinarias perfecciones: habla del Padre como quien lo ve (Jn 1,18), manifiesta un conocimiento sorprendente a la edad de doce años en el Templo (Lc 2,40), la gente queda pasmada de su doctrina (Mt 7,28...), enseña con una autoridad personal única (Mc 1,22), posee un conocimiento sorprendente de las Escrituras sin haberlas estudiado formalmente (Jn 7,15), conoce los secretos de los corazones (Lc 6,8), predice el futuro, aunque haya que tratar con cautela la predicción de su muerte y resurrección. Juan lo resume todo diciendo que Jesús conocía todas las cosas (Jn 16,30); Lucas, por su parte, afirma que el niño Jesús «estaba lleno de sabiduría» (Lc 2,40). Por otra parte, la tradición evangélica testifica también que Jesús aprendió por la experiencia y que «creció en sabiduría» (Lc 2,52). Él se mostró sorprendido, hizo preguntas y hasta admitió que no sabía (Mt 24,36; Mc 13,32).

Ante el fallo de las deducciones apriorísticas, habría que buscar en la tradición evangélica la guía para una teología del conocimiento humano de Jesús. Con toda seguridad hay que afirmar en él algunas limitaciones: debió haber conocido su identidad personal de Hijo de Dios, debió haber tenido un conocimiento especial del Padre para revelarlo. Pero, ¿qué conocimiento? Ni se pueden negar, mediante deducciones apriorísticas, definidas como «míticas» (K. Rahner), los límites del conocimiento de Jesús de que hablan los evangelios, como su nesciencia y su duda, su progreso y sus limitaciones.

Partiendo desde «el principio absoluto de las perfecciones», la teología ha afirmado en Jesús una triple especie de conocimiento humano: la visión beatífica de los bienaventurados en el cielo, un conocimiento infuso (angélico) y un conocimiento experiencial, considerados los tres como exhaustivos y omnicomprensivos. ¡Jesús habría conocido todas las cosas, de forma humana, de tres maneras diferentes! A semejante construcción «mítica» hay que objetar que: 1) dado que durante su vida terrena Jesús no alcanza el «fin de su curso», sino que está en camino, es absurdo pedir en él la visión de los bienaventurados; 2) el Verbo de Dios se hizo hombre y no ángel (Heb 2,16); 3) un conocimiento experiencial exhaustivo es una contradicción terminológica. Además, si Jesús hubiese gozado de la visión beatífica durante y a lo largo de toda su vida terrena, ¿cómo se podría dar cuenta del misterio de sufrimiento y agonía? Distinguir en su alma humana niveles diferentes y afirmar que el *apex* gozó de la visión beatífica, mientras la «parte más baja» permaneció sometida al sufrimiento, significa dotar a Jesús de una «psicología artificial a diferentes planos», lo cual, a la postre, no explica nada, pues la visión beatífica invade, por naturaleza, toda la psicología humana de la persona.

¿Qué dirección se encuentra en el dogma cristológico para la solución del problema de la psicología humana de Jesús? Mientras que el concilio de Constantinopla III habló explícitamente de «dos voluntades naturales y dos operaciones naturales» de Cristo, ningún concilio cristológico ha hecho una afirmación semejante respecto a las dos formas de conocimiento, el divino y el humano. Sin embargo, la existencia en Jesús de un conocimiento humano forma parte de la doctrina de fe, ya que está implicada en la integridad de la naturaleza humana. También aquí se aplica el principio afirmado al comienzo del «Tomus» de san León [12], y retomado, después, por Constantinopla III [13]. «Cada naturaleza obra en comunión con la otra lo que le es propio,

---

[12] Cf. DENZINGER-SCHÖNMETZER, *Enchiridion*, n. 294; NEUNER-DUPUIS, *The Christian Faith*, nn. 612.

[13] Cf. DENZINGER-SCHÖNMETZER, *Enchiridion*, n. 557; NEUNER-DUPUIS, *The Christian Faith*, nn. 636.

esto es, el Verbo opera cuanto es del Verbo, y la carne hace cuanto es de la carne». En tiempos recientes, en el contexto del modernismo, un decreto del Santo Oficio (1918) declaró que no se puede afirmar con seguridad *(tuto)* que no hay evidencia alguna que demuestre *(non constat)* que el alma de Jesús, durante su vida terrena, tuviera la visión beatífica de los bienaventurados *(comprehensores)* [14]. Este decreto disciplinar, relativo a la enseñanza pública, no tenía la intención de poner fin al debate entre los estudiosos de la cristología. Quería más bien, al hablar de la visión beatífica de los bienaventurados, atribuir a Jesús una visión «inmediata» del Padre. Lo que importaba era la modalidad del conocimiento que Jesús tenía del Padre y no los efectos que acompañan la visión de los bienaventurados que han alcanzado el término de su curso terreno y, con él, la fruición definitiva de Dios. La misma interpretación vale también para la carta encíclica *Mystici Corporis* (1943), en la que se atribuye la «visión beatífica» a Jesús también durante su vida terrena [15].

2. *Hacia una solución del problema*

A. La visión inmediata del Padre.

No se puede probar el hecho de que Jesús, durante su vida terrena, tuviera la «visión beatífica». Su íntimo conocimiento del Padre, aun implicando un contacto directo e inmediato con él, no supone necesariamente la «visión beatífica». Lo que es cierto es el hecho de que Jesús tiene una experiencia personal y humana del Padre. El dicho evangé-

---

[14] Cf. texto en DENZINGER-SCHÖNMETZER, *Enchiridion*, n. 3645; NEUNER-DUPUIS, *The Christian Faith*, nn. 651/1.
[15] Cf. texto en DENZINGER-SCHÖNMETZER, *Enchiridion*, n. 3812; NEUNER-DUPUIS, *The Christian Faith*, nn. 661.

lico «Yo y el Padre somos uno» (Jn 10,30) se refiere a esta experiencia inmediata de una relación íntima y personal con el Padre, cuyo origen ha de encontrarse en la vida divina misma. Un conocimiento «infuso» o «profético» daría cuenta a duras penas de la inmediatez y de la intimidad de esta relación personal. Pero, aunque hay implicada una visión inmediata del Padre, no se presume en absoluto su carácter «beatífico», como el que tiene lugar en los bienaventurados a causa de la definitiva fruición de Dios de que gozan después de haber llegado a su meta final al término de su curso terrenal. Por lo que respecta a la tradición cristiana, sólo un texto de san Agustín parecería poder afirmar la visión beatífica de Jesucristo durante su vida terrena [16].

Lo que hay, pues, que afirmar es que Jesús, durante su vida terrena, tuvo «la visión inmediata» del Padre. Esto, en realidad, quedaba implicado en la conciencia humana subjetiva de su filiación divina, de que se habló anteriormente. Jesús era subjetivamente consciente de su identidad personal de Hijo o, en otras palabras, el Verbo era autoconsciente de forma humana. Los «dichos absolutos del *ego eimi*» de Jesús, presentes en el evangelio de Juan (Jn 8,24; 8,28; 8,58; 13,19), manifiestan esta directa conciencia subjetiva. Implicada en la autoconciencia humana de Jesús como el Hijo está la visión intuitiva e inmediata del Padre, pero, mientras la primera es conciencia subjetiva, la segunda es conciencia objetiva.

Esto quiere decir que el Hijo encarnado vivió en su conciencia humana el misterio de su relación personal y esencial con el Padre dentro de la vida divina. La conciencia subjetiva del Hijo en la humanidad implicaba el conocimiento objetivo e intuitivo de Aquel de quien procede el

---

[16] *De diversis quaestionibus*, I, 65, PL 40, 60.

Verbo como Hijo, desde el interior de la vida divina. Jesús ve al Padre *porque* en su conciencia humana vive conscientemente su relación personal de Hijo con él. Su conciencia personal de Hijo implicaba la visión inmediata del Padre.

Una visión inmediata como ésta es distinta de la visión beatífica de los bienaventurados por más de un motivo. Primero, se trata de la relación interpersonal e inmediata entre el Hijo-como-hombre y su Padre, y no de la visión del Dios trino por una persona humana. En la relación «Yo-Tú» entre el Padre y el Hijo, es el Padre el que se hace el «Tú» del Hijo-en-la-humanidad, y no la Trinidad, el objeto de la visión del hombre. Los bienaventurados en el cielo contemplan la Trinidad y dicen: «Tú eres»; Jesús, en la tierra, en el «Yo soy» de su autoconciencia de Hijo, ve al Padre y no a sí mismo. Segundo, la visión inmediata del Padre por parte de Jesús no comporta la fruición beatífica que se produce en los bienaventurados por la unión definitiva con Dios al término de su peregrinación terrena. El Jesús terreno pre-pascual, por el contrario, está en camino hacia el Padre; en su estado kenótico, su alma humana no ha alcanzado la gloria divina. La visión inmediata que Cristo tiene del Padre se convertirá en «beatífica» solamente en su estado glorioso de resucitado; mientras tanto, en su estado kenótico, queda espacio para el sufrimiento humano, para el misterio de la agonía y para el sentido de abandono de Jesús por parte de Dios en la cruz, sin suponer en él una «psicología a más niveles».

Además, la autoconciencia de Jesús y la visión inmediata del Padre son susceptibles de crecimiento y de desarrollo, característica esta que falta en la «visión beatífica». La humanidad de Jesús está sujeta a las leyes de la psicología humana y de la actividad espiritual. Así como la autoconciencia crece por el ejercicio de la actividad espiritual de una persona, así también la autoconciencia humana de Jesús como Hijo y la visión del Padre que la acompaña crecieron desde los primeros años hasta la edad madura de la misión pública. La conciencia que Jesús tenía de su misión mesiánica y del modo en que debía llevarla a cabo creció de manera acorde desde el bautismo del Jordán, en que quedó identificado con el Siervo paciente de Dios, hasta Jerusalén, donde se debatió con su muerte sobre la cruz. A pesar de la carta encíclica *Mystici Corporis* [17], nada indica o requiere que Jesús fuese consciente de su divinidad o que tuviese la visión del Padre desde el momento de la encarnación; Heb 10,5 se refiere al estado kenótico de la vida terrena del Hijo en general, y no al momento puntual de la encarnación.

Por último, la visión inmediata de Dios durante su vida terrena no debe ser necesariamente comprensiva en su totalidad. Ciertamente se extendió a las relaciones interpersonales con el Padre y con el Espíritu, pero nada indica que se hubiese extendido, como habría ocurrido con la «visión beatífica» de los santos, al plan salvífico de Dios. Jesús, sin duda, sabía todo lo que había que saber para el ejercicio de su misión salvadora, incluyendo el significado salvífico de su muerte en la cruz. Pero este conocimiento no le venía de la visión de su Padre: para ello se requería otro tipo de conocimiento humano.

B. El conocimiento experiencial.

No se necesita decir nada del conocimiento experiencial de Jesús. Basta con subrayar que fue del todo normal y ordinario. Así como el conocimiento experiencial es por naturaleza limitado, de la misma manera también el de Jesús era limitado, susceptible de crecimiento o en modo

---

[17] Cf. DENZINGER-SCHÖNMETZER, *Enchiridion*, n. 3812; NEUNER-DUPUIS, *The Christian Faith*, nn. 661. Ver también *Mediator Dei*, n. 17, en el que Heb 10,7 se aplica al momento de la encarnación.

alguno completo y exhaustivo. Jesús aprendió de la gente, de los acontecimientos, de la naturaleza, de la experiencia... En su conocimiento experiencial Jesús compartió la condición ordinaria de los hombres; como ellos, alcanzó la madurez humana, aprendiendo paso a paso a entregar la propia vida humana, «existiendo» totalmente para los demás.

C. ¿El conocimiento infuso?

Algunos teólogos, por ejemplo E. Gutwenger, han negado en Jesús el conocimiento infuso, porque parecía superfluo a causa de su visión inmediata de Dios. Pensaban que la visión de Dios se extendía a todo lo que Jesús tenía que conocer en vistas a su misión o, eventualmente, que era omni-comprensiva. Que Jesús conocía todo lo que debía conocer porque era indispensable para el ejercicio de su misión, está fuera de duda. Pero ésta es precisamente la razón por la que parece necesario afirmar en él un conocimiento «infuso».

Este conocimiento no debe afirmarse a priori sino en atención al papel que desempeña en el ejercicio de la misión de Jesús. Tampoco ha de entenderse como conocimiento «angélico», sino que, más bien, se ha de comparar con el conocimiento «infuso» de los profetas. Como estos últimos, por su experiencia de Dios, recibían un mensaje de él que luego les era confiado transmitir a Israel, así, de modo semejante, Jesús llegó a conocer por Dios todo lo que era necesario para llevar a cabo su misión y todo lo que debía revelar. En particular, la visión que Jesús tenía del Padre, por ser inmediata, no era de por sí susceptible de comunicación. Era necesario traducirla a un conocimiento conceptual y comunicable para que Jesús pudiera revelar al Padre. El conocimiento infuso tenía la misión de dar lugar a esta trasposición. Además, la visión inmediata que Jesús tenía del Padre no era omni-inclusiva. Se extendía primariamente a las relaciones intratrinitarias que Jesús vivía en su conciencia humana. Otros conocimientos le venían por «infusión»; su profundo sentido del significado de las Escrituras (cf. Jn 7,15), su intuición respecto al plan salvífico divino para la humanidad, el significado salvífico de su muerte en la cruz... En todos estos casos, el conocimiento «infuso» estaba totalmente ordenado al cumplimiento de la misión de Jesús. Conoció todo lo que era necesario para tal fin: ¡no tenía necesidad de conocer otra cosa!

D. La nesciencia de Jesús.

El conocimiento de todo lo que se requería para la misión de Jesús no excluye una «nesciencia» real. El problema de la nesciencia de Jesús se ha planteado sobre todo en relación al «día del juicio». La tradición evangélica hace afirmar a Jesús, con un cierto énfasis, que no conocía «el día» (Mc 13,32; Mt 24,36). Los exegetas discuten si los textos se refieren a la destrucción de Jerusalén o al «juicio final»: los textos escatológicos son ambiguos. Enfrentado a la negativa frecuente, por un lado, por parte de los teólogos, de una cierta nesciencia de Jesús, y, por otro, al decreto del Santo Oficio citado más arriba, según el cual no se puede enseñar sin peligro la existencia de una cierta «nesciencia» en Jesús [18], K. Adam se pregunta con agudeza: «¿Quién tiene razón? ¿Jesús o los teólogos? ¿Jesús o el Santo Oficio?» [19].

Algunos Padres de la Iglesia (Atanasio, Cirilo de Alejandría...) admitieron que Jesús no conocía «el día». Otros afirmaron que Jesús lo conocía, pero que confesó descono-

---

[18] Cf. DENZINGER-SCHÖNMETZER, *Enchiridion*, n. 3646; NEUNER-DUPUIS, *The Christian Faith*, nn. 651/2.
[19] K. ADAM, *El Cristo de nuestra fe*, Herder, Barcelona ⁴1972.

cerlo porque no correspondía a su misión el revelarlo (Jerónimo, Juan Crisóstomo). Para Agustín, dado que la «ignorancia» es una consecuencia del pecado y conduce a él, Jesús no podía ignorar nada. Algunos Padres llegaron a afirmar que Jesús conocía y no conocía al mismo tiempo: conocía en la «visión beatífica», entendida como omni-inclusiva, pero no conocía en el sentido de que, como no era su misión revelarla, este conocimiento no había sido transcrito a un lenguaje comunicable. Jesús, por tanto, habría confesado sinceramente su propia nesciencia.

Dejando aparte otras construcciones sutiles, no existe razón teológica alguna para no admitir claramente que Jesús no conocía. Hemos visto que, durante su vida terrena, la visión que Jesús tenía del Padre no era omni-comprensiva y que conservaba, gracias a un conocimiento infuso y profético, todo lo que le era necesario conocer para su misión reveladora y salvífica. Si el día del juicio no formaba parte de la misión reveladora de Jesús, no era necesario que lo conociese y, simplemente, no lo conocía. La nesciencia formaba parte de su estado kenótico.

Se pueden hacer otras preguntas: si Jesús no tuvo un conocimiento particular del día del juicio, como los evangelios lo atestiguan claramente (Mc 13,32), ¿es legítimo para los teólogos pensar que Jesús se equivocó a este respecto? En la confusión de las distintas opiniones que circulaban en su tiempo sobre este tema, ¿se puede pensar que Jesús no haya tenido una clara opinión propia a este propósito? ¿O habría podido Jesús compartir la opinión equivocada, o difundida, según la cual la parusía debía realizarse pronto? Esta pregunta la formula R. E. Brown como sigue:

«¿Es totalmente inconcebible que, puesto que Jesús no sabía cuándo tendría lugar la parusía, se inclinara a pensar y decir que se verificaría lo más pronto posible? La incapacidad de corregir opiniones contemporáneas al respecto ¿no sería la consecuencia lógica de su nesciencia?... Puesto que hay indicios, incluso una cierta declaración, de que Jesús no conocía cuándo tendría lugar la victoria final, muchos teólogos católicos propondrán que tal conocimiento no era esencial a la misión de Jesús. Pero, ¿podrían admitir los teólogos que Jesús no era inmune a las opiniones confusas de su época sobre el tiempo de la parusía? Un exegeta no puede resolver semejante problema, sólo puede evidenciar la innegable confusión de las afirmaciones atribuidas a Jesús» [20].

Esto equivale a pasar de la ignorancia a la duda, y de la duda a la opinión equivocada. ¿Podría, por tanto, admitir la teología que Jesús compartió opiniones equivocadas de su tiempo sobre las razones que no afectaban a su misión salvadora? Una vez más hay que decir que Jesús conocía sin sombra de error todo lo que se refería a su misión. Pero, además de esto, podía haber opiniones bastante comunes en su tiempo que él habría podido compartir. Es difícil admitir si se puede pensar que la inminencia de «la hora» fuera parte de estas opiniones, pues sería contradecir su voluntad de continuar la propia misión en la Iglesia. Sin embargo, si la nesciencia formaba parte del estado kenótico de la vida terrena de Jesús, la posibilidad de compartir las opiniones del tiempo sobre cosas que no importaban a su misión se ha de ver como parte de la aceptación de nuestra condición humana.

3. La oración y la fe de Jesús

A. La oración de Jesús.

Jesucristo, el Mediador, es una persona divino-humana que une en sí misma la divinidad y la humanidad. Él es, a un tiempo, Dios que se vuelve hacia los hombres, en su Verbo, en la autocomunicación y en la autoentrega, y la

---

[20] R. E. BROWN, *Jesús, Dios y hombre*, Sal Terrae, Santander 1973.

humanidad —que recapitula y representa— vuelta hacia Dios en respuesta de reconocimiento. Un «misterio de adoración salvífica» (E. Schillebeeckx), constituido por un doble movimiento: de Dios a la humanidad, en la salvación, y de la humanidad a Dios, en adoración. De aquí se derivan las dos direcciones de las acciones humanas de Jesús. En un movimiento descendente, sus acciones humanas pueden llegar a ser la expresión humana del poder salvífico de Dios. Tal es el caso, como veremos a continuación, de los milagros de Jesús, en los cuales su voluntad humana se convierte en la expresión de un poder divino. En el movimiento ascendente, las acciones humanas de Jesús son adoración divina perfecta [21].

En esta segunda categoría hay que considerar la «religión» de Jesús, su oración, su veneración y adoración del Padre. Además de las circunstancias concretas exteriores de la vida de oración de Jesús, lo que hay que sondear es el significado y la profundidad de su adoración de Dios [22]. Haciendo un uso extremo de la clave antioquena, Galtier describió a Jesús como el que se dirige en oración al Dios trino, el Hijo incluido. Jesús, por tanto, como hombre, se habría dirigido en oración también a Cristo como Dios. Esta comprensión de la oración de Jesús se basa en una interpretación errónea de los datos evangélicos. Esta interpretación sostiene que, cuando se dice que Jesús «ora» al Padre (Mc 14,36), se entiende realmente Dios (theos) [23]. Lo contrario, sin embargo, es lo verdadero: Jesús ora al Padre, incluso cuando Dios (theos) es mencionado en el texto evangélico (cf. Mc 15,34). K. Rahner ha demostrado de forma

---

[21] Cf. E. SCHILLEBEECKX, *Christ the Sacrament of the Encounter with God*, Sheed and Ward, Londres 1966, 18-21.
[22] Cf. I. DE LA POTTERIE, *La prière de Jésus*, Desclée, París 1990; J. JEREMIAS, *Abba*, Sígueme, Salamanca ³1989.
[23] Cf. P. GLORIEUX, *Le Christ adorateur du Père*, «Revue des sciences religieuses» 23 (1949) 249ss, esp. 266-267.

convincente que el término *theos* se refiere en el Nuevo Testamento a la persona del Padre (Yahveh del Antiguo Testamento), excepto donde —en Pablo (?) o Juan— el concepto se aplica también a Jesús. En cualquier forma, jamás se refiere a Dios de manera indeterminada o a la Trinidad [24].

Para dar fundamento a su tesis desde un punto de vista teológico, Galtier observa que la oración de Jesús es el reconocimiento por su parte de la propia relación con la Trinidad en la creación. Además, la naturaleza humana de Jesús es el principio de los actos humanos y, aunque unida hipostáticamente al Verbo, no quedó asumida dentro de las relaciones intratrinitarias. En respuesta a esta argumentación, hay que responder que, aunque creada por la Trinidad, la naturaleza humana de Jesús queda asumida en una unión personal con el Verbo y, por tanto, queda también asumida indirectamente en las relaciones intratrinitarias. Toda la vida religiosa de Jesús, su obediencia y su ofrecimiento a la muerte, su oración y su adoración están dirigidas no desde el hombre Jesús a la Trinidad, sino desde el Hijo encarnado, en su humanidad, al Padre. Todas estas acciones son la expresión humana, en la humanidad asumida por el Hijo, de su relación interpersonal con el Padre, con quien está «sustancialmente» relacionado en la divinidad.

Jesús, por tanto, oró al Padre y no a Dios en general o a la Trinidad ni tampoco al Hijo o al Espíritu. Jesús, en efecto, vivió como hombre, a nivel humano, sus relaciones personales intratrinitarias con el Padre y el Espíritu. Vivido y experimentado de forma consciente en su psicología humana, su origen eterno e intratrinitario por el Padre a tra-

---

[24] K. RAHNER, «Theos en el Nuevo Testamento», en *Escritos de Teología*, I, Taurus, Madrid 1963.

vés de la generación quedó expresado en la oración y en un sentido de total dependencia del Padre. Éste es el motivo por el que Jesús oró al Padre y solamente a éste, como atestiguan los evangelios. Por lo que se refiere al Espíritu, el evangelio es testigo de que Jesús promete enviarlo del Padre, después de su resurrección y glorificación (Jn 15,26). Esta promesa expresa en el plano humano la relación gracias a la que, dentro de la vida divina, el Espíritu Santo recibe su origen del Padre a través del Hijo. En ambos casos y por ambas partes se realizó en la psicología humana de Jesús una trasposición a nivel humano de las relaciones intratrinitarias dentro de la divinidad [25].

Así pues, el origen eterno que el Hijo tiene del Padre por vía de generación, una vez traspasado al plano humano de la psicología humana de Jesús, adquirió un sentido de total dependencia. Es este sentido de total dependencia del Padre el que se manifiesta en la oración de Jesús. Su oración al Padre es la expresión de una conciencia que es esencialmente filial.

B. La fe de Jesús.

Muchos teólogos se niegan a hablar de fe en Jesús. Unos arguyen la ausencia de fe en él por la «visión beatífica»: la visión y la decisiva fruición de Dios excluyen la fe, como afirma el mismo Pablo (1 Cor 13,8-13). Otros basan su negación de fe en Jesús en su autoconciencia de Hijo y

---

[25] Es difícil estar de acuerdo con Karl Rahner cuando, al hablar del centro humano de actividad, o autoconciencia humana del Logos, escribe que «está ante el Verbo eterno en una actitud genuinamente humana de adoración, obediencia...». Cf. «Problemas actuales de cristología», en *Escritos de Teología*, I, Taurus, Madrid 1963, 169-222. Como hemos demostrado anteriormente, el *ego* psicológico humano no puede separarse de la persona ontológica del Hijo. Adoración y obediencia pertenecen al Hijo en la humanidad y se dirigen al Padre.

en su visión inmediata del Padre: éstas no dejarían espacio alguno a la fe. En años recientes, sin embargo, no han faltado teólogos que han afirmado que Jesús vivió una verdadera vida de fe y que, en realidad, compendia el modelo perfecto y el paradigma de fe [26].

La fe no debe concebirse, en primer lugar, como adhesión a verdades reveladas, sino, en sentido bíblico, como entrega y confianza personal en Dios. La autoentrega de Jesús, sin embargo, está dirigida al Padre. Forma parte de la «vida religiosa» y de la vida de oración de Jesús. A lo largo de su vida terrena se confió al Padre, buscó e hizo la voluntad del Padre, y ésta solamente. No en el sentido de que la siguió pasivamente, sino en el sentido de que se conformó libremente a ella y que empeñó todas sus energías humanas para cumplirla. Este rendimiento a la voluntad del Padre se convirtió, sin embargo, en «fe ciega» cuando, en la escena de la agonía en el huerto, la voluntad del Padre se hizo oscura y Jesús la buscó en el tormento y las lágrimas. Una circunstancia misteriosa intervino, entonces, entre la voluntad del Padre y la voluntad humana de Jesús, una circunstancia que éste experimentó profundamente y que superó en la oración. Se pueden aplicar a la escena de la agonía las palabras de la Carta a los Hebreos cuando dice:

> «El mismo Cristo, que en los días de su vida mortal presentó oraciones y súplicas con grandes gritos y lágrimas a aquel que podía salvarlo de la muerte, fue escuchado en atención a su actitud reverente; y aunque era Hijo, aprendió sufriendo lo que cuesta obedecer. Alcanzada así la perfección, se hizo causa de salvación eterna para todos los que le obedecen» (Heb 5,7-9).

---

[26] Cf. sobre todo H. U. VON BALTHASAR, *La foi du Christ*, Aubier, París 1968; J. GUILLET, *La foi de Jésus-Christ*, Desclée, París 1980, y P. SCHOONENBERG, *Un Dios de los hombres*, Herder, Barcelona 1972; J. SOBRINO, *Cristología desde América Latina*, Centro de Reflexión Teológica, México 1976, 67-122.

Tenemos aquí la descripción perfecta de lo que significó la vida de fe de Jesús en sus aspectos más trágicos y profundos: la lucha implicada en la búsqueda de la voluntad del Padre y su conformidad con ella, una confianza inagotable en él y su entrega definitiva en total obediencia y, merced a todo ello, el crecimiento del hombre Jesús en su filiación con el Padre y en su poder salvífico para con la humanidad. Es característico que la Carta a los Hebreos describa también a Jesús como «el autor y perfeccionador de la fe» (Heb 12,2). ¿Origen o modelo, o ambas cosas? Cualquiera que sea la interpretación preferida de Heb 12,2, la carta pone de manifiesto —junto con el evangelio de Juan— la expresión más profunda de la fe de Jesús en Dios, su Padre. Que una fe semejante sea compatible con la autoconciencia de Jesús como Hijo y con su «visión inmediata» del Padre, quedará demostrado claramente a continuación al hablar explícitamente de la voluntad humana y del sufrimiento de Jesús. Puesto que el sentido de dependencia del Padre por parte de Jesús era la expresión humana de su relación filial intratrinitaria, más que contradecirla, suponía su identidad de Hijo. La fe de Jesús no anula la fe en Jesús, antes le da fundamento. Forma parte de la cristología implícita del Jesús terreno sobre el que se basa la cristología explícita de la Iglesia apostólica.

La voluntad y la libertad humana de Jesús

La voluntad y las acciones humanas de Jesús

1. El problema de la distinción en la unidad

El concilio de Constantinopla III (680-681) afirmó dos voluntades y dos acciones naturales, unidas en Jesucristo, «sin separación, sin cambio, sin partición, sin confusión». Explicó también que no hay oposición alguna entre ellas

—la voluntad humana está en plena conformidad con la divina— pues «sucedía en realidad que la voluntad humana se movía a sí misma *(kinèthènai)* [27], aun estando sometida a la voluntad divina» [28]. El concilio, sin embargo, no explicó el modo en que la voluntad y la acción divina y humana se combinaron en la única persona de Jesucristo o de qué tipo de autonomía gozaron la voluntad o las acciones humanas respecto a la voluntad divina. Porque, ¿cómo pueden y deben combinarse, de un lado, la autodeterminación de la voluntad humana de Jesús, entendida como principio que determina las acciones auténticamente humanas, y, de otro, su perfecta y firme sumisión a la voluntad del Padre? Demostramos ya que las acciones humanas de Jesús son las mismas del Hijo de Dios, quien ejerce sobre sí la causalidad propia de la persona. De modo semejante, se afirmó que la naturaleza humana determina y especifica los actos humanos de Jesús, los cuales, a pesar de su pertenencia a la persona del Hijo de Dios, siguen siendo auténtica e íntegramente humanos. El problema teológico sometido a examen es el de reconciliar e integrar la verdad y la autenticidad de la voluntad de la acción humana de Jesús con la característica restrictiva de su sometimiento a la voluntad del Padre.

A la hora de buscar una respuesta a este problema, es necesario una vez más recordar el estado kenótico del Jesús prepascual y su real identificación con la condición concreta de la humanidad (cf. Heb 4,15), que prohíben la aplicación a la vida terrena de Jesús del falaz principio de las «perfecciones absolutas». En realidad, se pueden y se deben afirmar en la voluntad humana de Jesús algunas perfecciones en virtud de su identidad personal de Hijo de Dios:

---

[27] La voz pasiva de *kinèthènai* ha de entenderse en el sentido de la voz media (moverse a sí mismo); de lo contratio la fuerte oposición *(dè)* entre el primero y el segundo miembro de la frase no es inteligible.

[28] Cf. texto en Denzinger-Schönmetzer, *Enchiridion*, n. 556; Neuner-Dupuis, *The Christian Faith*, nn. 635-637.

tales son la ausencia de pecado así como también la ausencia de inclinación al pecado, llamada «concupiscencia». Pero la persona divina de Jesús no impide en él la existencia de una verdadera tentación ni mucho menos la de la debilidad humana, del desfallecimiento, del miedo, de la tristeza, como testifica la tradición evangélica. El principio-guía para una valoración teológica de las perfecciones y de los límites de la voluntad humana de Jesús —lo mismo que de su conocimiento humano— es que el Hijo de Dios asumió todas las consecuencias del pecado que podían ser asumidas por él, incluidas el sufrimiento y la muerte, y a las que dio un significado y un valor positivo para la salvación de la humanidad. En realidad, «a excepción del pecado, fue en todo probado igual que nosotros» (Heb 4,15).

Por lo demás, aquí están fuera de lugar las deducciones apriorísticas de las perfecciones y de los límites. Hay que recurrir, más bien, a la tradición evangélica, tomada en su valor genuino. No de manera ingenua, como si toda escena consignada en el evangelio haya de ser considerada históricamente literalmente, sino porque la memoria de la Iglesia apostólica, contenida en la tradición evangélica, testifica la comprensión de la humanidad de Jesús por parte de testigos oculares, una vez que sus ojos quedaron abiertos a su misterio en la experiencia pascual. Es fundamentalmente en la tradición evangélica donde debemos, por tanto, descubrir cómo las perfecciones humanas, debidas a la identidad de Jesús como Hijo, y sus límites, consecuencias de su estado de autovaciamiento (kenosis), se combinan juntamente.

Las contradicciones aparentes, de las que pocas se pueden mencionar, no faltan a este propósito. ¿Cómo conciliar la ausencia del pecado en Jesús —y, de forma todavía más radical, su «impecabilidad» teológica— con la realidad de la tentación? ¿Y la ausencia de pecado e impecabilidad con la libertad genuinamente humana? De manera semejante, una vez negada la «visión beatífica» en Jesús durante su vida terrena, queda el problema de cómo conciliar su «visión inmediata» del Padre con el sufrimiento moral que padece, con el desfallecimiento, el miedo y la angustia que experimenta en la lucha de la «agonía» y, todavía más, en su grito en la cruz y en su sensación de estar abandonado de Dios. Estas y otras contradicciones aparentes ayudan a esclarecer la profundidad de la humanidad del Hijo de Dios, semejante en todo a nosotros excepto en el pecado.

2. Hacia una solución del problema

A. Jesús era inmune al pecado.

El Nuevo Testamento afirma claramente la ausencia de pecado en Jesús: Heb 7,26; 1 Pe 1,18; 2,22; 1 Jn 3,5... Lo mismo queda afirmado en el concilio de Calcedonia como doctrina de fe, haciendo referencia a Heb 4,15 [29]. Que Jesús nació sin pecado original quedó afirmado igualmente como doctrina de fe en el concilio de Toledo XI (675) [30], y fue repetido por el concilio de Florencia (1442) [31]. Es también doctrina de fe la ausencia en Jesús de toda inclinación al pecado, es decir, la «concupiscencia». Lo afirmó el concilio de Constantinopla II (553) [32] y esta armonía perfecta en la humanidad de Jesús se explica teológicamente por la ausencia en él del pecado original. Por lo que se refiere a la intrínseca y absoluta impecabilidad de Jesús, ésta representa un «teolegúmeno» y no una doctrina de fe verdadera y

---

[29] Cf. texto en DENZINGER-SCHÖNMETZER, *Enchiridion*, n. 301; NEUNER-DUPUIS, *The Christian Faith*, n. 614.

[30] Cf. texto en DENZINGER-SCHÖNMETZER, *Enchiridion*, n. 539; NEUNER-DUPUIS, *The Christian Faith*, n. 634.

[31] Cf. texto en DENZINGER-SCHÖNMETZER, *Enchiridion*, n. 1347; NEUNER-DUPUIS, *The Christian Faith*, n. 646.

[32] Cf. texto del canon 12 en DENZINGER-SCHÖNMETZER, *Enchiridion*, n. 434; NEUNER-DUPUIS, *The Christian Faith*, n. 621.

propia. Se deduce teológicamente del misterio de la unión hipostática: si Jesús hubiera de cometer pecado, Dios sería el autor de acciones pecaminosas, lo que es una contradicción.

Sin embargo, tanto la esencia del pecado en Jesús cuanto su impecabilidad no lo hacen inmune a la tentación. Los testimonios evangélicos afirman claramente la realidad de la tentación en Jesús: Mc 1,12-13; Mt 4,1-11; Lc 4,1-13; cf. también Heb 2,18. Este testimonio ha de considerarse en su valor efectivo y no se puede reducir la tentación de Jesús a una realidad simplemente «extrínseca». Era real, la experimentó íntimamente y provocó en él una verdadera lucha. Jesús probó en lo hondo de su humanidad las duras exigencias que la voluntad del Padre y la fidelidad a la propia vocación mesiánica le impusieron. Su obediencia y sumisión no fueron indoloros, a pesar de que su voluntad no vaciló nunca, sino que se sometió siempre. El carácter genuino de la tentación de Jesús emerge más claramente sobre todo en la tradición evangélica por su relación con la forma en que tuvo que llevar a cabo su vocación mesiánica: no como un Mesías triunfante sino como el que realiza en sí el tipo del Siervo de Jahveh. Es una característica que, en cada evangelio sinóptico, la escena de las tentaciones sigue inmediatamente a la del bautismo de Jesús en el Jordán, después de haber inaugurado su ministerio mesiánico y donde se manifiesta su vocación de Siervo de Jahveh. Los tres sinópticos, además, señalan que Jesús fue conducido al desierto por el Espíritu para ser puesto a prueba (cf. Mt 4,1; Mc 1,12; Lc 4,1).

B. Jesús no fue inmune al sufrimiento.

El hecho de que Jesús estuvo sujeto al sufrimiento corporal está ampliamente atestiguado por la tradición evangélica, especialmente en los cuatro relatos de la Pasión. Se insiste también en la Carta a los Hebreos: 4,15; 2,17-18; 5,8...; la misma realidad se afirma como doctrina de fe en el concilio Lateranense I (649) [33], y se repite en el concilio Lateranense IV (1215) [34] y en el de Florencia (1442) [35]. Por lo que se refiere al sufrimiento moral en Jesús, su evidencia aparece principalmente en los relatos evangélicos de la escena de la «agonía» y de la lucha *(agonia),* como la llama el evangelio de Lucas (según algunos manuscritos que incluyen Lc 22,43-44 en el texto evangélico): «Y entrando en agonía oraba más fervientemente...» (Lc 22,44). La agonía es, indudablemente, uno de los episodios más misteriosos de la vida de Jesús, si nos atenemos a como la entiende la tradición evangélica.

Es característico que los tres evangelios sinópticos abunden en observaciones que describen detalladamente los sentimientos humanos y las reacciones experimentadas por Jesús, mientras se enfrenta a una muerte violenta y busca en la oscuridad la voluntad del Padre. Mateo y Marcos hablan de tristeza hasta la muerte (Mt 26,38; Mc 14,34) y añaden angustia (Mt 26,37; Mc 14,33) y miedo (Mc 14,33). Lucas, de manera más explícita, describe la «agonía» de Jesús en los términos siguientes: «Y su sudor se tornó como de gotas de sangre que caían hasta el suelo» (Lc 22,44). Los tres sinópticos hablan de oración intensa de Jesús que busca la voluntad del Padre, que, en esta prueba suprema, se había tornado misteriosamente oscura. Jesús, se puede y se debe decir, experimentó angustia y tristeza, desfallecimiento y lucha. En realidad, compartió con la humanidad el miedo

---

[33] Cf. texto del canon 4 en Denzinger-Schönmetzer, *Enchiridion*, n. 504; Neuner-Dupuis, *The Christian Faith*, n. 627/4.

[34] Cf. texto en Denzinger-Schönmetzer, *Enchiridion*, n. 801; Neuner-Dupuis, *The Christian Faith*, n. 20.

[35] Cf. texto en Denzinger-Schönmetzer, *Enchiridion*, n. 1337; Neuner-Dupuis, *The Christian Faith*, n. 644.

que suscita una muerte inminente —que, además, es una muerte violenta— siempre que la naturaleza se rebela ante su próxima laceración. A través de esta lucha, Jesús buscó, en la soledad y en la oscuridad, la voluntad de Dios, que, de manera extraña, se hizo oscura e incomprensible.

¿Cómo conciliar con este sufrimiento y lucha moral la «visión inmediata» del Padre, afirmada anteriormente? Seguramente la «visión beatífica» hubiera hecho imposible todo sufrimiento, ya que la bienaventuranza, que lleva consigo la fruición definitiva de Dios, es incompatible con toda sensación de sufrimiento. Tampoco se puede recurrir, para hacer estas realidades compatibles entre sí, a estratagemas artificiosas, como la momentánea interrupción de la visión beatífica o la división del alma humana de Jesús en dos partes, de las que la superior habría gozado de la visión de Dios, mientras la inferior habría sido susceptible de sufrimiento. La razón es que la posesión decisiva y la visión de Dios comprenden, por su naturaleza, toda la psique humana. El «estado de gloria» consiste precisamente en esto.

Sin embargo, Jesús durante su vida terrena no está en el estado de gloria sino en el de kenosis, no está al término de su carrera humana sino en camino hacia el Padre. En su estado de anonadamiento y en su peregrinación al Padre, Jesús no goza de la «visión beatífica» de los bienaventurados en el cielo. Posee, sin embargo, como se explicó anteriormente, la conciencia humana de su identidad de Hijo de Dios y la consiguiente «visión inmediata» de Dios, al que llama «Padre». Esta visión inmediata de Dios, a diferencia de su equivalente «visión beatífica», era compatible con el sufrimiento humano: Jesús era consciente de que sufría como Hijo y de que debía sufrir, aun cuando fuera el Hijo (cf. Heb 5,8). Sólo con la resurrección estaba Jesús destinado a gozar de la definitiva posesión de Dios, estando, entonces, unido a él en su gloria: sólo entonces su visión de Dios estaba destinada a convertirse en «beatífica».

Mientras tanto, Jesús era consciente de ser el Hijo de Dios en el auto-anonadamiento. La conciencia de la condición kenótica, derivada de su misión mesiánica, se hizo más viva que nunca cuando se enfrentó a la inminencia de una muerte violenta. Esto explica cómo en la lucha de la «agonía» perdurara la visión del Padre, aun cuando Jesús estuviera dominado por la angustia humana.

De esta manera se ha de entender el grito en la cruz: «Dios mío, Dios mío, ¿por qué me has abandonado?» (Mc 15,34; Mt 27,46). Es cierto que Jesús experimentó la sensación de estar abandonado por el Padre. Esto, sin embargo, no supone, como se ha expuesto muchas veces, que el Padre abandonara a su Hijo y se alejara de él, dejándole sufrir en el olvido y en el abandono divino [36]. Jesús, como ningún otro, probó en la cruz la distancia que existe entre la bondad infinita de Dios y la pecaminosidad de la humanidad, a causa de la cual asumió la muerte en la cruz. Pero esto no supone de ninguna manera que Dios abandonara a su Hijo. Al contrario, el Padre «simpatizó» (sufrió con) empáticamente con el sufrimiento y la muerte del Hijo. Es esto tan verdad que en el misterio de la cruz, más que en otro acontecimiento, el amor infinito de Dios se reveló con toda claridad. El Dios de Jesucristo se reveló aquí como un Dios que sufre y sufre con, no por necesidad, si así se puede decir, sino por la bondad sobreabundante que mostró hacia la humanidad en su Hijo que sufre y muere.

Por lo que respeta a Jesús mismo, aun con la sensación de haber sido abandonado por el Padre, sigue estando unido a él y le hace la entrega de sí mismo. No queda abandonado de Dios; más bien «se abandona a sí mismo» en las

---

[36] Cf., por ejemplo, J. MOLTMANN, *The Crucified God*, Harper and Row, Nueva York 1974. En la misma línea, H. U. VON BALTHASAR, «Mysterium Paschale», en J. FEINER-M. LÖHRER (eds.), *Mysterium Salutis*, Cristiandad, Madrid ²1980.

manos del Padre. El evangelio mismo es testigo de esto: «Padre, en tus manos encomiendo mi espíritu» (Lc 23,46). El grito de Jesús en la cruz está tomado del salmo 22, del que se cita el primer versículo (22,1). Como se sabe, este salmo, que comienza con una sensación de abandono por parte de Dios, termina proclamando la liberación por su parte. En armonía con el artificio literario hebreo, aplicar a sí mismo el primer versículo de un salmo significaba implícitamente identificarse con él en su integridad. En la oscuridad de la situación, Jesús en la cruz superó la sensación de abandono por parte del Padre, expresando la total entrega de sí mismo en sus manos, con seguridad y confianza.

La sensación de abandono por parte del Padre que Jesús experimentó en la cruz era compatible con la unión y la visión que de él tenía el Hijo. Para demostrarlo, se puede recurrir —de forma análoga— a la experiencia de los místicos. Cuando hablan de «noche oscura del alma» no intentan decir que Dios se ha alejado de ellos y se ha hecho extraño. Más bien, la sensación de lejanía va acompañada por la presencia cercana, permanente, dando cuenta así de la purificación suprema del alma en atención a su perfecta unión con Dios. Es, en efecto, una prueba suprema la que —a fortiori— sufrió Cristo en la cruz, precisamente cuando estaba a punto de la autohumillación a la exaltación, de esta vida y de la muerte a la gloria de su Padre. Experimentó el abandono de Dios que le era próximo y que acompañó a su Hijo en el sufrimiento. Jesús se entregó a sí mismo en total confianza en las manos de Dios, en quien confiaba y que podría librarle de la muerte.

C. Los actos humanos de Jesús
    como expresión del poder divino salvífico.

Como se observó anteriormente, Jesús es al mismo tiempo tanto Dios que se vuelve hacia la humanidad en la autocomunicación de sí mismo como la humanidad que se vuelve hacia Dios en aceptación y respuesta. Su mediación ha sido descrita como un misterio de «adoración salvífica», compuesta de un doble movimiento: de Dios a la humanidad, en la salvación, de la humanidad a Dios, en la adoración. De aquí derivan las dos direcciones de las acciones humanas de Jesús: desde arriba y desde abajo. Pertenecen a la dirección ascendente la «religión» de Jesús, su vida de oración y la adoración de Dios. Analizamos estos temas en la sección primera de este capítulo. En esta segunda sección nos queda por decir algo a propósito de los actos humanos de Jesús que siguen el movimiento opuesto, es decir, el descendente.

A propósito de todas las acciones humanas de Jesús, hay que decir al mismo tiempo que son acciones humanas del Hijo de Dios, que las realiza de forma personal y que se especifican y determinan por la naturaleza humana y, por tanto, son auténtica y exclusivamente humanas. Es preciso añadir que la causalidad personal del Hijo de Dios no interfiere la autonomía natural de los actos humanos de Jesús. Para ver esto, hay que invocar una vez más el axioma según el cual la autodeterminación y la autonomía crecen en proporción directa, y no inversa, a la unión y la proximidad con Dios. En Jesús, la más alta modalidad de unión con Dios se combina con la total autonomía de la naturaleza: intimidad absoluta con plena autenticidad.

En la línea descendente, algunos actos humanos de Jesús son la expresión humana del poder divino salvífico. Tales son los milagros que caracterizaron el ministerio de Jesús, entendidos como parte integrante de la venida del Reino de Dios que se estaba estableciendo en la tierra a través de él: las curaciones y los exorcismos, las resurrecciones, los milagros morales, así como los milagros «de la naturaleza». En todos estos acontecimientos, el acto humano de la voluntad de Jesús se convierte en el vehículo del poder divino de curar y liberar, de restaurar y salvar.

¿Cómo, entonces, realizó Jesús los milagros? No simplemente pidiendo a Dios que intercediese con su poder infinito y produjese los efectos de curación y de salvación. Ni de la manera en que los profetas produjeron efectos milagrosos, recurriendo e invocando la intervención de Dios. Al contrario, Jesús obra milagros gracias al ejercicio de su misma voluntad humana: «Quiero, queda limpio» (Mc 1,41); «Lázaro, sal fuera» (Jn 11,43)...

Para constatar esto, hay que recurrir una vez más al misterio del Hijo de Dios hecho hombre, al misterio del Verbo encarnado. *«Ipsum Verbum personaliter est homo»* (santo Tomás). El Verbo de Dios se hizo personalmente hombre en Jesucristo; él es Dios en forma humana o Dios humanizado. Esto significa que la humanidad de Jesús se hace la autoexpresión de Dios en el mundo y en la historia. De esta manera, sus acciones humanas, que son las acciones humanas del Verbo de Dios, pueden ser la expresión humana de una acción divina, la señal eficaz y el canal visible del poder divino, operante de forma humana en el mundo.

Jesús, por tanto, obra milagros mediante un acto de su voluntad humana y no mediante una intercesión con Dios en la oración. Su voluntad humana es eficaz en cuanto expresión humana de la voluntad divina, es decir, signo eficaz del poder divino. «Salía de él una fuerza que curaba a todos» (Lc 6,19). Cuando la oración acompaña a los milagros de Jesús, no es para interceder ante Dios a favor del pueblo para que intervenga directamente y lo sane; más bien, Jesús busca la voluntad de su Padre en cada situación concreta y acompasa la propia voluntad humana a la del Padre. Una vez en sintonía con la voluntad del Padre, la voluntad humana de Jesús se convierte en canal por el que el poder salvífico de curación fluye y opera.

La libertad humana de Jesús

1. El problema de la libertad en la dependencia

Hay que dar por cierto el hecho de que Jesús, durante su vida terrena, gozó de una auténtica libertad humana, algo que va implícito en la integridad de la voluntad y de la actividad humana, la cual permanece en la unión con el Hijo de Dios. La doctrina del concilio de Constantinopla III (681) supuso esto cuando afirmó que la voluntad humana de Cristo sigue inalterada después de la unión [37]. El concilio, sin embargo, no explicó en qué forma Jesús es un «hombre libre». El problema de la libertad humana de Jesús, en efecto, está cargado de dificultades y contradicciones aparentes, especialmente si tenemos en cuenta la ausencia de pecado y la impecabilidad de Jesús.

Hay que aclarar en primer lugar que Jesús ejerció una verdadera libertad de elección en lo que se refiere a la serie de acciones mediante las cuales hubiera llevado a cabo mejor su misión. Es necesario subrayar que Jesús, en semejantes opciones, desarrolló un sentido extraordinario de iniciativa, invención y responsabilidad sin que faltaran tampoco ocasiones para tales opciones. La tradición evangélica, en efecto, es testigo de un cambio de estrategia por parte de Jesús en el transcurso de su vida pública, después de la crisis del ministerio en Galilea: enfrentado a un aparente rechazo, Jesús decidió concentrarse en la formación de un núcleo de discípulos; más tarde, se habría hecho a la idea

---

[37] Cf. texto en DENZINGER-SCHÖNMETZER, *Enchiridion*, n. 556; NEUNER-DUPUIS, *The Christian Faith*, n. 635.

de acercarse a Jerusalén para encontrar allí su destino. Si la libertad es la suprema perfección de la persona y la señal más alta de la dignidad humana, sería una grave injuria a la verdadera y auténtica humanidad de Jesús el no considerarlo un hombre libre. Hay que afirmar, más bien, lo contrario: como hombre perfecto, Jesús tenía que estar dotado de perfecta libertad.

La dificultad acerca de la libertad humana de Jesús surge cuando Jesús se ve obligado por lo que parece un mandato estricto del Padre, como parece ser el caso de su pasión y muerte. En realidad, son éstas las consecuencias naturales del contraste inevitable entre la misión a la que debía permanecer fiel y las fuerzas que entran en colisión con él. Ni Dios quiso directamente la muerte de su Hijo en la cruz, sino que más bien fue la fidelidad de Jesús a su misión salvífica lo que inexorablemente le condujo a este punto. Permanece, sin embargo, el hecho de que la muerte de Jesús en la cruz estaba en el designio amoroso y salvífico de Dios para la humanidad: la muerte demostró, en la profundidad del anonadamiento del Hijo, la hondura del amor expansivo de Dios por la humanidad. En este sentido, es justo decir, que, según el plan de Dios, Jesús debía morir en la cruz.

El Nuevo Testamento afirma lo mismo, como cuando el evangelio de Lucas explica que «era necesario» que «el Mesías sufriera esto y así entrara en su gloria» (24,26). La «necesidad» *(edei)* a que aquí se alude tiene el sentido bíblico de lo que está implícito en el plan y designio de Dios para la humanidad. Que Jesús, especialmente en su pasión y muerte, tuviera que obedecer al Padre, se afirma claramente en el Nuevo Testamento (cf. Rom 5,19; 4,25; Flp 2,8; Heb 5,8). Y mientras el concepto de *thelema* (Lc 22,42) podría entenderse como referido a un deseo del Padre, el de *entolè* (Jn 14,31) sólo se puede entender en el significado de precepto o mandato por parte de Dios, en relación a la misión de Jesús, que exige la estricta obediencia. Jesús, entonces, no tenía opción de morir o no morir.

La libertad humana de Jesús resulta problemática cuando tiene que obedecer al Padre, en vista, especialmente, a la ausencia de pecado e impecabilidad. El problema puede formularse en forma de dilema. Si Jesús pudiera desobedecer, ¿qué sería de su impecabilidad? O, si no pudiera desobedecer, ¿qué libertad posible le quedaría en este caso? Frente a este dilema, algunos teólogos han pensado que el problema de la libertad de Jesús carece de solución. Otros, incapaces de mantener en equilibrio los tres polos, han optado por mantener solamente dos, olvidando de alguna manera el tercero. De aquí que se puedan reagrupar fácilmente las opiniones en tres grupos: las que minimizan la voluntad divina respecto a la muerte de Jesús, las que mitigan su impecabilidad y, finalmente, las que reducen el campo de su libertad. ¿Se puede proponer una solución capaz de combinar los tres polos sin prejuzgar ni la impecabilidad de Jesús ni la voluntad del Padre sobre su muerte ni la libertad auténticamente humana de Jesús?

2. Hacia una solución del problema

Sólo se puede dar una solución desde un nuevo acercamiento a la libertad. La esencia de la libertad no consiste en el ejercicio de la facultad de elección. Si así fuera, la necesidad y la libertad se excluirían mutuamente en todos los casos. Y que las cosas no son así queda claro por el hecho de que, aun estando determinado por el acto con que se conoce y ama a sí mismo, Dios es al mismo tiempo soberana e infinitamente libre. Además, los bienaventurados en el cielo, aunque necesitados del amor de Dios, han alcanzado la perfección de su libertad. La libertad es una perfección ontológica de la persona que se realiza en formas y grados diferentes en Dios y en la persona humana.

La esencia de la libertad se ha de poner en la autodeterminación, que constituye la dignidad de la persona. Una persona debe a su propia autodeterminación el llegar a ser lo que es. La esencia de la libertad reside en que la acción de la persona viene y procede de ella misma, es realmente su obrar. Santo Tomás la definió como «el dominio que una persona tiene de sus propios actos» (*dominium sui actus*) [38]. Se podría decir que la libertad es «la aseidad de la voluntad». La libertad, pues, exige la responsabilidad personal; la persona es responsable de las propias acciones en tanto en cuanto proceden de la propia autodeterminación.

Libertad no es sinónimo de indeterminación; consiste, más bien, en asumir el propio determinismo y en llegar a ser, por medio de la autodeterminación, lo que se debe ser. La libertad, entonces, no es una prerrogativa que poseemos, sino una perfección que debemos conseguir y en la que debemos crecer: es un don y un empeño, una vocación. La facultad de elección en esta vida, además de ser la modalidad concreta en la que la persona humana ejerce la propia libertad, es también la señal de su imperfección presente. Cuanto más perfecta se hace una persona, cuanto más necesita del bien, menor es en ella la posibilidad de una opción moral y más perfecta se ha hecho su libertad, hasta que, plenamente autodeterminada en la visión de Dios y en la posesión de su último fin, alcance la plena libertad y ejerza la perfecta libertad.

Queda claro, pues, que no toda necesidad se opone a la libertad. Seguramente una violencia desde fuera la suprime, de la misma manera que toda necesidad ciega intrínseca en

---

[38] Cf. *Contra Gentiles*, II, 22; «Cum... liber sit qui sui causa est, illud libere agimus quod ex nobis ipsis agimus» (Porque es libre el que es causa de sí mismo, son libres las acciones que nosotros realizamos por nosotros mismos).

la persona, sobre la que la voluntad no tiene poder alguno. Si, no obstante, la necesidad es intrínseca a la misma voluntad; si una persona en pleno conocimiento del fin que se propone y urgida por el impulso irresistible de su propia voluntad hacia el bien se determina infaliblemente por él, tal determinación es el signo de una libertad plenamente madura.

La perfección de la libertad crece en proporción directa a la autodeterminación de la voluntad hacia el bien. Dios, en su total autodeterminismo, es infinitamente libre; los bienaventurados, por cuanto se adhieren voluntariamente al estado de bienaventuranza en el que están determinados, han alcanzado una liberación total; los santos, siempre más atraídos por Dios, a cuya llamada responden voluntariamente, están llegando a su libertad a medida que pierden su indeterminación; los hombres en esta vida están buscando a tientas la libertad, desarrollando progresivamente una necesidad responsable de unirse a Dios.

Tal concepto de libertad, aun cuando pueda parecer filosófico, coincide de manera chocante con la noción bíblica. Presentémosla brevemente: para san Pablo estamos «llamados a la libertad» en Cristo Jesús (Gál 5,13); el santo es libre, mientras el pecador es un esclavo; la conversión a Dios en Cristo es alcanzar la libertad, pues Cristo nos salva de la esclavitud del pecado (cf. Gál 5,1; 5,13; 2 Cor 3,17); pertenecer a él significa ser libres (1 Cor 3,22-23). De la misma manera, para san Juan la única esclavitud verdadera es la del pecado (Jn 8,34); la libertad, por el contrario, deriva de la adhesión a Cristo y de la liberación del pecado por medio de él (Jn 8,32.36); «quien obra la verdad viene a la luz» (Jn 3,21). La novedad operada en Jesús, podemos decir, es la promoción de la persona humana a la libertad mediante el Espíritu, que se convierte en el principio de nuestra liberación.

Volviendo a Jesús, a la luz de este análisis de la libertad humana hay que decir que su libertad humana es perfecta. Donde no hay voluntad expresa determinante del Padre, sigue existiendo la elección. Éste era el caso, en gran parte, por lo que respecta sobre todo a los medios y a la modalidad para la realización de la misión de Jesús: quedaba una plena posibilidad para la iniciativa y la invención. Además, no fue esto lo que hizo perfecta la libertad de Jesús; más bien, éste era el signo que le quedaba en esta vida a un peregrino en camino hacia la última meta. Una vez exaltado a su gloria, su voluntad humana quedaría plenamente determinada, definitivamente establecida en la adoración del Padre y en el ejercicio de su poder salvífico. Mientras tanto, sin embargo, las veces que fue sometido a obediencia por parte del Padre, Jesús no tenía la posibilidad de elección. Con todo, se determinó a sí mismo con pleno conocimiento de la meta que se le había propuesto y se adhirió a ella con todo su ser. Su voluntad coincidió perfectamente con la del Padre. Esto que resolvió él en un acto auténtico de autodeterminación coincidía infaliblemente con la voluntad divina.

Siempre que entraba en juego una exigencia de la voluntad divina, Jesús era determinado por ella; sin embargo, su voluntad humana estaba dispuesta a provocar la acción propia, a ejercer la propia autodeterminación, no a causa de una violencia divina impuesta desde el exterior, sino por un impulso personal salido de dentro. La visión del Padre no actuó de impulso forzado que impidiera la autodecisión, sino de meta que le atrae a sí y cuya intuición lleva a la autodeterminación plenamente iluminada. Esto parece ser cuanto se desprende de la afirmación de K. Rahner —en una cita que merece repetirse—, según el cual la cercanía de Jesús a Dios y su disponibilidad hacia él, lejos de impedir su libertad auténtica, la condujeron a su perfección. Escribe:

«La cercanía y la lejanía, el estar a disposición y la autonomía de la criatura crecen en la misma medida y no de manera inversa. Así Cristo es hombre de manera más radical y su humanidad es la más autónoma, la mas libre no a pesar de, sino porque es la humanidad aceptada y puesta como automanifestación de Dios» [39].

Es éste, de la misma manera, el tipo de libertad humana que Jesús reivindicó para sí mismo, según la tradición evangélica, especialmente en el misterio de su pasión y muerte. En ningún lugar afirma haber elegido libremente morir; al contrario, atribuye su muerte a la elección y a la voluntad del Padre (cf. Mc 14,36 y paralelos; cf. también Mt 26,53; Heb 5,7). Por otra parte, sin embargo, Jesús reivindica ofrecer la propia vida espontáneamente, esto es, en total autodeterminación, en libertad perfecta: «Por esto me ama el Padre, porque yo entrego mi vida, bien que para recobrarla de nuevo. Nadie me la quita, sino que yo voluntariamente la entrego. Tengo el poder de entregarla y tengo el poder de recobrarla. Éste es el mandato que he recibido de mi Padre» (Jn 10,17-18; cf. Gál 2,20; Heb 7,27; 9,14...).

---

[39] K. RAHNER, «Teología de la encarnación», en *Escritos de Teología*, I, Taurus, Madrid 1963, 139-158.

VI

Jesucristo, el Salvador universal

Entre la cristología y la soteriología existe una dialéctica o mutua interacción. Demostramos que el motivo soteriológico fue el trampolín de lanzamiento y el punto de partida de la reflexión de la Iglesia sobre el misterio de Jesucristo, tanto en la tradición apostólica como en la posterior. La pregunta a la que tenía que responder era: ¿*Quién* es Jesús en sí mismo y en relación a Dios, si, como la Iglesia experimentó y creyó, nos salvamos en él y por él? La cristología necesita estar siempre en contacto con su fundamento soteriológico en todas las etapas de su elaboración. Por otra parte, una cristología reflexiva se convierte, a su vez, en el punto de partida para una percepción más honda de un tratamiento explícito del misterio soteriológico: una comprensión más profunda de *quién* es Jesucristo permite nuevas intuiciones del misterio de nuestra salvación en él. En este sentido hemos hablado de la necesidad de recorrer dos veces el camino, de un extremo al otro y viceversa, y haciendo un círculo completo.

El estudio presente ha de limitarse a recorrer el camino en el primer sentido, es decir, a la cristología verdadera y propia. Sigue abierto, sin embargo, a un tratamiento explícito de la soteriología. La cristología verdadera y propia, sin embargo, no puede dejar de hacerse preguntas sobre el significado intrínseco del misterio de Jesucristo. ¿Cuál es el significado último, en la mente misma de Dios, del misterio cristológico? ¿Por qué ocupa Jesús el puesto central de la fe cristiana? ¿Y qué comporta esta centralidad? En una palabra: ¿Por qué y para qué Jesucristo?

Este problema presenta aspectos diferentes igualmente importantes. Uno de ellos consiste en preguntarse cuál es la intención de Dios al trazar un orden de cosas en que su autocomunicación a los hombres llegó a depender de la encarnación histórica —y de la muerte en la cruz— de su Hijo. ¿Por qué Dios puso en el centro de su plan salvífico para la humanidad a Jesucristo? Otro aspecto es el de saber en qué forma el plan de Dios se ha ido desarrollando a lo largo de la historia de la humanidad y del mundo. Dando por descontado que Dios lo puso en el centro de su propio plan, ¿qué puesto ocupa el acontecimiento histórico de Jesucristo en la «historia de la salvación», mediante la cual Dios ha desarrollado su plan en la historia? Junto a esta pregunta, está la de la unicidad y la de la universalidad de Jesucristo, salvador de toda la humanidad: éste es el problema decisivo al que la cristología debe responder.

Pero este problema presenta todavía diferentes dimensiones. Una consiste en preguntarse por el significado de Jesucristo dentro del contexto del mundo creado y de la historia humana. Esta dimensión trata de situar el acontecimiento Cristo, según el plan divino, en la historia del cosmos, tal como nosotros lo conocemos hoy, con sus proporciones en el espacio y en el tiempo inmensamente ampliadas. La segunda dimensión, que de modo especial atrae hoy la atención de los teólogos, consiste en buscar el significado de Cristo y el lugar del acontecimiento Cristo dentro del amplio contexto de la pluralidad de culturas humanas y de tradiciones religiosas. La primera vía, la que consiste en buscar el lugar que ocupa el acontecimiento Cristo en el plan divino, conducirá naturalmente a una cristología cósmica; la segunda exigirá una cristología del pluralismo religioso. Las dos partes de que consta este capítulo estarán dedicadas a estas dos problemáticas.

Antes de entrar en el tema de forma explícita y detallada, situemos brevemente el problema en sus elementos esenciales. Se trata en general de saber si la perspectiva cristocéntrica tradicional de la fe cristiana sigue siendo sostenible, por una parte, frente a los descubrimientos de la ciencia moderna sobre el mundo y, de otra, frente al pluralismo religioso tal como hoy es entendido y vivido. Está en juego el cristocentrismo tradicional de la teología cristiana, cuyas exigencias profundas, aparentemente irreductibles, algunos las juzgan ya superadas e insostenibles. Repasemos brevemente estas exigencias.

La unicidad de Jesucristo y el significado universal del acontecimiento Jesucristo representan para la tradición cristiana el fundamento mismo de la fe. Fueron siempre, y lo siguen siendo, una piedra de escándalo para aquellos que no comparten nuestra fe. Obviamente, entendemos aquí unicidad y universalidad en sentido estricto. De acuerdo con la Tradición afirmamos que Jesucristo es único, no como lo sería necesariamente cualquier persona que Dios eligiese para revelarse y manifestarse a sí mismo —y, en consecuencia, toda revelación divina que resultara de ella—, sino en el sentido de que a través de Jesús y en Jesús Dios se manifestó a sí mismo de forma definitiva, de manera que no puede ser ni superado ni repetido.

Lo mismo hay que decir respecto a la universalidad del significado de Cristo: tradicionalmente, para el cristiano esto no significa sólo la irresistible atracción que Jesús representa para todos los que se le acercan, sino la impronta y la influencia de Jesús y de su obra en vistas a la salvación de los hombres en todo tiempo y en todo lugar. Jesús está en el centro del designio de Dios sobre el mundo y del proceso a través del cual este designio se actualiza en la historia. En Jesús, Dios se comprometió de forma irrevocable con la humanidad, acogiendo a ésta definitivamente. La condición humana del hombre Jesús, sus palabras, sus acciones, su vida, su muerte y resurrección constituyen la revelación definitiva —y, en este sentido, final— de Dios. Cualquiera que sea el modo en que se formule su primado, Cristo es el «centro»: esto es, tradicionalmente, el corazón de la fe cristiana.

Como se verá, esta unicidad y esta universalidad no son, sin embargo, exclusivas, sino inclusivas; no cerradas, sino abiertas; en modo alguno sectarias, sino, por el contrario, cósmicas. De aquí que, respecto al pluralismo religioso, los teólogos que tratan del Cristo presente pero «escondido» y «desconocido» dentro de las tradiciones religiosas de este mundo, o del «cristianismo anónimo», o incluso de otras teologías, se esfuercen por conciliar la posición cristiana tradicional relativa a Jesús con la realidad de las distintas manifestaciones. Cristo como mediador es Dios que se vuelve hacia los hombres auto-manifestándose y auto-revelándose.

El misterio crístico está, pues, allí donde Dios entra en la vida de los hombres y donde su presencia se hace experiencia. Sin embargo, este misterio queda «anónimo», en cierto sentido, para todo aquel que no está capacitado, gracias a la revelación cristiana, para reconocerlo en la condición humana de Jesús de Nazaret. Todos tienen la experiencia del misterio crístico, pero sólo los cristianos están en condiciones de darle su verdadero nombre. El Cristo de la fe es inseparable del Jesús de la historia; pero su presencia y su acción no están ligadas a los límites del rebaño cristiano.

A pesar del acercamiento favorable a los retos de otras tradiciones religiosas, la teología del Cristo cósmico, o mejor, la teología del significado cósmico de Jesucristo, corre el riesgo, hoy más que antes, de aparecer, extrañamente, esotérica a algunos que apenas aprecian ser definidos y considerados «cristianos anónimos», lo mismo que a otros —y éstos cristianos— que la consideran ya insostenible. Es cierto que la unicidad y el significado de Cristo crean problemas teológicos que no pueden ser eludidos. En cuanto y en la medida en que el Misterio crístico está vinculado al Jesús de la historia, la fe en Cristo como centro supone una pretensión que puede aparecer como incongruente: ¡atribuir un significado universal a un acontecimiento histórico particular! ¿Cómo podría el hecho histórico empírico de «Jesús de Nazaret», esencialmente condicionado por el tiempo y por el espacio, revestir un alcance universal en el ámbito de las relaciones entre Dios y las personas humanas?

La dificultad es antigua en cuanto a la cristología misma, pero hoy ha vuelto a adquirir importancia; las proporciones enteramente nuevas, en el tiempo y en el espacio, que el mundo ha adquirido bajo el impulso de la ciencia contemporánea exigen, así se ha dicho, una «revolución copernicana», en vistas a poner fin a la cristología «provinciana» del hombre precientífico. A lo que hay que añadir los numerosos problemas planteados por los cristianos y teólogos mismos por causa de la renovada conciencia del pluralismo religioso en el mundo.

Todas estas razones concurren a formular con urgencia la pregunta arriba formulada: ¿Es todavía viable el cristocentrismo tradicional? La pregunta exige una respuesta.

JESUCRISTO EN EL MUNDO Y EN LA HISTORIA

1. Jesucristo en el centro de la fe

Desde el principio de esta obra se dijo: «El cristianismo es Cristo». La expresión es verdadera, aunque necesita ser bien entendida. El cristianismo vivido por los cristianos, esto es, la Iglesia, no es Cristo; sin embargo, Jesucristo, su persona y su obra están en el centro de la fe. Digamos simplemente que ocupa en la fe cristiana un puesto central y único que ninguna tradición religiosa atribuye a su fundador. Para el islam, Mahoma es el profeta a través del cual Dios habla y es, por así decirlo, el depositario de su mensaje; para el budismo, Gautama aparece como el iluminado que muestra el camino y, en este sentido, como maestro; para el cristiano, el misterio de Jesucristo mismo y no sólo su mensaje están en el centro de la fe; el mensaje y el mensajero se funden en una sola y misma cosa. El cristianismo no es, pues, como el islam, una «religión del libro», sino de una persona: Cristo [1].

El Nuevo Testamento da testimonio claramente de que Jesucristo como persona está en el centro de la fe cristiana. La teología paulina lo dice de forma sorprendente cuando, después de haber considerado como «misterio» *(mustèrion)* o plan divino la común herencia dejada a los hebreos y a las «naciones» (Heb 3,5-7), Pablo identifica en un segundo momento el «misterio» con la persona misma de Jesucristo (cf. Col 1,26-27; 2,2; también 1 Tim 3,6). Jesucristo es para la escuela paulina «el único y solo mediador entre Dios y los hombres» (1 Tim 2,5), precisamente donde Pablo insiste en la voluntad divina que quiere que «todos los hombres sean salvos» (1 Tim 2,4). Esto muestra con cuánta claridad

---

[1] Estas distinciones se han señalado a menudo. Cf., por ejemplo, H. Küng, *On being a Christian*, Doubleday, Nueva York 1976, 150, 212, 278, 283, 334, 346-347; íd., *El cristianismo y las grandes religiones,* Cristiandad, Madrid 1987; G. O'Collins, «The Founder of Christianity», en M. Dhavamony (ed.), *Founders of Religiones*, «Studia Missionalia» 33, Universidad Gregoriana, Roma 1984, 385-402; C. G. Hospital, *Breakthrough: Insights of the Great Religious Discoverers*, Orbis Books, Maryknoll, Nueva York, 1985.

le parece que Jesucristo es la realización misma de esta voluntad [2].

Pedro no se queda atrás en su discurso al Sanedrín transmitido por Hechos: «No hay otro Nombre dado a los hombres sobre la tierra en el cual hayamos de ser salvos» (Hch 4,12). Sabemos que el nombre representa a la persona. Podríamos citar los grandes himnos de Pablo y de su escuela: el himno trinitario de Ef 1,3-13 y el himno cristológico de Col 1,15-20. Por todas partes Cristo aparece en el centro de la obra divina. Podríamos mencionar los textos neotestamentarios dentro y fuera de la tradición evangélica en los que Jesús resalta claramente como Salvador universal, por ejemplo, Jn 3,17; Hch 10,44-48; 17,24-31, etc. Quizá sea superfluo. Lo que debemos decir es que, de hecho, éste es el mensaje de todo el Nuevo Testamento, la afirmación subyacente por doquier, la fe profunda sin la cual ningún libro que la comprende —evangelios, cartas, historia, tratado— habría sido escrito o podría ser comprendido.

Recordemos también brevemente la tradición post-apostólica. Es curioso observar que en el cuadro analítico de su magistral obra sobre la cristología de los Padres y de los concilios, A. Grillmeier no pensó en tener que transcribir la voz «unicidad» de Cristo [3]. Creí poder explicar en otra parte esta ausencia, a primera vista sorprendente, aduciendo la razón de que, en la época patrística, la unicidad de Jesucristo Salvador universal pertenece al corazón mismo

[2] Cf. J. D. QUINN, «Jesus as Saviour and Only Mediator», en *Foi et culture à la lumière de la Bible: Actes de la session plénière 1979 de la Commission Biblique Pontificale*, Elle Di Ci, Turín 1981, 249-260; J. GALOT, «Le Christ, Médiateur unique et universel», en M. DHAVAMONY (ed.), *Mediation in Christianity and Other Religions*, «Studia Missionalia» 21, Universidad Gregoriana, Roma, 303-320.

[3] Cf. A. GRILLMEIER, *Christ in the Christian Tradition*, vol. I: *From the Apostolic Age to Chalcedon (451)*, Mowbrays, Londres [2]1975.

de la fe, por encima de toda discusión teológica. Lo que crea problema y, por tanto, llama la atención no es el hecho mismo sino el porqué y el cómo de tal hecho, esto es, la identidad de la persona de Jesucristo. Escribía a este propósito:

> «Un punto parece claro en lo que se refiere a la actitud de los Padres a propósito de la unicidad de Jesucristo: ella es el fundamento de todo el edificio de la fe cristiana, implícito en todas partes en la elaboración de la doctrina... Para los Padres, la razón de la unicidad de Jesucristo estaba en la naturaleza misma y en las exigencias encarnacionales de la salvación manifestadas en él. Si, como creíamos, el Verbo se hizo carne en Jesucristo, este acontecimiento debía evidentemente ser único; tenía necesariamente implicaciones universales y repercusiones cósmicas» [4].

Pero la reciente tradición eclesial ¿está también caracterizada por el mismo cristocentrismo de la tradición antigua? Se ha planteado el problema del cristocentrismo del Vaticano II. ¿No se centró quizás el concilio en la Iglesia, tanto en sí misma como en sus relaciones *ad extra* (el mundo, las demás religiones, el ecumenismo) hasta el punto de no hacer aparecer a Cristo como el verdadero y auténtico centro? [5] Con justicia, esto no corresponde exactamente a la verdad. El concilio evolucionó, sin duda, en el transcurso de las sesiones hacia un cristocentrismo (y a una pneumatología) más netos: sus grandes textos cristológicos pertenecen a la constitución *Gaudium et Spes* (22, 32, 45, etc.). En efecto, la Iglesia del Vaticano II —como puso de relieve Pablo VI más de una vez—, queriendo profundizar su percepción del propio misterio, se encontró, por necesidad,

---

[4] J. DUPUIS, «The Uniqueness of Jesus Christ in the Early Christian Tradition», en *Religious Pluralism*, «Jeevadhara 47» (sept-oct 1978), 393-408, esp. 406-407.
[5] J. DUPUIS, *Jesus Christ and His Spirit: Theological Approaches*, Theological Publications in India, Bangalore 1977, 33-53.

remitida al misterio de Jesucristo, que es su fuente y su razón de ser [6].

Desde este punto de vista, hay que entender todo el alcance de la definición de la Iglesia —ya recordada—, que, entre tantas diferentes imágenes, el concilio adoptó y promulgó, a saber, la Iglesia-sacramento universal de la salvación (cf. LG 1, 48; AG 1; GS 42, 45). «La Iglesia es, en Cristo, como sacramento, es decir, signo e instrumento de la unión íntima con Dios y de la unidad de todo el género humano» (LG 1). En otros términos, puesto que Cristo es la salvación misma, la Iglesia se define como sacramento de Cristo. Así como Jesucristo es el sacramento primordial del encuentro con Dios, la Iglesia es el sacramento de Jesucristo [7].

Ahora bien, esta definición supone un «descentramiento» radical de la Iglesia, que se encuentra ella misma centrada en el misterio de Jesucristo. Jesús, se podría decir, es el misterio absoluto; la Iglesia, en cambio, es el misterio derivado y relativo. ¿Quién no ve cuánto semejante definición teológica del misterio de la Iglesia puede contribuir a superar algunos conceptos, como el de la «encarnación continuada» de J. Moeller, que llevaba rápidamente a una inflación eclesiológica? Siguiendo de forma coherente la definición conciliar del misterio de la Iglesia, se llega en línea lógica a una perspectiva cristocéntrica global en la que queda superado el planteamiento eclesiológico.

---

[6] Cf. el discurso inaugural de Pablo VI en la segunda sesión del concilio (29 septiembre 1963), «Documentation Catholique» 60 (1963) 1345-1361; ver también la audiencia pública del 23 de noviembre de 1966, *ibíd.*, 63 (1966) 2.121-2.122.

[7] Cf. E. SCHILLEBEECKX, *Christ the Sacrament of the Encounter with God*, Sheed and Ward, Londres 1963; O. SEMMELROTH, *Die Kirche als Ursakrament*, Josef Knecht, Francfort del Meno 1953; Comisión Teológica Internacional, *L'unique Église du Christ*, Centurion, París 1985, 53-58.

2. El sentido de Cristo en el plan divino

Acabamos de citar uno de los textos más explícitos del Nuevo Testamento sobre el papel de Jesucristo como «mediador» universal entre Dios y la humanidad. Dios eligió salvar a todos los hombres en él: para la fe cristiana es un hecho. Un hecho cuya razón interna no ha dejado de crear problemas a la teología. Toda la tradición cristiana, bíblica y posbíblica, se ha preguntado por el sentido de Jesucristo en el plan divino o, como se ha dicho en forma equivalente, sobre el «motivo de la encarnación». Si, como hay que entenderla, no sólo la creación del hombre, llamado por Dios a compartir su vida, sino también la salvación de la humanidad pecadora en Jesucristo, son, y no pueden dejar de ser, gestos gratuitos y libres de Dios, no podemos dejar de preguntarnos qué razón interna determinó la elección hecha por Dios de una salvación universal realizada por medio de la muerte en la cruz, en un tiempo y lugar determinados, de un hombre, Jesús de Nazaret, que pretende ser y que fue el Hijo de Dios.

La particularidad del acontecimiento salvífico y el valor universal que se le atribuye no ha dejado de crear escándalo, un escándalo tanto mayor si se tiene en cuenta, por una parte, la aparente banalidad del acontecimiento en su contexto histórico, y, de otra, el pluralismo de las culturas y tradiciones religiosas humanas. Aparece así, en toda su amplitud, la cuestión del sentido de Jesucristo en el plan divino.

Es de sobra conocido que la cuestión, aunque más o menos explícitamente presente a través de toda la tradición cristiana, fue planteada con más claridad en el *Cur Deus Homo* de san Anselmo. A partir de él surge uno de los grandes debates teológicos que tiene por antagonistas a tomistas y escotistas [8]. Bastará recordar aquí brevemente las posturas de base, discutirlas sumariamente para hacer resaltar las lagunas respectivas y buscar una respuesta más satisfactoria al problema.

Se ha atribuido a menudo a san Anselmo la idea de que la redención de la humanidad pecadora exige que se haga justicia a Dios. Ésta es la teoría de la «satisfacción adecuada». Puesto que la ofensa hecha a Dios era en cierto modo infinita, su reparación sólo era realizable por Jesucristo, el hombre Dios. La encarnación aparecía así como algo necesario a la redención de la humanidad. Ello significaba crear una imagen jurídica del misterio de la salvación, como si se tratase de aplacar a un Dios irritado, cosa contraria al mensaje del Nuevo Testamento, en el que la redención aparece esencialmente como un misterio de Amor [9].

Santo Tomás no se equivocó y, para evitar las consecuencias negativas de esta concepción, redujo a «razones de conveniencia» lo que parecía dar cuenta de la intención divina en Jesucristo. La encarnación no era, sin duda, necesaria para la salvación de la humanidad; convenía, sin embargo, que el Hijo encarnado satisficiera, como él sólo podía, las exigencias de la justicia y mereciera la salvación de la humanidad. Jesucristo, pues, en el plan divino, estaba esencialmente destinado a la redención, hasta el punto de

---

[8] Para un extenso tratamiento de la cuestión, cf., por ejemplo, el libro de J. B. CAROL, *Why Jesus Christ? Thomistic, Scotistic and Conciliatory Perspectives*, Trinity Communications, Manassas 1986.

[9] La posición de san Anselmo es más matizada. Cf. la introducción de M. CORBIN, «La nouveauté de l'incarnation», en *L'oeuvre de S. Anselme de Cantorbéry*, vol. III, Cerf, París 1988, 11-163; cf. también P. GILBERT, *Justice et miséricorde dans le «Proslogion» de Saint Anselme*, «Nouvelle Revue Théologique» 108 (1986) 218-238. Cf. también J. McINTYRE, *The Shape of Christology*, SCM Press, Londres 1966; W. KASPER, *Jesús, el Cristo*, Sígueme, Salamanca ⁵1984; G. O'COLLINS, *Interpreting Jesus*, G. Chapman, Londres 1983, 148-150.

poder afirmar con justicia que, si la humanidad no hubiera tenido que ser salvada del pecado, la encarnación no habría tenido lugar. Significaba reducir a Jesucristo a su función redentora y a proyectar un mundo crístico sólo de forma accidental. Suponía además hacer de Jesús un segundo fin en el plan divino y suponer la existencia en el plan divino de dos planes sucesivos y superpuestos.

Siguió la reacción escotista, que se negó a reducir a Jesucristo a un segundo pensamiento en el plan divino sobre la humanidad y sobre el cosmos. Jesucristo había sido querido por Dios como fin desde el inicio del misterio creador. Como dice san Pablo con total claridad, Cristo aparecía como coronación y centro, todavía más, como principio de inteligibilidad del mundo creado. No había sido, pues, querido por Dios de forma accidental a causa del pecado de la humanidad y de su necesidad de redención. Aunque el hombre no hubiese pecado, el Hijo se habría encarnado en Jesucristo para coronar la creación como quería el plan divino. Si, pues, Jesucristo no se había convertido en redentor accidentalmente, el mundo era en el plano divino esencialmente cristiano, pues había sido pensado y querido por Dios, desde el comienzo, en Jesucristo.

La tesis escotista —que es, sin duda, la más cercana al mensaje neotestamentario, en particular al de san Pablo— tiene el mérito de alargar la función de Cristo en relación a la humanidad y al mundo. Su cristocentrismo está más acentuado y es más radical. Peca, por otra parte, como la tesis tomista, cuando supone dos planes sucesivos en Dios: mientras para santo Tomás Jesucristo estuvo ausente del plan divino en un primer tiempo y entró como Salvador en un segundo momento, para Duns Scoto y para sus sucesores, Jesucristo estuvo, desde el principio, en el centro del plan divino, pasando a ser en un segundo tiempo Salvador en función del pecado de la humanidad.

Para nuestro intento es poco importante llevar más adelante la discusión, que continuó oponiendo los dos campos, así como detenerse en algunas «perspectivas conciliares», que intentaron —quizás en vano— combinarlas. Más importante es buscar una respuesta mayormente adecuada, que sea a un tiempo más hondamente escriturística y más teológicamente satisfactoria, a la pregunta: ¿Por qué Jesucristo? Se trata, en efecto, de superar, trascendiéndola, la problemática demasiado estrecha de los dos campos opuestos. Es estrecha en particular a la hora de distinguir indebidamente dos momentos sucesivos en el plan divino como si el pensamiento divino estuviese fragmentado por el tiempo; lo es también a la hora de reducir de forma indebida la gratuidad de Jesucristo como don divino de salvación. Debemos, pues, preguntarnos cuál es, en el plan divino sobre la humanidad, que es uno y único, el sentido del acontecimiento Jesucristo, de quien reconocemos a priori la plena gratuidad por parte de Dios, tanto en el orden de la creación, en la que llama ya al hombre a participar en la propia vida, como en el de la redención, con el que le restablece en ella: en otros términos, ¿cuál es el significado de Jesucristo en el don del ser, en el don de la vida divina, en el don del perdón?

Parece necesario decir que la intención formal de Dios en Jesucristo fue inyectar el don que hizo de sí mismo a la humanidad lo más profundamente posible en la misma esencia de la humanidad a la que llama a compartir su propia vida. En otros términos, a hacer su autodonación lo más inmanente posible. Ahora bien, la plena inserción de la autocomunicación de Dios o la inmanencia total de su autodonación a la humanidad consiste precisamente en la inserción personal de Dios mismo en la familia humana y en su historia; esto es, en el misterio de la encarnación del Hijo de Dios en Jesucristo. Y es lo que podemos definir como el principio de la «autocomunicación inmanente» de

Dios, creadora y reparadora. Si Jesús es la cumbre de la humanidad creada, llamada y recuperada por él sin que debamos distinguir momentos sucesivos en el plan divino, es porque, insertándose personalmente como Hijo de Dios en nuestra condición humana, puso a Dios mismo a nuestro alcance y el don que nos hace de su propia vida a nuestro nivel.

E. Schillebeeckx lo expresa bien cuando observa que Dios mientras, como se le describe en el Antiguo Testamento, es ya Dios de los hombres, se hace en Jesucristo Dios de los hombres en forma humana; en realidad, «Cristo es Dios en forma humana y hombre en forma divina» [10]. Con este título realiza en sí mismo el don total —y totalmente inmanente— de Dios a la humanidad. G. Martelet se orienta en la misma dirección cuando escribe en un artículo sobre el «motivo de la encarnación»:

> «La premisa inmediata de la encarnación no es... el pecado sino la *adopción*, en la adopción misma lo esencial no es la *redención* en cuanto tal, sino la *deificación*... La adopción responde en nosotros a lo que la encarnación es en él (en Cristo): 'Aun siendo Hijo de Dios, vino para hacerse hijo del hombre y para darnos la posibilidad a nosotros, que somos hijos de los hombres, de ser hijos de Dios'. La adopción es pues en nosotros el correspondiente de lo que la encarnación es en Cristo... La encarnación es nuestra adopción en cuanto se funda en Cristo y, desde este punto de vista, es nuestra adopción, a su vez, la encarnación de Cristo en cuanto operante en nosotros» [11].

¿No es esta respuesta a la pregunta «¿Por qué Jesucristo?» uno más entre otros «teolegúmenos»? O, por el contrario, ¿aparece en armonía profunda con el mensaje del Nuevo Testamento mismo? Esto segundo parece ser el caso.

---

[10] Cf. E. SCHILLEBEECKX, *Christ the Sacrament, o. c.*, 32-38.
[11] G. MARTELET, «Sur le problème du motif de l'Incarnation», en H. BOUESSÉ-J. J. LATOUR (eds.), *Problèmes actuels de Christologie*, Desclée de Brouwer, París 1965, 35-80, esp. p. 51.

Baste con aludir aquí a alguno de los pasajes más característicos, como, en el evangelio de Juan, a aquel (3,16-17) en que se presenta la venida del Hijo en el mundo como el amor supremo del Padre hacia la humanidad; y, en la Primera Carta de Juan, la introducción (1 Jn 1,1-2) en que Jesucristo, Hijo del Padre, aparece como principio de vida, profundamente inserto en la sustancia misma de lo que es humano.

Sin embargo, el texto más significativo es el pasaje de la Carta a los Romanos, donde san Pablo establece entre los dos Adán un paralelo tanto más sorprendente cuanto con más insistencia se repite. En el espacio de unos versículos (5,12-21) el paralelo entre Adán y Jesucristo se encuentra no menos de siete veces, sea ampliamente desarrollado sea esbozado. La palabra clave de todo el pasaje es «un solo hombre» *(anthròpos),* Jesucristo, mediante cuya gracia Dios ha comunicado su don, de la misma manera que por medio «de un solo *hombre»* el pecado había entrado en el mundo. San Pablo no afirma sólo que en Jesucristo se realizó la redención, sino que esto sucedió *mediante un hombre;* y, por tanto, de forma inmanente a la humanidad misma. El paralelo entre Cristo y Adán se trae para hacer resaltar de forma más eficaz la causalidad humana del don gratuito de Dios en Jesucristo.

No podemos ilustrar aquí cómo la tradición patrística comprendió con frecuencia el misterio de Cristo de esta misma manera. Para hacer resaltar la inmanencia del don divino hecho a la humanidad en Jesucristo, los Padres insistieron no sólo en la integridad de la naturaleza humana de Jesús, sino también en su real identificación con la condición de la humanidad pecadora. Él nos buscó donde nos encontrábamos: esto quieren decir los axiomas —arriba recordados— que la patrística repitió con saciedad. «Se hizo hombre para que nosotros fuéramos divinizados»; a este fin, asumió todo lo que es humano, pues «lo que no fue asunto no fue salvado». El «trueque maravilloso» entre Dios y la humanidad en Jesucristo de que hablaron los Padres exigía que en Jesús Dios descendiese primero hacia nosotros para que en él nos levantásemos hacia él mismo.

Debemos, sin embargo, afrontar los problemas que el plan divino en Jesucristo, es decir, la economía de la encarnación como creíamos que se debía entender aquí, no deja de plantear. No son problemas nuevos, si bien se hacen siempre más apremiantes y agudos en el contexto de la ciencia moderna y del pluralismo religioso. Hemos dicho que en Jesucristo Dios trata de ser Dios de los hombres en forma humana. Pero esta «intrusión» en lo humano ¿no es quizás por parte de Dios terriblemente inhumana? Indudablemente, la economía de la encarnación representa por parte de Dios el don más pleno de sí mismo a la humanidad. Podemos incluso pensar que implica por su parte el más perfecto respeto hacia la dignidad del hombre sin que quede oscurecida su libertad.

Esto no quita, sin embargo, que parezca escandalosa, parcial e injusta, por cuanto hace depender el don de la salvación de un acontecimiento histórico necesariamente particular y que se pretende único. Santo Tomás parece haber admitido la posibilidad de múltiples encarnaciones. ¿No hubieran parecido deseables para evitar en parte la particularidad de acontecimiento único? Pero, precisamente, esta vía parece no sólo cerrada en el Nuevo Testamento —piénsese en lo de «una vez por todas» *(ephapax)* de san Pablo y de la Carta a los Hebreos—, sino que también desde el punto de vista cristiano carecería de sentido, «porque con la encarnación el Hijo de Dios se unió en cierto modo con cada hombre» (GS 22) y en él a la humanidad entera. Con el acontecimiento Jesucristo se estrechó entre Dios y la humanidad un lazo que ya es indisoluble. El acontecimiento no puede, pues, repetirse.

El escándalo de la particularidad del acontecimiento en el tiempo y en el espacio no puede, sin embargo, desaparecer. Se encontraba ya en el pensamiento de los Padres. En su tiempo, basándose en la cronología bíblica según la cual 4.000 años separaban a Cristo de Adán, los Padres se preguntaban por qué Cristo había venido tan tarde, y respondían que la humanidad había de prepararse para su venida. En las gigantescas dimensiones que la ciencia moderna ha abierto en la historia del mundo y de la humanidad, la respuesta puede parecer irrisoria. El problema se hace, pues, más acuciante y la particularidad del acontecimiento más escandalosa. Aunque, quizás, habría que preguntarse igualmente lo contrario: ¿Por qué tan pronto?

Sea como fuere, en el contexto del pluralismo de las culturas y de las tradiciones religiosas de la humanidad, tal como lo vivimos hoy, quizá la particularidad en el espacio es todavía más escandalosa. Que una cultura particular haya recogido casi exclusivamente la herencia de un acontecimiento histórico de salvación, él mismo inscrito en una tradición religiosa particular, parece significar desprecio a las demás tradiciones religiosas particulares y culturas de la humanidad, por ejemplo, las de Asia, que son, además, más antiguas y no menos ricas.

Nunca expresaremos suficientemente el sectarismo y la actitud de campanario, la arrogancia y la intolerancia que evocan muchos asiáticos, hindúes y budistas bien pensantes, ante las reivindicaciones del cristianismo a propósito del acontecimiento Jesús de Nazaret, más accesible, por otra parte, a pesar de su oscuridad histórica, a nuestros conocimientos actuales. A sus ojos, una economía de la encarnación tal como la entiende el cristianismo no puede aspirar en modo alguno al universalismo. La doctrina hindú de los *avatara* ¿no es quizá más humana —y en el fondo más divina— precisamente por la multiplicidad de las manifestaciones divinas que supone? El problema se plantea en toda su agudeza: la pretensión cristiana de la universalidad del acontecimiento Cristo ¿es sostenible todavía? ¿Es suficiente hoy para defender definirla como inclusiva en lugar de exclusiva? ¿Y cuál es el alcance real de semejante distinción? En último análisis, ¿resiste el cristocentrismo tradicional de la teología cristiana el golpe del encuentro actual entre culturas y tradiciones religiosas? Habrá que responder a estas preguntas.

Mientras tanto, podemos observar lo verdadera que sigue siendo la observación de K. Rahner según la cual el reto cristológico más urgente consiste sin duda en demostrar el significado universal y la dimensión cósmica del acontecimiento Jesucristo [12]. En una cristología así,

> «Cristo aparecería enseguida como el vértice de esta historia (de la salvación) y la cristología como su formulación más precisa. De forma recíproca, la historia de la salvación como el preludio a la actuación de la historia de Cristo» [13].

Una cristología cósmica tendría que demostrar, en primer lugar, la dimensión cósmica de la encarnación y, con ella, el significado de Jesucristo no sólo para la salvación de los hombres y de su historia, sino también para todo el universo. Debería ilustrar, igualmente, la relación entre la teología de la encarnación y una comprensión científica del universo, e integrar, en una visión holística de la realidad, la creación, la encarnación, la salvación y la consumación [14]. El fundamento para una cristología cósmica de esta naturaleza no falta en el Nuevo Testamento, sobre todo en la teología paulina (cf. Col 1,15-20; Ef 1,15-23; 2,10...) y en Juan (cf. Jn 1,1-18).

---

[12] K. RAHNER, «Jesus Christus», en J. HÖFER-K. RAHNER (eds.), *Lexikon für Theologie und Kirche*, vol. V, Herder, Friburgo 1966, 955: su «Kosmische Christozentrik».
[13] K. RAHNER, «Problemas actuales de cristología», en *Escritos de Teología*, I, Taurus, Madrid 1963, 169-222.
[14] Cf. D. A. LANE, *Christ at the Centre: Selected Essays in Christology*, Veritas, Dublín 1990, 142-158.

La unidad subyacente entre creación y «re-creación» en Jesucristo queda puesta de relieve si se ve en el contexto de una teoría evolutiva del mundo [15]. Demostrar esto era el intento del P. Teilhard de Chardin al concebir el proceso evolutivo del mundo como «cristogénesis» [16]. En esta perspectiva se ve a Jesucristo, a un mismo tiempo, como la rampa de lanzamiento de la evolución cósmica, la fuerza-guía y el fin que lo arrastra hacia sí, el inicio, el centro y el fin, el primero y el último, el Alfa y la Omega. El Cristo cósmico o el Punto Omega hace de causa final que dirige a todo el cosmos a su último fin hasta que Dios sea «todo en todos» (1 Cor 15,28). Este Cristo cósmico es el Jesús histórico, muerto y resucitado, que no podría ser el punto Omega si antes no estuviese inscrito en el «phylum» del género humano y en el corazón de la materia. Además, el Jesús de la historia, convertido en el Cristo de la fe, o, por decirlo en términos de Teilhard, Jesús y el «Cristo universal» estaban incluidos al mismo tiempo dentro del designio de Dios para la salvación y para el cosmos. De esta manera, Teilhard esperaba poner juntos y demostrar la «convergencia» entre su «fe» científica en el proceso evolutivo del mundo y su fe cristiana en el Cristo cósmico que leyó especialmente en san Pablo. Teilhard escribió:

«Cristo es el Alfa y la Omega, el principio y el fin, la piedra angular y la clave del arco, la plenitud y aquel que da la plenitud. Es el que lleva a cumplimiento todas las cosas y el que les da su

---

[15] Cf., por ejemplo, K. RAHNER, «La cristología dentro de una concepción evolutiva del mundo», en *Escritos de Teología*, V, Taurus, Madrid 1964, 181-220.

[16] J. A. LYONS, *The Cosmic Christ in Origen and Teilhard de Chardin: A Comparative Study*, Oxford University Press, Oxford 1982; I. BERGERON-A. ERNST, *Le Christ universel et l'evolution selon Teilhard de Chardin*, París 1986; C. F. MOONEY, *Teilhard de Chardin and the Mystery of Christ*, Collins, Londres 1966; H. DE LUBAC, *The Religion of Teilhard de Chardin*, Desclée, Nueva York 1967; U. KING, *A New Mysticism: Teilhard de Chardin and Eastern Religions*, The Seabury Press, Nueva York 1980.

consistencia... Él es el centro, único, precioso y coherente, que ilumina desde la altura el mundo que ha de venir» [17].

Un universo «cristificado» o, por decirlo en otros términos, un «Cristo universal» es lo que Teilhard tenía en vista. Nosotros debemos «cristificar con toda franqueza la evolución» [18]. «El universo y Cristo, cada uno por su parte, encuentran su consumación en la mutua conjunción» [19]. «Descubrir esta coincidencia maravillosa... entre Cristo directamente percibido como la fuente de la evolución (*comme evoluteur*) y como el punto focal cósmico que la evolución exige positivamente» es privilegio del cristiano. A éste le es dado percibir «la armonía sorprendente y liberadora que existe entre un tipo crístico de religión y un tipo convergente de evolución» [20]. Ni habría que temer que el cosmos tomara la primacía sobre Cristo, al contrario, «lejos de poner a Cristo en la sombra, el universo apunta hacia él como el garante de la propia consistencia». La visión evolutiva del mundo no arrastra a Cristo al universo hasta el punto de quedar disuelto en él; resulta, más bien, que el primado de Cristo resucitado, que ya proyecta sobre el mundo, que un día habrá de consumar, puede quedar resaltado todavía más. «Oh Cristo, siempre más grande» [21].

3. El acontecimiento Cristo, centro de la historia de salvación

Jesucristo es el centro del plan de Dios para la creación y la «re-creación» de la humanidad y del cosmos. Nos

---

[17] Cf. P. Teilhard de Chardin, *Science et Christ*, Seuil, París 1965.
[18] Citado por H. de Lubac, *La pensée religieuse du Père Pierre Teilhard de Chardin*, p. 82.
[19] «Le christique».
[20] «Le christique».
[21] Citado por H. de Lubac, *La prière du Père Teilhard de Chardin*, Fayard, París 1964, 50.

queda por demostrar que él es, igualmente, el centro de la «historia de la salvación», mediante la cual Dios lleva a cabo su designio salvífico.

Para el cristianismo la historia tiene una dirección, un fin asignado por Dios. Este fin es la realización definitiva del Reino de Dios. La historia es, pues, un proceso que, a través de los acontecimientos contingentes y, con frecuencia, a pesar de su carácter fortuito, se dirige hacia un final trascendente: la plenitud del Reino de Dios. El concepto cristiano de la historia es, por tanto, esencialmente positivo y optimista. Se lo ha definido como «lineal»; lo que no significa que todos los elementos que constituyen la historia humana tengan un sentido positivo y contribuyan positivamente a la consumación del fin asignado por Dios al proceso histórico. Pero, cualesquiera que sean las vicisitudes del tiempo y el juego de la historia, permanece la certeza de que el fin querido por Dios se realizará un día en plenitud. El Reino de Dios que se instaura progresivamente en el mundo llegará a su cumplimiento: sabemos hacia dónde caminamos [22].

Este concepto cristiano de la historia, llamado lineal, se distingue netamente de otras concepciones. Podemos recordar dos de ellas: la concepción llamada «circular» o «cíclica», característica de la filosofía o de la cultura griega, y la de las filosofías orientales, del hinduismo en particular, llamada «en espiral». Baste con recordar que el modelo cíclico griego de la historia es fundamentalmente pesimista: no hay nada nuevo bajo el sol [23]. En cuanto a la concepción

---

[22] Para la teología de la historia el lector puede ver, por ejemplo, J. DANIÉLOU, *Essai su le mystère de l'histoire*, Seuil, París 1953; B. FORTE, *Teologia della storia*, Paoline, Cinicello Balsamo 1991.

[23] Sobre el contacto entre la concepción bíblica de la historia y el concepto griego, cf. C. TRESMONTANT, *Études de métaphysique*, Gabalda, París 1955;

hindú, aun cuando emplea un modelo diferente, comparte el pesimismo de la filosofía griega [24].

Esto expresa toda la distancia que separa la concepción hebraica y cristiana de la griega e hindú; tal distancia no está falta de consecuencias teológicas respecto al sentido que puede revestir un acontecimiento histórico de la salvación. En efecto, el mensaje cristiano y, en particular, el significado cristiano del acontecimiento Jesucristo va, se quiera o no, indisolublemente ligado a una concepción de la historia que le confiere toda la densidad de compromiso personal de Dios en la historia de los hombres.

Se impone, pues, una conclusión. Si es cierto que en teoría el mensaje cristiano está abierto a todas las culturas y está llamado a expresarse en cada una de ellas, esto no significa que pueda adaptarse a priori a todo lo que encuentra en las culturas y en las tradiciones religiosas de la humanidad. Las culturas pueden abrigar elementos no asimilables por el mensaje cristiano, por ser incapaces de abrirle un espacio. Vemos difícil que una concepción «cíclica» o «en espiral» de la historia pueda dar lugar al valor decisivo que el cristianismo atribuye al acontecimiento Jesucristo, histórico y particular, como representante del designio definitivo de Dios con la humanidad. El modelo lineal es imprescindible para el cristianismo, sin el cual la historia no puede adquirir el auténtico sentido de un diálogo entre Dios y la humanidad por medio de intervenciones históricas de Dios, ni puede tener un destino final que le haya sido asignado

---

ÍD., *Essai sur la pensée hébraïque*, Cerf, París 1953; A. H. ARMSTRONG-R. A. MARKUS, *Christian Faith and Greek Philosophy*, Darton, Longman and Todd, Londres 1960; TH. BOMAN, *Hebrew Thought Compared to Greek*, Westminster, Philadelphia 1960.

[24] Cf. D. S. AMALORPAVADASS, *Fundations of Mission Theology*, NBCLC, Bangalore 1970, 68-69; R. SMET, *Essai sur la pensée de Raimundo Panikkar*, Centre d'historie des religions, Lovaina 1986, 84-86. También S. J. SAMARTHA, *The Hindu View of History*, CISRS, Bangalore 1959.

por Dios mismo. Por abierto que quiera estar el mensaje cristiano a todas las culturas, no puede renunciar a una cierta visión del mundo y de la realidad, al margen de la cual el acontecimiento Cristo se encontraría desprovisto de su sentido y de su significado auténticos.

Esta historia del diálogo entre Dios y la humanidad es una historia de salvación. Esto no quiere decir que se inserte en la historia universal misma, en cuanto diálogo de salvación entre Dios y la humanidad[25]. Aunque distinta de la historia profana, es inseparable de ella.

Esto significa que la historia de la salvación se extiende desde la salvación a la parusía del Señor resucitado, al final de los tiempos. La creación forma parte de ella desde el principio, porque ella misma es misterio de salvación. Sabemos que la experiencia religiosa de Israel se basa enteramente en la alianza que Jahveh estableció con su pueblo a través de Moisés y no sobre cualquier consideración filosófica sobre la creación. Es a partir de la experiencia de la alianza, y mediante retrospección, cuando el misterio de la creación divina entra en la conciencia de Israel; desde el inicio es misterio de salvación, punto de partida del diálogo de salvación entre Jahveh y su pueblo. Esta reflexión progresiva, que conduce retrospectivamente de la alianza a la creación, se inserta en el largo camino recorrido por Israel hacia el descubrimiento del Dios único, que desemboca al final en el monoteísmo absoluto tal como se expresa concretamente en el *Shema Yisra'el:* «Escucha, Israel: El Señor es nuestro Dios, el Señor es uno solo. Amarás al Señor tu Dios con todo el corazón, con toda el alma y con todas las fuerzas» (Dt 6,4-5); y esencialmente, como quedó estable-

---

[25] Cf. K. RAHNER, «Historia del mundo e historia de la salvación», en *Escritos de Teología*, V, Taurus, Madrid 1964, 115-134.

cido teológicamente por los profetas, particularmente por el Deuteroisaías.

La historia de la salvación se extiende, pues, desde el comienzo hasta el final de la historia, desde la creación al fin del mundo. La fe cristiana coloca en su centro el acontecimiento Jesucristo. No en sentido cronológico, sino teológico. El acontecimiento Jesucristo es decisivo en la historia de la salvación; el quicio, podríamos decir, sobre el que gira toda la historia del diálogo entre Dios y la humanidad; el principio de inteligibilidad del plan divino, tal como se concreta en la historia del mundo. La constitución pastoral *Gaudium et Spes* del Vaticano II lo dice claramente: «[La Iglesia] cree... encontrar en su Señor y Maestro la clave, el centro y el fin de toda la historia humana» (GS 10).

Este texto habla con justicia de centro y de fin. La fe apostólica, en efecto, distingue el acontecimiento Jesucristo, acaecido en la historia, desde la vuelta escatológica del Señor en la parusía; distingue, entonces, entre su primera y segunda venida. El Reino de Dios, ya instaurado en el mundo por medio del Jesús histórico, su vida y su resurrección, permanece todavía en camino hacia la perfección escatológica. Como ha demostrado la exégesis, entre el «ya» y el «todavía no» del Reino de Dios hay una tensión constituida por «el tiempo de la Iglesia», en el cual vivimos. Y, mientras exista esta tensión, es normal que el acento recaiga bien sobre lo que ya ha acaecido de una vez por todas, bien en lo que está por cumplirse. Recordamos antes que la escatología «realizada» se ha asociado a menudo al nombre de C. H. Dodd, mientras que la «consiguiente» lleva el de A. Schweitzer.

Si se tiene cuenta, sin embargo, que en la Iglesia apostólica estaba extendida al principio la creencia de que la vuelta del Señor era próxima e inminente, se comprenderá más fácilmente que el acento se pusiera mayormente en lo que ya había acaecido, es decir, el acontecimiento histórico de Jesucristo, culminado con su muerte y resurrección. Joaquín Gnilka lo dice con precisión en su intervención en la reciente sesión de la Pontificia Comisión Bíblica, dedicada a «Biblia y Cristología»:

> «La escatología 'consecuente' se olvida de un factor decisivo en el anuncio del Reino de Dios por parte de Jesús, a saber: la *basileia* no es solamente un acontecimiento *futuro* que se ha de atender, sino también sus poderes curativos, caritativos y salvíficos como *ya presentes y actuantes* en las acciones y en la predicación de Jesús, y pueden ser experimentados por los hombres. La relación de tensión así establecida entre una salvación ya presente y una salvación todavía por venir es nueva y no tiene paralelos en el judaísmo. Jesús no sólo anuncia la *basileia*, sino que también la trae consigo. Por eso sólo él podía hacer semejante anuncio» [26].

Así pues, para la fe apostólica y, enseguida, para la fe cristiana, si bien hay una tensión entre el «ya» y el «todavía no» a través de toda nuestra historia presente —tensión que no hay que pretender resolver—, el acento se pone sobre todo en lo que ya se ha cumplido una vez por todas en Jesucristo. O. Cullmann ha demostrado de manera excelente el contraste existente entre la psicología religiosa de Israel y la de los primeros cristianos [27]. Israel estaba totalmente vuelto hacia el futuro, esto es, hacia el cumplimiento de la promesa de Jahveh y hacia la espera mesiánica en un acontecimiento decisivo y escatológico de salvación, sin saber cuándo habría de realizarse este acontecimiento. La Iglesia apostólica, al contrario, descubre con estupor y admiración que este acontecimiento escatológico, cumplimiento de la promesa y de la espera, acababa de suceder en un

---

[26] J. GNILKA, «Réflexions d'un chrétien sur l'image de Jésus tracée par un contemporain juif», en PONTIFICIA COMISIÓN BÍBLICA, *Bible et christologie*, Cerf, París 1984, 212-213.
[27] O. CULLMANN, *Christ and Time*.

pasado reciente por medio de la resurrección de Jesús de entre los muertos.

La resurrección de Jesús, por tanto, punto de partida de la fe cristológica, operó en los primeros cristianos un cambio: la fe de los antepasados les había orientado hacia un futuro indefinido. La experiencia pascual les volvía hacia un acontecimiento concreto que acababa de suceder en un pasado reciente. No es que por esto se desvaneciese su orientación hacia el futuro, sino que la espera escatológica se encontraba dividida en dos tiempos, el «ya» y el «todavía no», el acontecimiento cumplido y su plenitud final. Entre estos dos polos, sin embargo, el hilo conductor y el gozne de toda la historia de la salvación se ponía de forma decisiva en el «ya». Cristo resucitado, y no la parusía, era el centro de la fe. El resto, el «todavía no» vendría como consecuencia lógica, como desarrollo necesario de las potencialidades contenidas en el acontecimiento. La plenitud del Reino de Dios debe esperar sin duda hasta la parusía. Pero, a pesar de ello, el acontecimiento Jesucristo es el centro de la historia de la salvación.

JESUCRISTO Y LAS RELIGIONES DEL MUNDO

1. La centralidad de Cristo en la teología de las religiones

En el decreto sobre el ecumenismo, *Unitatis Redintegratio*, el concilio Vaticano II introdujo la importante consideración de «un orden» o «jerarquía» en la verdad de la doctrina católica (UR 11). Esto explica el principio según el cual se establece esta jerarquía de las verdades en términos de su diferente relación con el fundamento de la fe cristiana *(Ibíd.)*. Lo que el concilio no dijo de forma explícita al respecto es que el «fundamento de la fe cristiana», que rige la jerarquía de las verdades, es el misterio de

Jesucristo. Pero esto es el resultado de cuanto hemos dicho más arriba sobre el cristocentrismo del Vaticano II en general y la relatividad del misterio de la Iglesia en particular.

Si seguimos este camino abierto desde el Vaticano II para aplicarlo explícitamente a la teología de las religiones, podemos sacar conclusiones importantes. De todo lo cual se sigue que la cuestión propia y verdadera es la de la relación de las tradiciones religiosas de la humanidad con el misterio primordial de Jesucristo, fundamento de la fe, y no la de la relación con el misterio de la Iglesia, que es ella misma una verdad derivada. Se trata, pues, de un «descentramiento» eclesiológico y de un nuevo centramiento cristológico de la teología de las religiones. Lo que significa que la perspectiva correcta consiste en preguntarse no directamente sobre la relación horizontal de las otras tradiciones religiosas con la Iglesia, sino más bien sobre su relación vertical con el misterio de Cristo presente y en acción en el mundo. Hagamos un esfuerzo por hacer ver las implicaciones inmediatas de este cambio de perspectiva.

Cierta tradición eclesial ha planteado el problema en términos de la relación horizontal de las religiones con el cristianismo y con el misterio de la Iglesia. El dicho «fuera de la Iglesia no hay salvación» ha sido el vehículo de esta perspectiva restringida. Ahora bien, es importante observar que el dicho en cuestión, *extra ecclesiam nulla salus*, tiene un origen diferente en la historia de las tradiciones [28]. Fue cambiado por Fulgencio de Ruspe, quien, en su obra titulada *De Fide Liber ad Petrum* (38, 39 y 39, 80: PL 65, 704 A-B), lo aplica no sólo a los «paganos», sino también a los

---

[28] Entre otros, se puede consultar, por ejemplo, W. Kern, *Ausserhalb der Kirche kein Heil*, Herder, Friburgo 1979; J. P. Theisen, *The Ultimate Church and the Promise of Salvation*, St. John's University Press, Collegeville, Minnesota, 1976, 1-36; F. A. Sullivan, *Salvation outside the Church*, Paulist Press, Mahwah 1992.

judíos y a los mismos cristianos que se han separado de la Iglesia, bien por el cisma bien por la herejía [29]. Separarse culpablemente de la Iglesia equivale para sus miembros a separarse de Cristo, fuente de salvación. Cuando el mencionado dicho se cita entre otros textos oficiales del Magisterio —como en el siglo XIII por el Credo del concilio IV de Letrán (1215) [30] y en el siglo XIV por la bula *Unam Sanctam* (1302) de Bonifacio VIII [31]—, parece que se ha de entender como referido a los que se encuentran voluntaria y culpablemente fuera de la Iglesia. El primer texto del Magisterio eclesial que extiende explícitamente su uso desde los herejes y cismáticos a los «paganos» y a los judíos, es el Decreto para los Jacobitas (1442) del concilio de Florencia [32]. En el contexto histórico, la primera intención del concilio es, sin embargo, la de aplicar el principio a los que se han separado voluntariamente de la Iglesia y «no se han de agregar a ella» antes de morir [33].

Estas circunstancias permiten rebajar el alcance del dicho sobre el que está basada una visión eclesiocéntrica de la salvación indebidamente restringida. A esto se añade, por otra parte, la indecisión respecto al valor propiamente dogmático del decreto del concilio de Florencia. De todos modos, el dicho planteaba mal el problema. Los requisitos para acceder a la salvación se veían negativamente y en virtud de una visión centrada en la Iglesia. Habría que

---

[29] Se puede consultar también Cipriano de Cartago, *Epist. (73) ad Iubaianum*, c. 21, PL 3, 1123 A-B, donde «Salus extra ecclesiam non est» se aplica a los herejes.

[30] Denzinger-Schönmetzer, *Enchiridion*, n. 802; Neuner-Dupuis, *The Christian Faith*, n. 21.

[31] Denzinger-Schönmetzer, *Enchiridion*, n. 870; Neuner-Dupuis, *The Christian Faith*, n. 804.

[32] Denzinger-Schönmetzer, *Enchiridion*, n. 1351; Neuner-Dupuis, *The Christian Faith*, n. 810.

[33] Cf. J. Ratzinger, *El nuevo pueblo de Dios*, Herder, Barcelona 1971; P. F. Knitter, *No Other Name? A Critical Survey of Christian Attitudes toward the World Religions*, Orbis Books, Maryknoll, Nueva York, 1985, 121-123.

haberlo anunciado de forma positiva y en una perspectiva cristocéntrica. Traducido así, «Toda salvación está en Cristo», la fórmula habría estado en plena conformidad con la proposición del Nuevo Testamento arriba mencionada.

El concilio Vaticano II ¿adoptó de verdad esta óptica positiva y cristocéntrica al tratar del misterio de la salvación de los miembros de otras tradiciones religiosas? ¿O ha prolongado quizás la perspectiva eclesiocéntrica estrecha, a pesar del reconocimiento de algunos valores positivos dentro de estas tradiciones? No podemos dar una respuesta absoluta a este interrogante. Cuando se trata de la salvación de las personas individuales fuera de las fronteras del cristianismo, el concilio adopta una perspectiva decididamente cristocéntrica en la constitución pastoral *Gaudium et Spes,* en la que, después de haber expuesto la forma en que el cristiano recibe la salvación mediante la asociación al misterio pascual de Cristo, prosigue:

> «Y esto no vale sólo para los cristianos, sino también para todos los hombres de buena voluntad, en cuyo corazón actúa invisiblemente la gracia. Cristo, en efecto, murió por todos y la vocación última del hombre es efectivamente una sola, la divina; hemos de creer por ello que el Espíritu Santo, en la forma que Dios conoce, ofrece a todo hombre la posibilidad de entrar en contacto con el misterio pascual» (GS 22).

Esta perspectiva cristológica no es, sin embargo, constante en el concilio, en particular cuando no se trata del misterio individual de la salvación de las personas, sino de las tradiciones religiosas mismas, tomadas en su realidad objetiva e histórica. Testigo de ello es el mismo título de la declaración *Nostra Aetate* «sobre las relaciones de la Iglesia con las religiones no cristianas». El problema que se plantea aquí no es directamente el de la relación vertical de las tradiciones religiosas de la humanidad con el misterio de Jesucristo, sino el de la relación horizontal de estas mismas tradiciones con el cristianismo y con la Iglesia.

El primer problema habría podido llevar al reconocimiento de una presencia oculta de Cristo en estas mismas tradiciones y de una cierta medición a través de ellas del misterio mismo; el segundo problema no iba naturalmente en esta dirección. ¿No es ésta, quizás, la razón por la que el concilio, a pesar de su afirmación sobre la presencia de los valores y de los elementos positivos en tales tradiciones religiosas, no se aventura en dirección de un reconocimiento de esas mismas tradiciones como vías legítimas de salvación para sus miembros, si bien en relación necesaria con el misterio de Cristo?

Sin anticipar nada, podemos concluir provisoriamente que, en materia de teología de las religiones, la perspectiva que se impone como la única capaz de llegar a resultados positivos apreciables es la perspectiva cristocéntrica que supera, trascendiéndolo, todo enfoque eclesiocéntrico estricto. La verdadera y auténtica cuestión —la única que puede orientar hacia auténticas respuestas— es la de la relación vertical de las tradiciones religiosas con el misterio de Cristo: la teología de las religiones debe sustituir esta cuestión por la de la relación horizontal entre las demás religiones y el cristianismo. La cuestión de la relación horizontal no puede encontrar solución válida más que a partir de la, más profunda, relación vertical. Se llega así, desde otro lado, a la conclusión ya formulada: hay que reemplazar una visión eclesiológica estrecha por una perspectiva cristocéntrica más básica y más amplia al mismo tiempo. Esto es lo que observaba H. Küng cuando escribía:

> «Éste es, pues, el planteamiento del problema cuando se toma como punto de partida no la Iglesia, sino la voluntad de Dios y su plan de salvación, tal y como la Escritura nos lo da a conocer. Se puede preguntar por lo que hay fuera de la Iglesia, pero... no es fácil la contestación. Todos los hombres pueden salvarse. Por lo que se refiere a lo que podría encontrarse fuera de Dios y de su plan de salvación, ni siquiera se plantea el problema. Pues si se

toma en consideración el plan divino de salvación, no hay fuera (*extra*), sino dentro (*intra*). Nada está fuera, sino que todo está dentro. En efecto, 'Dios quiere que todos los hombres se salven y lleguen al conocimiento de la verdad. Porque hay un solo Dios y un solo mediador de los hombres, Cristo Jesús hombre, quien se dio a sí mismo como precio de rescate por todos' (1 Tim 2,4-6)»[34].

2. Jesucristo en el debate sobre el pluralismo religioso

Lo que acabamos de decir permite entrever los fallos inherentes a una perspectiva decididamente eclesiocéntrica para una teología de las religiones. Por otra parte, el reto que el contexto del pluralismo religioso plantea a la perspectiva cristocéntrica tradicional de la teología ha sido igualmente recogido. La sección siguiente querría exponer el debate entre las diferentes perspectivas, tal como resulta de la abundante literatura de los últimos años sobre la teología de las religiones. Después de haber expuesto y examinado críticamente las diferentes perspectivas propuestas, trataremos de responder a la siguiente pregunta: ¿es capaz una perspectiva cristocéntrica de dimensión universal y cósmica —como queda descrita más arriba— de recoger el reto del contexto que hoy se impone a la reflexión teológica: proporciones históricas y geográficas, pluralismo de las culturas y de las tradiciones religiosas, encuentro y diálogo interreligioso?

En un artículo titulado «Cristo e Iglesia: un panorama de opiniones», J. Peter Schineller distinguía entre las opiniones teológicas corrientes cuatro categorías principales relativas a la relación de las demás tradiciones religiosas

---

[34] H. KÜNG, *The World's Religions in God's Plan of Salvation*, loc. cit., 25-26, esp. 46.

con Cristo y la Iglesia [35]. Definía las cuatro categorías del modo siguiente:

1. Universo eclesiocéntrico, cristología exclusiva.
2. Universo cristocéntrico, cristología inclusiva.
3. Universo teocéntrico, cristología normativa.
4. Universo teocéntrico, cristología no normativa.

A pesar del mérito de esta clasificación en cuatro categorías [36], muchos autores recientes prefieren una triple división de opiniones. Distinguen por ende tres perspectivas: eclesiocéntrica, cristocéntrica y teocéntrica. Y, en forma paralela y equivalente, tres posturas fundamentales, designadas respectivamente como exclusivismo, inclusivismo y «pluralismo» [37]. Estas posturas se identifican fácilmente, si bien cada modelo presenta distinciones diversas. El exclusivismo, que guía la perspectiva eclesiocéntrica en la intención de los autores en cuestión, remite a la exclusividad de la salvación mediante Jesucristo confesado en la Iglesia. Si hay que dar un nombre, podríamos decir que es la tesis de

---

[35] J. P. SCHINELLER, «Christ and the Church: A Spectrum of Views», *Theological Studies* 27 (1976) 343-366; reimpresión en W. J. BURGHARDT-W. G. THOMPSON (eds.), *Why the Church?*, Paulist Press, Nueva York 1977, 1-22.

[36] P. F. KNITTER, *No Other Name?*, adopta también una cuádruple división: el modelo evangélico conservador (una sola religión verdadera); el modelo protestante más extendido hoy (toda salvación viene de Cristo); el modelo católico abierto (varios caminos, Cristo la única forma); y el modelo teocéntrico (varios caminos, con Dios como único centro). En un artículo titulado «La teología de las religiones en el pensamiento católico», en H. KÜNG-J. MOLTMANN (eds.), *El cristianismo y las grandes religiones*, «Concilium» 203 (1986) 123-134, Knitter adopta en parte las categorías propuestas por H. Richard Nieburh (*Christ and Culture*, Harper and Row, Nueva York 1951) para la relación entre Cristo y «cultura», y distingue un Cristo contra las religiones, en las religiones, sobre las religiones y junto con las religiones. Estas categorías coinciden en parte con los cuatro miembros de Schineller.

[37] Entre los autores que dan cuenta de las diferentes posiciones, los siguientes adoptan esta nomenclatura: A. RACE, *Christian Theology of Religions*, SCM Press, Londres 1983; H. COWARD, *Pluralism: Challenge to the World Religions*, Orbis Books, Maryknoll, Nueva York, 1985; G. D'COSTA, *Theology and Religious Pluralism: The Challenge of Other Religions*, Basil Blackwell, Oxford 1986.

H. Kraemer [38]. Al problema de las distintas religiones aplica la teología dialéctica de K. Barth, según la cual el único conocimiento válido de Dios es el cristiano, que el hombre recibe en Jesucristo: el Dios de los otros es un ídolo. No está de más observar que la tesis exclusivista, que exige como condición para la salvación la pertenencia a la Iglesia y, en ella, la confesión explícita de Jesucristo, fue oficialmente condenada por el Magisterio eclesial [39].

Debemos observar, sin embargo, que una perspectiva eclesiocéntrica no implica necesariamente el exclusivismo tal como lo entiende H. Kraemer siguiendo a Barth, vinculado a una interpretación del axioma: «Fuera de la Iglesia no hay salvación». Todos los teólogos católicos admiten de hecho la posibilidad de la salvación fuera de la Iglesia, cualquiera que sea el modo de concebirla. Notemos, sin embargo, desde ahora que el papel de la Iglesia en el misterio de la salvación fuera de ella puede ser y de hecho es concebida de diferentes maneras. Algunos afirman aquí una «mediación» constitutiva de la Iglesia, que va unida, aunque no en el mismo plano, a la necesaria mediación de Jesucristo. Otros, por el contrario, conciben el papel de la Iglesia no tanto en términos de mediación sino de presencia, signo, sacramento y testimonio [40].

---

[38] H. KRAEMER, *The Christian Message in a non-Christian World*, Edinburgh House Press, Londres 1947; ÍD., *Religion and the Christian Faith*, Lutterworth, Londres 1956; ÍD., *Why Christianity of All Religions?*, Lutterworth, Londres 1962.

[39] Ver la carta del Santo Oficio al arzobispo de Boston (8 agosto 1949) en que condena la interpretación rígida del axioma *Extra Ecclesiam nulla salus* propuesta por Leonard Feeney, según la cual la pertenencia explícita a la Iglesia o el deseo explícito de entrar en ella se requieren absolutamente para la salvación individual. Una relación con la Iglesia *in desiderio,* aun meramente implícito, puede bastar para la salvación de la persona (DENZINGER-SCHÖNMETZER, *Enchiridion,* nn. 3866-3873; NEUNER-DUPUIS, *The Christian Faith,* nn. 854-857).

[40] Cf., por ejemplo, R. P. McBRIEN, *Catholicism,* vol. II, Winston, Minneapolis, 1980, 691-729. Con el fin de justificar estos dos puntos de vista diferentes del papel de la Iglesia, Schineller introduce una subdistinción bajo

Parece, en efecto, difícil de concebir cómo la mediación de la Iglesia en el orden de la salvación pudiera extenderse más allá de sus fronteras. En cuanto esencialmente sacramental, tal mediación se ejerce por medio de la Palabra proclamada y los sacramentos. La Palabra, por tanto, llega a los miembros de la Iglesia, pero no a los miembros de otras tradiciones. Se vuelve así, desde un enfoque diferente, al punto de vista ya enunciado arriba. La perspectiva eclesiocéntrica, incluso la atenuada, debe ser superada. Es importante en la teología de las religiones evitar una inflación eclesiológica, que falsearía sus perspectivas. La Iglesia, en cuanto misterio derivado y totalmente relativo respecto al misterio de Cristo, no puede ser la medida para establecer la salvación de los demás.

Pero aun admitiendo y presuponiendo todo esto, la triple división arriba mencionada plantea a la perspectiva cristocéntrica tradicional un grave reto. Al cristianismo inclusivo se opone, en efecto, una visión teocéntrica que se traduce en un modelo denominado —bastante ambiguamente, por otra parte— «pluralismo». Un considerable número de autores recientes apoyan el «cambio de paradigma», que consiste en pasar del cristocentrismo al teocentrismo, del «inclusivismo» al «pluralismo». Esto, grosso modo, quiere decir que el cristianismo, en el momento en que busque sinceramente el diálogo con las demás tradiciones religiosas —diálogo que sólo puede ser auténtico a partir de la igualdad—, debe ante todo renunciar a toda pretensión de «unicidad» respecto a la persona y a la obra de Jesucristo, concebida como elemento «constitutivo» y universal de la salvación. Sin duda, esta posición es susceptible, en lo que

---

el título «universo cristocéntrico, cristología inclusiva»: a) Jesucristo y la Iglesia como constitutivos, pero no exclusivos medios de salvación; b) Jesucristo como medio constitutivo de salvación, la Iglesia como medio no constitutivo. Ver el esquema en *Why the Church?*, p. 6.

tiene de radical, comprensiones de diferentes. Siguiendo las categorías de J. P. Schineller, se pueden distinguir dos interpretaciones divergentes según las cuales la persona de Jesucristo, entendida como no constitutiva de la salvación, es, no obstante, «normativa» para los unos, mientras que para los otros no es ni constitutiva ni normativa. Si tuviéramos que poner ejemplos, podríamos mencionar, a propósito del Jesús «normativo», a E. Troeltsch y, más recientemente, a P. Tillich [41], y a John Hick a propósito del Jesús no normativo.

Los autores que exaltan un pluralismo teocéntrico difieren, sin embargo, entre sí por diversos aspectos que no es necesario mencionar aquí detalladamente. Notemos, con todo, que, mientras para algunos, como A. Race, la renuncia del cristianismo a sus pretensiones cristológicas debe ser sin retorno [42], para otros tal renuncia se propone como una hipótesis de trabajo, una especie de duda metódica o, mejor, una «puesta entre paréntesis», al menos temporal, necesaria para que el diálogo con los otros se establezca según la verdad: quizás, la práctica misma del diálogo restablezca la validez de las reivindicaciones cristianas a propósito del misterio de Jesucristo; descansarían entonces por fin sobre el único fundamento que les puede dar solidez: el test o prueba del encuentro [43].

---

[41] Cf. E. TROELTSCH, *The Absoluteness of Christianity and the History of Religions*, John Knox Press, Richmond 1971; P. TILLICH, *Systematic Theology*, vol. II, University of Chicago Press, Chicago 1957; ÍD., *Christianity and the Encounter of World Religions*, Columbia, Nueva York 1963.

[42] A. RACE, *Christians and Religious Pluralism*, 106-148.

[43] P. F. KNITTER, *No Other Name?*, 169-231. Más recientemente, Knitter ha propuesto sustituir el paradigma del teocentrismo por el de «soteriocentrismo» e incluso el de «regnocentrismo». Todas las religiones ofrecen salvación o liberación humana. Como tales, aunque diferentes entre sí, todos son formas iguales de salvación para sus miembros. El criterio según el cual hay que evaluarlos es la medida en que contribuyen a la plena liberación de los seres humanos. De la misma manera, todas las religiones deber ser signos de la presencia del Reino de Dios en el mundo; todas pueden y deben contribuir

El carácter representativo de John Hick para un pluralismo teocéntrico en el sentido más radical nos invita a detenernos un momento a considerar su posición [44]. John Hick se convierte en defensor de una «revolución copernicana» en cristología. Semejante revolución debería consistir precisamente en el cambio de paradigma, pasando de la perspectiva cristocéntrica tradicional a una nueva perspectiva teocéntrica. La «revolución copernicana» —una expresión empleada hoy a menudo en diversos ámbitos de la discusión teológica— explica bien de lo que se trata: pasar de un sistema de explicación, ya superado, a otro que corresponda a la realidad. Es como pasar del sistema ptolemaico al copernicano: así como, después de haber creído durante siglos que el sol giraba en torno a la tierra, Galileo y Copérnico descubrieron finalmente que en realidad la tierra gira en torno al sol, así, de la misma manera, después de haber creído durante siglos que las demás tradiciones religiosas giraban alrededor del cristianismo como su centro [45], se debe reconocer hoy que el centro alrededor del cual giran todas las religiones, incluido el mismo cristianismo, no es

---

juntas en iguales condiciones al crecimiento del Reino de Dios. Cf. P. F. KNITTER, «La teología de las religiones en el pensamiento católico», en H. KÜNG-J. MOLTMANN (eds.), *El cristianismo y las grandes religiones*, «Concilium» 203 (1986) 123-134; ÍD., «Toward a Liberation Theology of Religions», en J. HICK-P. F. KNITTER (eds.), *The Myth of Christian Uniqueness. Toward a Pluralistic Theology of Religions*, Orbis Books, Maryknoll, Nueva York, 1987, 178-200; ÍD., L. SWIDLER (eds.), *Christian Mission and Interreligious Dialogue*, The Edwin Mellen Press, Lewiston 1990, 77-92.

[44] Cf. especialmente J. HICK, *God and the Universe of Faiths: Essays in the Philosophy of Religion*, Macmillan, Londres 1973; ÍD., *The Centre of Christianity*, SCM Press, Londres 1977; ÍD., *The Second Christianity*, SCM Press, Londres 1983; ÍD., *God Has Many Names. Britain's New Religious Pluralism*, Macmillan, Londres 1980; ÍD., *Problems of Religious Pluralism*, Macmillan, Londres 1985; ÍD., *An Interpretation of Religion. Human Responses to the Transcendent*, Yale University Press, New Haven 1989.

[45] En su juventud, Hick publicó un libro titulado *Christianity at the Centre*, Macmillan, Londres 1968, antes de que él mismo sufriera la revolución cristológica copernicana. En una segunda edición, este libro se transformó en *The Centre of Christianity* para convertirse en una tercera edición en *The Second Christianity*.

otro que Dios mismo. Un cambio semejante de paradigma supone necesariamente el abandono de toda pretensión respecto a un significado privilegiado tanto para el cristianismo como para Jesucristo mismo.

En realidad, el dilema fundamental, tal como lo concibe John Hick, se plantea entre un exclusivismo eclesiocéntrico y un pluralismo teocéntrico; es decir, entre una interpretación fundamentalista del axioma «Fuera de la Iglesia no hay salvación» y un liberalismo radical que considera las distintas manifestaciones divinas en las diversas culturas, incluida la que se da en Jesucristo, como si todas gozaran de la misma igualdad fundamental, incluso en sus diferencias. Esto no quiere decir que John Hick ignore totalmente los escritos teológicos que representan la posición media del «inclusivismo», o, según la terminología de J. P. Schineller, la cristología inclusiva, en un universo cristocéntrico, tal como es seguida, por ejemplo, por K. Rahner [46]. Para él, sin embargo, todos los esfuerzos recientemente desplegados por un imponente número de teólogos —sobre todo católicos— que tratan de desarrollar en la teología de las religiones un cristocentrismo inclusivo y abierto que una el sentido «constitutivo» del acontecimiento Jesucristo para la salvación de la humanidad y el valor de las demás tradiciones religiosas —como representantes activos de Dios en la historia de las culturas humanas y poseedores de «elementos de gracia» y de salvación para sus miembros—, todos estos esfuerzos se han de dejar a un lado porque no merecen una seria consideración.

En realidad, se han de comparar a los «epiciclos» inventados por la ciencia antigua para tratar inútilmente de hacer entrar ciertos fenómenos recalcitrantes en el sistema ptole-

---

[46] Cf. K. RAHNER, varios ensayos en *Escritos de Teología*, Taurus, Madrid 1963.

maico, hasta que éste explote finalmente y ellos con él, para dar paso a la revolución copernicana. De manera análoga, la revolución copernicana en cristología, que John Hick no sólo auspicia, sino que intenta inaugurar, juzga todas las cristologías inclusivas como «epiciclos» ya inútiles y superados. Sólo queda, por tanto, como única teología válida de las religiones el pluralismo teocéntrico, que da cuenta de todos los fenómenos, supera toda pretensión cristiana de un papel privilegiado y universal de Jesucristo, y establece, finalmente, el diálogo interreligioso a partir de una verdadera y genuina igualdad [47].

Añadamos que el pensamiento de John Hick ha creado escuela, y que desarrolla una actitud un poco militante como demuestran los eslóganes que lo defienden. Al del «cambio de paradigma» y de «revolución copernicana» se ha unido recientemente el del «paso del Rubicón». «Pasar el Rubicón» significa en este contexto reconocer de una vez por todas el valor y significado igual de las diferentes religiones y renunciar a toda pretensión de carácter exclusivo o incluso normativo para el cristianismo [48]. Si existe una universalidad de Jesucristo, ésta puede referirse solamente a la capacidad que su mensaje puede tener de responder a las

---

[47] La perspectiva teocéntrica ha dado lugar a una objeción según la cual —en contraste con su aparente universalismo— el nuevo modelo terminaría imponiendo apriorísticamente como categoría interpretativa necesaria el concepto teístico de las religiones monoteístas, a la que las tradiciones no teístas han de adaptarse a la fuerza. A tal objeción J. Hick ha respondido con una nuevo cambio de paradigma. En su libro más reciente, *An Interpretation of Religion. Human Responses to the Transcendent* (cf. nota 44), pasa del teocentrismo al que ahora llama la «centralidad de lo real» *(Reality-centralness)*. Hick sostiene que todas las religiones son vías salvíficas, igualmente válidas, hacia «lo Real». Para una crítica en profundidad de esta última versión del modelo pluralístico de Hick, cf. G. D'COSTA, *Christian Uniqueness Reconsidered. The Myth of a Pluralistic Theology of Religions*, Orbis Books, Maryknoll, Nueva York, 1990.

[48] Cf. L. SWIDLER (ed.), *Toward a Universal Theology of Religion*, Orbis Books, Maryknoll, Nueva York, 1987, 227-230; cf. también J. HICK-P. F. KNITTER (ed.), *The Myth of Christian Uniqueness. Toward a Pluralistic Theology of Religions*, Orbis Books, Maryknoll, Nueva York, 1987.

aspiraciones de todos los hombres, capacidad que pueden poseer también otras figuras salvíficas.

El precio que la fe cristiana tradicional ha de pagar respecto al misterio de la persona y obra de Cristo es, como se ve, considerable. En tal contexto es urgente mostrar que el cristianismo inclusivo y abierto es posible, y que representa el único camino para una teología cristiana de las religiones verdaderamente digna de este nombre. Alegrémonos al observar que no han faltado autores recientes que, no sólo han rechazado el dilema de John Hick, sino que además han demostrado que su posición es insostenible[49].

Un libro reciente de Gavin D'Costa titulado *Theology and Religious Pluralism* merece especialmente la atención a este propósito[50]. El autor recuerda dos axiomas fundamentales de la fe cristiana: la voluntad salvífica universal de Dios, por una parte; la mediación necesaria de Jesucristo (y el papel de la Iglesia) en todo el misterio de la salvación, por otra. Deduce, por tanto, que de las actitudes resultantes frente a estos dos axiomas nacen las tres oposiciones fundamentales, que, según la terminología usual, él define respectivamente como *exclusivismo* (representado por H. Kraemer), *inclusivismo* (del que es protagonista K. Rahner) y *pluralismo* (ilustrado por John Hick).

Mientras el exclusivismo se basa en el segundo axioma, olvidando el primero, y el pluralismo mantiene el primero con desventaja del segundo, sólo el inclusivismo llega a dar razón de ambos y a tenerlos unidos. Exponiendo primero la

---

[49] Cf., por ejemplo, J. J. LIPNER, «Das Copernicus Help?», en RICHARD W. ROUSSEAU (ed.), *Inter-Religious Dialogue: Facing the Next Frontier*, Ridge Row Press, Scranton, Penn., 1981, 154-174, quien acusa a John Hick de un relativismo ingenuo e idealismo ahistórico. También GAVIN D'COSTA (ed.), *Christian Uniqueness Reconsidered. The Myth of a Pluralistic Theology of Religions*, Orbis Books, Maryknoll, Nueva York, 1990.
[50] Gavin D'Costa, *Theology of Religious Pluralism: The Challenge of Other Religions*, Basil Blackwell, Oxford 1986.

teoría pluralista, el autor demuestra cómo, a pesar de su aparente liberalismo, el dilema «aut-aut» planteado por John Hick representa de hecho una posición rígida y contradictoria: su visión teocéntrica impone al encuentro de las religiones un modelo divino que corresponde sólo al Dios de las religiones «monoteístas»; no es universal. El exclusivismo de H. Kraemer representa la posición diametralmente opuesta pero igualmente rígida, basada también ella en la dialéctica del «aut-aut». También es insostenible desde el punto de vista bíblico y teológico, y comporta, de hecho, contradicciones internas.

Poner el acento sobre uno sólo de los dos axiomas cruciales supone, por tanto, problemas teológicos insolubles. Queda el paradigma inclusivo de que se reconoce representante K. Rahner. Este paradigma ¿resuelve de verdad los problemas dejados sin solución por los otros dos, conservando lo que las dos tesis extremas tienen de válido? El autor demuestra que es así y que la posición inclusivista es la única capaz de juntar y de armonizar entre sí los dos axiomas necesarios de la fe cristiana para toda teología cristiana de las religiones. Por un lado, Jesucristo es claramente afirmado como revelación definitiva de Dios y Salvador absoluto; por otro, queda abierta la puerta al reconocimiento sincero de manifestaciones divinas en la historia de la humanidad y en las diferentes culturas, y de «elementos de gracia» en el seno de otras tradiciones religiosas para la salvación de sus miembros. Revelado de una vez para siempre en Cristo Jesús, Dios —y el misterio de Cristo— está de todos modos presente y en acción en las demás tradiciones religiosas. ¿Cómo? Es lo que debe aclarar una teología cristiana de las religiones. Aquí nos contentamos con señalar las conclusiones del autor. Refiriéndose a los retos teológicos y fenomenológicos estimulantes y abiertos que el cristiano encuentra al enfrentarse con el pluralismo religioso, escribe:

«La forma de inclusivismo que he mantenido trata de hacer plenamente honor a los dos axiomas más importantes: que la salvación viene sólo de Dios en Cristo y que la voluntad salvífica de Dios es verdaderamente universal. Manteniendo estos dos axiomas en una tensión fecunda, el paradigma inclusivista se caracteriza por su apertura y su compromiso: una apertura que trata de explorar las muchas y diversas formas en que Dios ha hablado a sus hijos en las religiones no cristianas; una apertura capaz también de conducir esta exploración a dar frutos positivos. Llegamos así a una transformación, a un enriquecimiento y a la consumación del cristianismo mismo, en forma tal que su configuración futura será sin duda muy distinta de la Iglesia que hoy conocemos»[51].

Hemos recorrido a grandes rasgos el debate actual sobre una teología cristiana de las religiones. Ya es cierta una conclusión: el problema cristológico constituye su nudo central. La cuestión definitiva, que ordena todo el resto, es saber si una teología de las religiones que quiera ser cristiana tiene la posibilidad de elegir entre una perspectiva cristocéntrica, que reconozca el acontecimiento Jesucristo como constitutivo de la salvación universal, y una perspectiva teocéntrica, que, de una forma u otra, ponga en duda o rechace explícitamente este dato central de la fe tradicional. En otros términos, un teocentrismo que no sea también cristocentrismo ¿puede ser un teocentrismo cristiano?

Por lo demás, no hay que equivocarse sobre el sentido que reviste aquí la perspectiva cristocéntrica: decir que Cristo está en el centro del plan divino para la humanidad no significa considerarlo como la meta y el fin hacia el que tienden la vida religiosa de los hombres y las tradiciones religiosas de la humanidad. Dios (el Padre) sigue siendo la meta y el fin; Jesús jamás le sustituye. Si Jesús está en el centro del misterio, es en cuanto Mediador necesario, constituido por Dios mismo como el camino que lleva a Dios. Jesucristo está en el centro porque Dios mismo —no los

---

[51] *Ibíd.*, 136.

hombres— lo ha puesto. De lo que se sigue que en la teología cristiana cristocentrismo y teocentrismo no parece que se puedan enfrentar recíprocamente como perspectivas diferentes entre las cuales haya que elegir. La teología cristiana es *teocéntrica en cuanto cristocéntrica* y *viceversa*. Lejos, pues, de ser superada, la perspectiva a un tiempo cristocéntrica y teocéntrica parece ser la única vía abierta. Lo que está en juego no es, en último análisis, la elección entre dos teologías intercambiables, sino la adopción libre y responsable de la perspectiva que se nos abre de lo que está en el centro mismo de la fe: el misterio de Jesucristo en su integridad y universalidad.

La adhesión a la fe es, sin duda, una elección libre; pero tal elección guía a toda teología cristiana auténtica. A partir de tal elección habrá que demostrar que la fe en Jesucristo no está cerrada, sino abierta, no es estrecha, sino de dimensiones cósmicas; y que la teología de las religiones de la humanidad basada en ella establece a nivel cósmico una maravillosa convergencia en el misterio de Cristo de todo lo que Dios en su Espíritu ha operado y sigue llevando a cabo en la historia de la humanidad [52].

---

[52] Para un tal desarrollo, cf., J. DUPUIS, *Jesucristo al encuentro de las religiones*, San Pablo, Madrid 1991.

Conclusión

Esta *Introducción a la cristología* ha buscado desde el principio un «acercamiento integral» o una «perspectiva global». Lo que tal acercamiento a la cristología pudiera implicar queda resumido en forma de varios principios: el principio de la tensión dialéctica, el de la totalidad, el de la pluralidad, el de la continuidad histórica y el de la integración. Llegados al final del recorrido, puede ser conveniente subrayar, una vez más, las implicaciones de estos principios, que no siempre se han tenido en cuenta adecuadamente o no se han conseguido.

Para ser creíble y convincente, la cristología deberá hoy presentarse como un proceso de reflexión sobre el misterio de Jesucristo en que se manifiesta en toda etapa y nivel la continuidad en la discontinuidad entre Jesús y Cristo, entre el Cristo del kerigma y el de la posterior elaboración bíblica, entre la cristología del Nuevo Testamento y la de la Tradición de la Iglesia, entre el dogma cristológico y la reflexión teológica actual sobre el misterio de Jesucristo, etc. La cristología, además, deberá reconocer plenamente la existencia y la validez de una pluralidad en la unidad. Hemos visto que el Nuevo Testamento es testigo de una variedad de cristologías entre las que hay una unidad sustancial y que acercamientos opuestos al misterio de Jesucristo, lejos de excluirse mutuamente, pueden complementarse e incluso corregirse unos a otros.

Se ha de permitir que tenga lugar hoy la misma interacción entre los acercamientos, aparentemente contradictorios, de modo que no se consienta que prevalezca una visión fragmentaria y unilateral del misterio de Cristo Jesús, faltando de esta forma a la realidad integral. A esto hay que añadir el hecho de que la contextualización y la inculturación de la cristología está pidiendo, hoy, la pluralidad en la unidad. De ahora en adelante ninguna cristología puede considerarse válida para todos los tiempos y lugares. Así como la reflexión sobre el misterio de Jesucristo se ha de hacer en cualquier Iglesia local dentro de un contexto definido y se ha de expresar en la estructura de una Iglesia particular, de la misma manera, la cristología será necesariamente local e histórica, salvaguardando, sin embargo, la comunión, tanto sincrónica como diacrónica, con la cristología de la Iglesia apostólica y con la de las demás Iglesias locales contemporáneas.

Hemos fijado nuestra atención en algunos aspectos del misterio de Jesucristo, acentuados de manera no adecuada en el pasado, que una cristología renovada debería poner muy de relieve: el aspecto histórico, el aspecto personal y trinitario y el aspecto soteriológico. No es necesario desarrollarlos nuevamente uno por uno.

Por lo que respecta al aspecto trinitario, se ha insistido en el hecho de que Jesucristo no es un Dios-hombre de forma neutral, impersonal, sino el Verbo o el Hijo encarnado que en su humanidad se relaciona personalmente con su *Abba*-Padre y con el Espíritu. Se han aclarado las implicaciones de la filiación de Jesús con el Padre tanto en lo que respecta a él mismo como en lo que se refiere a nosotros. De la misma forma se han de desarrollar las implicaciones surgidas de su relación con el Espíritu. Se ha puesto justamente la atención en años recientes en la necesidad de construir una «cristología del Espíritu» [1].

Una cristología así debería mostrar la influencia del Espíritu Santo a lo largo de la vida terrena de Jesús, de su concepción por obra del Espíritu (cf. Lc 1,35), de su resurrección por obra de Dios en el mismo Espíritu (cf. Rom 8,11). Sin embargo, no podría limitarse a comprobar la influencia del Espíritu en la humanidad de Jesús durante su vida terrena, sino que se prolongaría más allá de la resurrección para ilustrar la relación entre la acción del Señor resucitado y la economía del Espíritu Santo. La una no puede separarse de la otra, ya que es el Señor resucitado el que confiere el Espíritu Santo y que, precisamente por esto, es llamado por san Pablo «Espíritu de Cristo» (Flp 1,19; 1 Pe 1,11).

Entre Jesucristo y el Espíritu Santo no hay dos economías de salvación, sino una sola economía «Cristo-pneumática». Las funciones son distintas, pero, más que estar separadas o simplemente paralelas, son interdependientes y complementarias. Jesucristo es el acontecimiento de la salvación y, como tal, está en el centro del designio de Dios para la humanidad y de su realización en la historia. Pero el acontecimiento Jesucristo es simultáneo a todo período histórico y se hace presente y operante a toda generación gracias a la fuerza del Espíritu Santo. Si, entonces, la cristología no puede dejar de ser «cristología del Espíritu», la pneumatología, a su vez, ha de ser cristológica. Esto equivale a esta-

---

[1] Cf., entre otros, J. D. G. DUNN, *Jesús y el Espíritu*, Secretariado Trinitario, Salamanca 1981; W. KASPER, *Jesús, el Cristo*, Sígueme, Salamanca ⁵1984; L. LADARIA, *Cristología del Logos y cristología del Espíritu*, «Gregorianum» 61 (1980) 353-360; Y. CONGAR, *Pour une christologie pneumatique*, «Revue des sciences philosophiques et théologiques» 63 (1979) 435-442; B. FORTE, *Jesús de Nazaret, historia de Dios, Dios de la historia*, San Pablo, Madrid 1983; J. DUPUIS, *Jesus Christ and His Spirit, Theological Publications in India*, Bangalore 1977, 21-31; J. H. P. WONG, *The Holy Spirit in the Life of Jesus and of the Christian*, «Gregorianum» 73 (1992) 57-95.

blecer, en lo tocante a la relación entre cristología y pneumatología, lo que se observó anteriormente a propósito de la cristología y de la doctrina de Dios: el teocentrismo cristiano es necesariamente cristocéntrico.

Pero es también cierto lo contrario: el cristocentrismo es por naturaleza teocéntrico. Esto implica, entre otras cosas, que el misterio de Jesucristo nos desvela el misterio de Dios de manera única y sin precedentes. La cristología, entonces, lleva a término su propia función abriéndose al misterio de Dios trino. En Jesucristo el Verbo de Dios entró personalmente en la historia humana; el Hijo descendió hasta nosotros para hacernos partícipes de su filiación con el Padre. El acontecimiento Jesucristo es, con toda verdad, la historia humana de Dios. En esta historia humana que el Hijo asumió por nuestra causa, se nos revela el secreto de la vida íntima divina: el Padre que es el origen, el Hijo que eternamente viene del Padre y por el cual el Padre eternamente insufla el Espíritu. Desvelándonos estas relaciones interpersonales que constituyen la vida íntima y la comunión de la divinidad, el acontecimiento Cristo nos enseña que «Dios es amor» (1 Jn 4,8) y que el amor, que es él, desemboca sobre la humanidad.

Por eso, en Jesucristo se revela un «Dios diferente» [2]. No en el sentido de que él es otro Dios, sino en el sentido de que el solo y único Dios que habló y se comunicó a sí mismo «muchas veces y de diversas maneras» (Heb 1,1) a lo largo de la historia de la salvación y firmó con Israel una alianza duradera «cuando llegó la plenitud del tiempo» (Gál 4,4) dijo su palabra definitiva a la humanidad en su Verbo hecho carne (cf. Jn 1,14), llamándola a compartir la filiación de su mismo Hijo (cf. Gál 4,6; Rom 8,15). El «Dios de Abrahán, de Isaac y de Jacob» se hizo para noso-

---

[2] Cf. Ch. Duquoc, *Dios diferente*, Sígueme, Salamanca ²1981.

tros el «Dios, Padre de nuestro Señor Jesucristo» (Ef 1,3; cf. 2 Cor 11,31)[3]. En él y sólo en él descubrimos verdaderamente *lo que* Dios y *quien* Dios quiso ser para nosotros, *lo que* y *quien* él es en sí mismo.

Jesús, podemos decirlo, es el «rostro humano de Dios»; su rostro humano es, a su vez, el símbolo y la imagen de las relaciones personales de Dios con la humanidad. La imagen de Dios inscrita en el rostro de Jesús es la de un Dios que decidió libremente auto-anonadarse en el don de sí: en Jesús, como hemos observado, se hizo «Dios para los hombres en forma humana». Jesús, el «hombre para los demás» (Bonhoeffer), nos desvela la «pro-existencia» de Dios para los hombres. Libre en su autodeterminación, el Dios de Jesús es también un Dios que libera y rescata: «Jesús el liberador» nos transmite de forma humana la libertad con la que Dios nos libera para ser sus hijos (Rom 8,21; 2 Cor 3,17; Gál 4,31; 5,13).

La imagen trinitaria de Dios, desvelada en Jesús, es el símbolo de la efusión de amor por parte de Dios a la humanidad en el don libre y liberador de sí mismo. Ningún discurso filosófico sobre la trascendencia de Dios o sus atributos divinos —su inmutabilidad e impasibilidad— es suficiente de ahora en adelante para dar cuenta de lo que Dios es, ya que la realidad de su designio para con la humanidad solamente está a nuestra disposición en Jesucristo. En él nuestra historia humana se convierte en historia de Dios. Dios se unió, de una vez para siempre, a la humanidad por medio de un vínculo indisoluble, y sigue hoy comprometido personalmente con ella de manera irrevocable en un diálogo de salvación y de don de sí.

---

[3] Cf. J. SCHLOSSER, *Le Dieu de Jésus*, Cerf, París 1987; W. KASPER, *Jesús, el Cristo*, Sígueme, Salamanca [5]1984.

Bibliografía

Aa.Vv., *Jesús. Trece textos del Nuevo Testamento* (Cuadernos Bíblicos, n. 50), Verbo Divino, Estella ⁴1993.

Aa.Vv., *Jesús 2000. Un estudio sobre la figura más fascinante de la historia*, Verbo Divino, Estella 1990.

Amato, A., *Gesù il Signore*, EDB, Bolonia 1988.

Arias Reyero, M., *Jesús, el Cristo*, San Pablo, Madrid ²1983.

Auer, J., *Jesucristo hijo de Dios e hijo de María*, Herder, Barcelona 1989.

Balthasar, H. U. von, *Puntos centrales de la fe*, IX: *Crucificado por nosotros*, BAC, Madrid 1985.

—, *Teodramática*, Encuentro, Madrid 1990.

Beaude, P. M., *Jesús de Nazaret*, Verbo Divino, Estella ²1992.

Blank, J., *Jesús de Nazaret. Historia y mensaje*, Cristiandad, Madrid 1973.

Boff, L., *Jesucristo el liberador*, Sal Terrae, Santander ⁴1985.

Bornkamm, G., *Jesús de Nazaret*, Sígueme, Salamanca ⁴1990.

Bravo, C., *Jesús, hombre en conflicto*, Sal Terrae, Santander 1986.

Brown, R., *Jesús, Dios y hombre*, Sal Terrae, Santander 1973.

—, *El nacimiento del Mesías*, Cristiandad, Madrid 1982.

Caba, J., *De los evangelios al Jesús histórico*, La Editorial Católica, Madrid 1980.

Calvo, A. - Ruiz, A., *Para leer una cristología elemental*, Verbo Divino, Estella ⁵1991.

Castillo, J. M. - Estrada, J. A., *El proyecto de Jesús*, Sígueme, Salamanca ²1987.

Charpentier, E., *Cristo ha resucitado* (Cuadernos Bíblicos, n. 4), Verbo Divino, Estella ⁸1990.

Cullmann, O., *Jesús y los revolucionarios de su tiempo*, Herder, Barcelona ³1980.

DOOD, C. H., *El fundador del cristianismo*, Herder, Barcelona ⁵1984.

DRANE, J., *Jesús*, Verbo Divino, Estella ²1989.

DRI, R., *La utopía de Jesús*, México 1984.

DUNN, J. D. G., *Jesús y el Espíritu*, Secretariado Trinitario, Salamanca 1981.

DUPUIS, J., *Jesus Christ and His Spirit*, TPI, Bangalore 1977.

—, *Jesucristo al encuentro de las religiones*, San Pablo, Madrid 1991.

DUQUOC, CH., *Cristología*, Sígueme, Salamanca ⁵1985.

—, *Jesús, hombre libre*, Sígueme, Salamanca ⁸1989.

FABRIS, R., *Jesús de Nazaret, historia e interpretación*, Sígueme, Salamanca 1985.

FEINER, J. - LÖHRER, M., *Mysterium Salutis*, 5 vols., Cristiandad, Madrid ²1980.

FORTE, B., *Jesús de Nazaret, historia de Dios, Dios de la historia*, San Pablo, Madrid 1983.

GALOT, J., *Cristo, ¿tú quién eres?*, CETE, Toledo 1982.

—, *Jesús liberador*, CETE, Toledo 1982.

GNILKA, J., *Jesús de Nazaret*, Herder, Barcelona 1993.

GONZÁLEZ FAUS, J. J., *Acceso a Jesús*, Sígueme, Salamanca 1979.

—, *La humanidad nueva. Ensayo de cristología*, Sal Terrae, Santander 1984.

GONZÁLEZ CARLOS, J., *Él es nuestra salvación*, CELAM, Bogotá 1986.

GONZÁLEZ GIL, M. M., *Cristo, el misterio de Dios. Cristología y soteriología*, 2 vols., La Editorial Católica, Madrid 1976.

GOURGUES, M., *Jesús ante su pasión y su muerte* (Cuadernos Bíblicos, n. 30), Verbo Divino, Estella ⁵1990.

GRELOT, P., *Las palabras de Jesucristo*, Herder, Barcelona 1988.

—, *Los evangelios y la historia*, Herder, Barcelona 1987.

IMBACH, J., *¿De quién es Jesús? Su significación para judíos, cristianos y musulmanes*, Herder, Barcelona 1991.

JEREMIAS, J., *Abba. El mensaje central del Nuevo Testamento*, Sígueme, Salamanca ⁴1981.

—, *La última cena. Palabras de Jesús*, Cristiandad, Madrid 1980.

—, *Las parábolas de Jesús*, Verbo Divino, Estella ¹⁰1992.

—, *Teología del Nuevo Testamento*, Sígueme, Salamanca ⁵1985.

KÄSEMANN, E., *El testamento de Jesús*, Sígueme, Salamanca 1983.

KASPER, W., *Jesús, el Cristo*, Sígueme, Salamanca ⁵1984.

KÜNG, H., *Ser cristiano*, Cristiandad, Madrid ⁴1978.

LATOURELLE, R., *A Jesús el Cristo por los evangelios*, Sígueme, Salamanca 1982.

LÉON-DUFOUR, X., *Jesús y Pablo ante la muerte*, Cristiandad, Madrid 1982.

—, *Los evangelios y la historia de Jesús*, Cristiandad, Madrid ³1982.

—, *Los milagros de Jesús*, Cristiandad, Madrid 1979.

—, *Resurrección de Jesús y mensaje pascual*, Sígueme, Salamanca 1973.

LOHFINK, G., *El sermón de la montaña, ¿para quién?*, Herder, Barcelona 1989.

MATEOS, J., *La utopía de Jesús*, El Almendro, Córdoba 1990.

MOLTMANN, J., *El Dios crucificado*, Sígueme, Salamanca ²1977.

—, *La via di Gesù Cristo. Cristologia in dimensioni messianiche*, Queriniana, Brescia 1991.

O'COLLINS, G., *Jesús resucitado*, Herder, Barcelona 1988.

—, *Para interpretar a Jesús*, San Pablo, Madrid 1986.

PANIKKAR, R., *El Cristo desconocido del hinduismo*, Marova, Madrid 1971.

PELIKAN, J., *Jesús a través de los siglos*, Herder, Barcelona 1989.

PERROT, CH., *Jesús y la historia*, Cristiandad, Madrid 1982.

—, *Los relatos de la infancia de Jesús* (Cuadernos Bíblicos, n. 18), Verbo Divino, Estella ⁷1993.

RAHNER, K., *Curso fundamental sobre la fe*, Herder, Barcelona ²1979.

—, «Problemas actuales de cristología», en *Escritos de Teología*, I, Taurus, Madrid 1963, 169-222; «Para la teología de la encarnación», *ibíd.*, 139-158; «La cristología dentro de una concepción evolutiva del mundo», *ibíd.*, V, 181-220; «Ponderaciones dogmáticas sobre el saber de Cristo y su conciencia de sí mismo», *ibíd.*, V, 221-246.

SCHILLEBEECKX, E., *Jesús. La historia de un viviente*, Cristiandad, Madrid ²1983.

SCHNACKENBURG, R., «Cristología del Nuevo Testamento», en *Mysterium salutis*, V, Cristiandad, Madrid ²1980.

SCHOONENBERG, P., *Un Dios de los hombres*, Herder, Barcelona 1972.

SEGUNDO, J. L., *El hombre de hoy ante Jesús de Nazaret*, 3 vols., Cristiandad, Madrid 1982.

—, *La historia perdida y recuperada de Jesús de Nazaret. De los sinópticos a Pablo*, Sal Terrae, Santander 1991.

SOBRINO, J., *Cristología desde América Latina*, Centro de Reflexión Teológica, México 1976.

—, *Jesucristo liberador*, Trotta, Madrid ²1993.

—, *Jesús en América Latina*, Sal Terrae, Santander ²1985.

Índice